상위권을 위한 **완벽한** 교재

최고수준

수학

중학 수학 **1·2**

최고수준 수학은 상위권 학생들을 위한 심화학습 교재입니다. 중등수학의 최고수준 문제를 체계적으로 다루어 교과서 심화 문제를 해결할 수 있도록 하였습니다. 또한 창의적인 문제를 다양하게 실어 창의적이고 유연한 수학적 사고력을 키울 수 있도록 하였습니다. 본 교재를 통하여 다양한 문제 해결력을 기르고 수학의 최고수준에 이르기를 희망합니다.

상위권을 위한 교재

최고수준

수학

중학
수학

1·2

1 필수 개념 학습과 적중도 높은 문제 해결을 목표로 하는 상위권 학생들에게 효과적인 교재입니다.

2 최신 기출 문제를 철저히 분석하여 필수 문제, 자주 틀리는 문제, 까다로운 문제를 개념별, 유형별로 정리한 후 우수 문제를 선별하여 구성하였습니다.

3 서술형 문제, 창의력 문제, 융합형 문제들을 수록하여 서술형 문제에 대비하고 창의 사고력과 문제 해결력을 키울 수 있도록 하였습니다.

◆ **이 교재의 난이도** (학교 시험 기출 문제 기준)

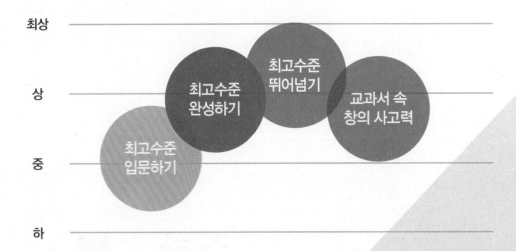

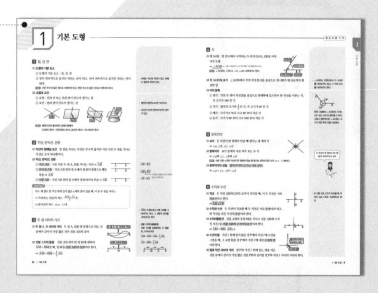
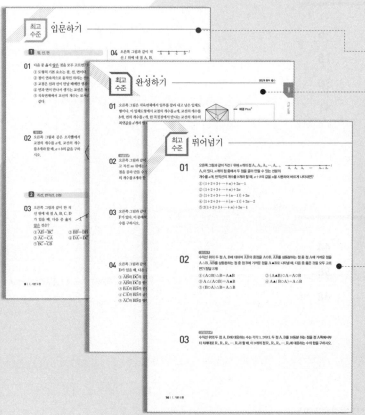
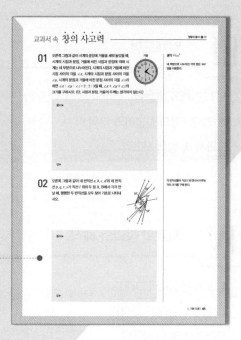

Contents
차례

I

기본 도형

1 기본 도형

1 점, 선, 면

(1) 도형의 기본 요소
① 도형의 기본 요소 : 점, 선, 면
② 점이 연속적으로 움직인 자리는 선이 되고, 선이 연속적으로 움직인 자리는 면이 된다.

> 참고 선은 무수히 많은 점으로 이루어져 있고, 면은 무수히 많은 선으로 이루어져 있다.

(2) 교점과 교선
① 교점 : 선과 선 또는 선과 면이 만나서 생기는 점
② 교선 : 면과 면이 만나서 생기는 선

> 참고 평면으로만 둘러싸인 입체도형에서
> (교점의 개수)=(꼭짓점의 개수), (교선의 개수)=(모서리의 개수)

2 직선, 반직선, 선분

(1) 직선이 정해질 조건
한 점을 지나는 직선은 무수히 많지만 서로 다른 두 점을 지나는 직선은 오직 하나뿐이다.

(2) 직선, 반직선, 선분
① **직선 AB** : 서로 다른 두 점 A, B를 지나는 직선 ➡ $\overleftrightarrow{AB}$
② **반직선 AB** : 직선 AB 위의 점 A에서 점 B의 방향으로 뻗은 부분 ➡ $\overrightarrow{AB}$
③ **선분 AB** : 직선 AB 위의 점 A에서 점 B까지의 부분 ➡ $\overline{AB}$

> 개념 Plus⁺
>
> 어느 세 점도 한 직선 위에 있지 않은 n개의 점이 있을 때, 이 중 두 점을 지나는
> (1) 직선(또는 선분)의 개수 : $\dfrac{n(n-1)}{2}$개
> (2) 반직선의 개수 : $n(n-1)$개

3 두 점 사이의 거리

(1) 두 점 A, B 사이의 거리
두 점 A, B를 양 끝점으로 하는 선 중에서 길이가 가장 짧은 선인 선분 AB의 길이

(2) 선분 AB의 중점
선분 AB 위의 한 점 M에 대하여 $\overline{AM}=\overline{BM}$일 때, 점 M을 선분 AB의 중점이라 한다.
➡ $\overline{AM}=\overline{BM}=\dfrac{1}{2}\overline{AB}$

4 각

(1) 각 AOB 한 점 O에서 시작하는 두 반직선 OA, OB로 이루

어진 도형

➡ ∠AOB → 각을 나타낼 때, 각의 꼭짓점은 가운데에 써야 한다.

참고 ∠AOB는 ∠BOA, ∠O, ∠a로 나타내기도 한다.

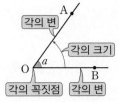

(2) 각 AOB의 크기 ∠AOB에서 각의 꼭짓점 O를 중심으로 변 OB가 변 OA까지 회

전한 양

(3) 각의 분류

① 평각 : 각의 두 변이 꼭짓점을 중심으로 반대쪽에 있으면서 한 직선을 이루는 각,

즉 크기가 180°인 각

② 직각 : 평각의 크기의 $\frac{1}{2}$인 각, 즉 크기가 90°인 각

③ 예각 : 크기가 0°보다 크고 90°보다 작은 각

④ 둔각 : 크기가 90°보다 크고 180°보다 작은 각

• ∠AOB는 도형으로서 각 AOB
를 나타내기도 하고, 그 각의 크기
를 나타내기도 한다.

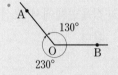

위의 그림에서 ∠AOB의 크기는
130° 또는 230°로 생각할 수 있다.
그러나 일반적으로 ∠AOB는 크
기가 작은 쪽의 각을 나타낸다.

5 맞꼭지각

(1) 교각 두 직선이 한 점에서 만날 때 생기는 네 개의 각

➡ ∠a, ∠b, ∠c, ∠d

(2) 맞꼭지각 교각 중에서 서로 마주 보는 두 각

➡ ∠a와 ∠c, ∠b와 ∠d

참고 서로 다른 n개의 직선이 한 점에서 만날 때 생기는 맞꼭지각은 모두 $n(n-1)$쌍이다.

(3) 맞꼭지각의 성질 맞꼭지각의 크기는 서로 같다.

➡ ∠a=∠c, ∠b=∠d

두 직선이 한 점에서 만나면
2쌍의 맞꼭지각이 생겨.

6 수직과 수선

(1) 직교 두 직선 AB와 CD의 교각이 직각일 때, 이 두 직선은 서로

직교한다고 한다.

➡ $\overleftrightarrow{AB} \perp \overleftrightarrow{CD}$

(2) 수직과 수선 두 직선이 직교할 때 두 직선은 서로 수직이라 하고,

한 직선을 다른 직선의 수선이라 한다.

(3) 수직이등분선 선분 AB의 중점 M을 지나고 선분 AB에 수직

인 직선 l을 선분 AB의 수직이등분선이라 한다.

➡ $\overline{AM}=\overline{BM}$, $\overline{AB} \perp l$

(4) 수선의 발 직선 l 위에 있지 않은 점 P에서 직선 l에 수선을

그었을 때, 그 교점 H를 점 P에서 직선 l에 내린 수선의 발

이라 한다.

(5) 점과 직선 사이의 거리 점 P와 직선 l 위에 있는 점을 이은

선분 중에서 길이가 가장 짧은 선분 PH의 길이를 점 P와 직선 l 사이의 거리라 한다.

• 두 선분 AB, CD가 직교할 때, 두
직선 AB, CD도 직교한다고 한
다.

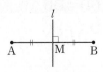

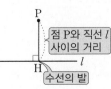

입문하기

01 다음 중 옳지 <u>않은</u> 것을 모두 고르면? (정답 2개)
① 도형의 기본 요소는 점, 선, 면이다.
② 점이 연속적으로 움직인 자리는 선이 된다.
③ 교점은 선과 선이 만날 때에만 생긴다.
④ 면과 면이 만나서 생기는 교선은 직선이다.
⑤ 직육면체에서 교선의 개수는 모서리의 개수와 같다.

필수 ✔

02 오른쪽 그림과 같은 오각뿔에서 교점의 개수를 a개, 교선의 개수를 b개라 할 때, $a+b$의 값을 구하시오.

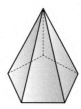

2 직선, 반직선, 선분

03 오른쪽 그림과 같이 한 직선 위에 네 점 A, B, C, D가 있을 때, 다음 중 옳지 <u>않은</u> 것은?

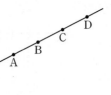

① $\overrightarrow{AB}=\overrightarrow{BC}$
② $\overrightarrow{BD}=\overrightarrow{DB}$
③ $\overline{AC}=\overline{CA}$
④ $\overrightarrow{DA}=\overrightarrow{DC}$
⑤ $\overline{BC}=\overline{CB}$

04 오른쪽 그림과 같이 직선 l 위에 네 점 A, B, C, D가 있을 때, 다음 중 $\overrightarrow{DB}$를 포함하는 것을 모두 고르면? (정답 2개)

① $\overrightarrow{AB}$　　　② $\overrightarrow{BD}$　　　③ $\overrightarrow{CA}$
④ $\overrightarrow{DA}$　　　⑤ $\overrightarrow{DC}$

05 다음 중 옳지 <u>않은</u> 것을 모두 고르면? (정답 2개)
① 선분은 양 끝점을 포함한다.
② 한 점을 지나는 반직선은 무수히 많다.
③ 서로 다른 세 점을 지나는 직선은 항상 존재한다.
④ 서로 다른 두 점을 지나는 직선은 오직 하나뿐이다.
⑤ 반직선의 길이는 직선의 길이의 $\frac{1}{2}$이다.

06 오른쪽 그림과 같이 어느 세 점도 한 직선 위에 있지 않은 네 점 A, B, C, D 중 두 점을 지나는 서로 다른 직선의 개수를 구하시오.

07 오른쪽 그림과 같이 원 위에
있는 서로 다른 5개의 점 A,
B, C, D, E에 대하여 다음
을 구하시오.

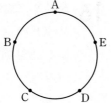

(1) 두 점을 지나는 직선의 개수

(2) 두 점을 지나는 반직선의 개수

(3) 두 점을 양 끝점으로 하는 선분의 개수

08 오른쪽 그림과 같이 직선
l 밖의 한 점 A와 직선 l
위의 세 점 B, C, D가 있
다. 이 중 두 점을 지나는
서로 다른 직선의 개수를
a개, 반직선의 개수를 b개라 할 때, $a+b$의 값을
구하시오.

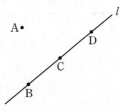

3 두 점 사이의 거리

09 오른쪽 그림에서 점 M은
선분 AB의 중점이고, 점
N은 선분 MB의 중점이다. 다음 중 옳지 <u>않은</u> 것
은?

① $\overline{AB}=2\overline{MB}$ ② $\overline{AN}=3\overline{MN}$

③ $\overline{NB}=\dfrac{1}{2}\overline{MB}$ ④ $\overline{MN}=\dfrac{1}{3}\overline{AB}$

⑤ $\overline{AB}=\dfrac{4}{3}\overline{AN}$

10 다음 그림에서 두 점 M, N은 각각 $\overline{AB}$, $\overline{AC}$의 중
점이다. $\overline{AB}=18$ cm, $\overline{BC}=10$ cm일 때, $\overline{MN}$의
길이를 구하시오.

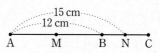

11 다음 그림에서 두 점 M, N은 각각 $\overline{AB}$, $\overline{BC}$의 중
점이다. $\overline{AB}=12$ cm, $\overline{AN}=15$ cm일 때, $\overline{MC}$의
길이를 구하시오.

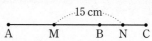

12 다음 그림에서 $\overline{BC}=\dfrac{1}{2}\overline{AB}$이고 두 점 M, N은 각
각 $\overline{AB}$, $\overline{BC}$의 중점이다. $\overline{MN}=15$ cm일 때, $\overline{AB}$
의 길이를 구하시오.

13 다음 그림에서 두 점 M, N은 각각 $\overline{AB}$, $\overline{BC}$의 중점이고 $\overline{AB}:\overline{BC}=3:1$이다. $\overline{AM}=3$ cm일 때, $\overline{MN}$의 길이를 구하시오.

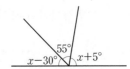

16 오른쪽 그림에서 $\angle COD:\angle DOB$ $=4:3$일 때, $\angle AOC$의 크기는?

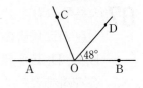

① 62°   ② 64°   ③ 66°

④ 68°   ⑤ 70°

4 각

14 오른쪽 그림에서 $\overline{AO}\perp\overline{CO}$, $\overline{BO}\perp\overline{DO}$, $\angle AOB+\angle COD=50°$ 일 때, $\angle BOC$의 크기를 구하시오.

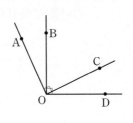

필수✔

17 오른쪽 그림에서 $\angle x:\angle y:\angle z$ $=3:5:4$일 때, $\angle z$의 크기를 구하시오.

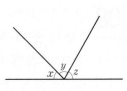

15 오른쪽 그림에서 $\angle x$의 크기를 구하시오.

서술형✏

18 오른쪽 그림에서 $\angle COB=\dfrac{2}{3}\angle AOC$일 때, $\angle x$의 크기를 구하시오.

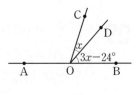

19 오른쪽 그림에서
∠AOC=3∠COD,
∠EOB=3∠DOE일
때, ∠COE의 크기를 구
하시오.

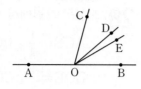

5 맞꼭지각

22 오른쪽 그림에서
∠x+∠y의 크기를 구하
시오.

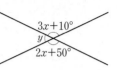

20 오른쪽 그림에서
5∠AOC=2∠AOD,
5∠DOE=3∠DOB일
때, ∠COE의 크기를 구
하시오.

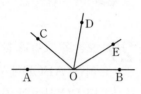

23 오른쪽 그림에서 ∠x, ∠y,
∠z의 크기를 각각 구하시
오.

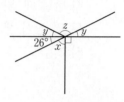

21 오른쪽 그림과 같이 시계가
4시 45분을 가리킬 때, 시침과
분침이 이루는 각 중에서 작은
쪽의 각의 크기를 구하시오.
(단, 시침, 분침의 두께는 생각
하지 않는다.)

필수 ✔

24 오른쪽 그림과 같이 세 직
선이 한 점에서 만날 때,
∠x의 크기를 구하시오.

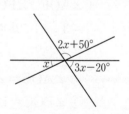

25 오른쪽 그림에서 $\angle y - \angle x$ 의 크기를 구하시오.

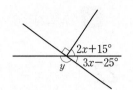

28 오른쪽 그림에서 $\angle AOB = \frac{1}{4}\angle BOC$, $\angle DOE = \frac{1}{4}\angle COD$일 때, $\angle HOF$의 크기를 구하시오.

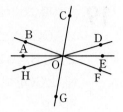

26 오른쪽 그림과 같이 서로 다른 4개의 직선이 한 점에서 만날 때, 맞꼭지각은 모두 몇 쌍이 생기는지 구하시오.

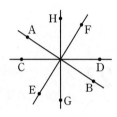

6 수직과 수선

29 오른쪽 그림과 같은 사다리꼴 ABCD에서 점 D와 $\overline{BC}$ 사이의 거리를 구하시오.

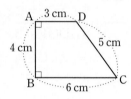

27 오른쪽 그림과 같이 세 직선이 한 점 O에서 만나고 $\angle AOF : \angle FOD : \angle DOB = 3 : 4 : 2$일 때, 다음 중 옳은 것은?

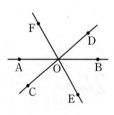

① $\angle AOC = \angle BOE$ ② $\angle AOE = 100°$
③ $\angle BOC = 140°$ ④ $\angle COD$는 둔각이다.
⑤ $\angle FOC$는 직각이다.

30 다음 중 오른쪽 그림에 대한 설명으로 옳지 <u>않은</u> 것은?

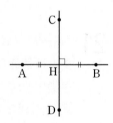

① $\overleftrightarrow{AB} \perp \overleftrightarrow{CD}$
② $\angle AHD = 90°$
③ $\overleftrightarrow{AB}$는 $\overline{CD}$의 수직이등분선이다.
④ 점 A에서 $\overleftrightarrow{CD}$에 내린 수선의 발은 점 H이다.
⑤ 점 C와 $\overleftrightarrow{AB}$ 사이의 거리는 $\overline{CH}$의 길이이다.

최고 수준 완성하기

01 오른쪽 그림은 직육면체에서 일부를 잘라 내고 남은 입체도 형이다. 이 입체도형에서 교점의 개수를 a개, 교선의 개수를 b개, 면의 개수를 c개, 한 꼭짓점에서 만나는 교선의 개수의 최댓값을 d개라 할 때, $a+b+c+d$의 값을 구하시오.

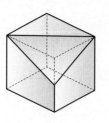

━ **해결 Plus⁺**

서술형 ✏️

02 오른쪽 그림과 같이 직선 l 위에는 두 점 A, B가 있 고 직선 m 위에는 세 점 C, D, E가 있다. 이 중 두 점을 골라 만들 수 있는 직선의 개수를 a개, 반직선 의 개수를 b개라 할 때, $b-a$의 값을 구하시오.

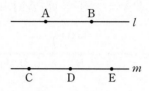

시작점과 방향이 모두 같은 반직선 은 서로 같은 반직선이므로 한 번 만 센다.

03 오른쪽 그림과 같이 부채꼴 위에 6개의 점 A, B, C, D, E, F가 있다. 이 중에서 두 점을 이어 만들 수 있는 반직선의 개 수를 구하시오.

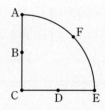

04 오른쪽 그림과 같이 한 직선 위에 네 점 A, B, C, D가 있을 때, 다음 중 옳지 <u>않은</u> 것은?

반직선은 시작점을 포함한다.

① $\overrightarrow{AB}$와 $\overrightarrow{DC}$의 공통 부분은 $\overline{AD}$이다.
② $\overrightarrow{AB}$와 $\overrightarrow{DC}$를 합하면 $\overleftrightarrow{BC}$이다.
③ $\overrightarrow{BA}$와 $\overrightarrow{BD}$의 공통 부분은 없다.
④ $\overrightarrow{CA}$와 $\overrightarrow{BD}$의 공통 부분은 $\overline{BC}$이다.
⑤ $\overrightarrow{AC}$와 $\overrightarrow{BD}$를 합하면 $\overrightarrow{AB}$이다.

05 창의력 ⚡
다음 그림과 같이 한 평면 위에 어느 두 직선도 평행하지 않고, 어느 세 직선도 한 점에서 만나지 않도록 직선을 그으면 교점이 생긴다. 직선의 개수가 10개일 때, 교점의 개수를 구하시오.

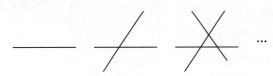

해결 Plus⁺

어느 두 직선도 평행하지 않고, 어느 세 직선도 한 점에서 만나지 않으므로 직선을 추가로 1개씩 그을 때마다 이전에 있던 직선들과 각각 한 점에서 만나게 된다.

06 다음 그림에서 네 점 B, C, D, E는 $\overline{AF}$를 5등분 하는 점이고, 점 M은 $\overline{CF}$의 중점이다. $\overline{PF}=15$ cm이고 $\overline{PA}=\dfrac{1}{3}\overline{PF}$일 때, $\overline{AM}$의 길이를 구하시오.

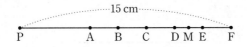

07 아래 그림과 같이 한 직선 위에 일정한 간격으로 떨어져 있는 8개의 점이 있다.

다음 조건을 만족시키도록 6개의 점 C, D, E, F, G, H를 위의 그림의 나머지 점들에 각각 대응시키려고 한다. $\overline{AD}=6$일 때, $\overline{DC}$의 길이를 구하시오.

조건
(개) 두 점 B, D는 $\overline{AE}$를 삼등분하는 점이다.
(내) $\overline{AF}:\overline{EF}=1:1$
(대) $\overline{AG}=\dfrac{1}{3}\overline{HB}$

08 직선으로 뻗은 길가에 편의점, 약국, 빵집, 은행, 서점이 순서대로 나란히 있고 다음 조건을 만족시킬 때, 은행과 서점 사이의 거리를 구하시오.

조건
(개) 편의점과 서점 사이의 거리는 36 m이다.
(내) 편의점과 빵집 사이의 거리와 빵집과 서점 사이의 거리는 서로 같다.
(대) 약국과 빵집 사이의 거리는 편의점과 약국 사이의 거리의 3배이다.
(래) 편의점과 약국 사이의 거리와 빵집과 은행 사이의 거리의 합은 7.5 m이다.

해결 Plus⁺

(대)에서
(편의점과 약국 사이의 거리)
$=\dfrac{1}{4}\times$(편의점과 빵집 사이의 거리)

09 오른쪽 그림에서 나타낼 수 있는 모든 각의 크기의
합이 $600°$이고 $\angle a : \angle b : \angle c : \angle d = 1 : 2 : 3 : 4$
일 때, $\angle d$의 크기를 구하시오. (단, 나타낼 수 있는
모든 각은 $180°$보다 작은 각만 생각한다.)

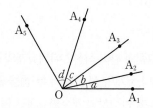

10 3시와 4시 사이에서 시계의 시침과 분침이 서로 반대 방향을 가리키며 평각을
이루는 시각을 구하시오.

해결 Plus⁺

시침은 1시간 동안 $30°$, 1분 동안
$0.5°$씩 움직이고 분침은 1분 동안
$6°$씩 움직인다.

11 오른쪽 그림에서 $\angle AOE = \angle COG = 90°$이고
$\angle COE + \angle GOB = 58°$일 때, $\angle HOF$의 크기를 구
하시오.

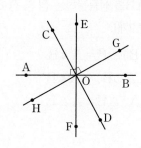

12 좌표평면 위에 두 점 $A(-3, -4)$, $B(5, 2)$가 있다. 점 A에서 x축과 y축에 내
린 수선의 발을 각각 P, Q라 하고 점 B에서 x축과 y축에 내린 수선의 발을 각
각 R, S라 할 때, 사각형 PQRS의 넓이를 구하시오.

01 오른쪽 그림과 같이 직선 l 위에 n개의 점 A_1, A_2, A_3, $\cdots$, A_{n-1},
A_n이 있다. n개의 점 중에서 두 점을 골라 만들 수 있는 선분의

개수를 a개, 반직선의 개수를 b개라 할 때, $a+b$의 값을 n을 사용하여 바르게 나타내면?

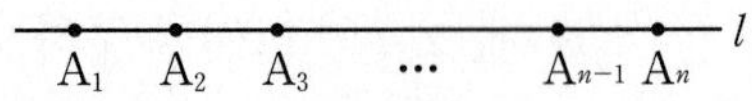

① $(1+2+3+\cdots+n)+2n-1$
② $(1+2+3+\cdots+n)+2n$
③ $\{1+2+3+\cdots+(n-1)\}+2n$
④ $\{1+2+3+\cdots+(n-1)\}+2n-2$
⑤ $2(1+2+3+\cdots+n)+2n-1$

02

창의력⚡

수직선 위의 두 점 A, B에 대하여 $\overline{AB}$의 중점을 A○B, $\overline{AB}$를 삼등분하는 점 중 점 A에 가까운 점을
A△B, $\overline{AB}$를 삼등분하는 점 중 점 B에 가까운 점을 A▲B로 나타낼 때, 다음 중 옳은 것을 모두 고르
면? (정답 2개)

① (A○B)△B=A▲B　　　　　　② (A▲B)○A=A○B
③ A△(A○B)=A▲B　　　　　　④ A▲(B○A)=A△B
⑤ (B○A)△B=A△B

03

STEP UP✍

수직선 위의 두 점 A, B에 대응하는 수는 각각 1, 20이다. 두 점 A, B를 10등분 하는 점을 점 A쪽에서부
터 차례대로 R_1, R_2, R_3, $\cdots$, R_9라 할 때, 이 9개의 점 R_1, R_2, R_3, $\cdots$, R_9에 대응하는 수의 합을 구하시오.

04 오른쪽 그림에서 $\angle a : \angle b = \angle b : \angle c = \angle c : \angle d = 4 : 3$일 때, $\angle BOE : \angle AOD$를 가장 간단한 자연수의 비로 나타내시오.

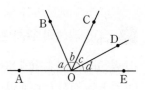

05 다음 그림과 같이 직선을 시계 방향으로 회전시키는 데 첫 번째에는 $x°$만큼, 두 번째에는 $2x°$만큼, 세 번째에는 $3x°$만큼 회전시킨다고 한다. 같은 방법으로 직선을 4번 회전시켰더니 처음으로 원래 직선과 겹쳐졌다. 이를 만족시키는 x의 최솟값을 구하시오.

06 오른쪽 그림과 같은 직각삼각형 ABC에서 꼭짓점 A와 $\overline{BC}$ 사이의 거리를 구하시오.

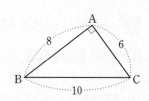

2 위치 관계

1 점과 직선의 위치 관계

(1) 점 A는 직선 l 위에 있다.
    → 직선 l이 점 A를 지난다.
(2) 점 B는 직선 l 위에 있지 않다. (점 B는 직선 l 밖에 있다.)
    → 직선 l이 점 B를 지나지 않는다.

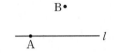

2 평면에서 두 직선의 위치 관계

(1) **두 직선의 평행** 한 평면 위에 있는 두 직선 l, m이 서로 만나지 않을 때, 두 직선 l, m은 서로 평행하다고 하고, 기호로 $l /\!/ m$과 같이 나타낸다.

(2) **평면에서 두 직선의 위치 관계**

  ① 한 점에서 만난다.   ② 일치한다.   ③ 평행하다.

3 공간에서 두 직선의 위치 관계

(1) **꼬인 위치** 공간에서 두 직선이 서로 만나지도 않고 평행하지도 않을 때, 두 직선은 꼬인 위치에 있다고 한다.

(2) **공간에서 두 직선의 위치 관계**

  ① 한 점에서 만난다. ② 일치한다.   ③ 평행하다.   ④ 꼬인 위치에 있다.

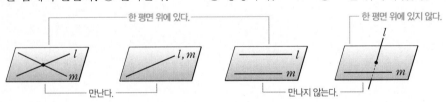

4 공간에서 직선과 평면의 위치 관계

(1) **직선과 평면의 평행** 공간에서 직선 l이 평면 P와 만나지 않을 때, 직선 l과 평면 P는 서로 평행하다고 하고, 기호로 $l /\!/ P$와 같이 나타낸다.

(2) **공간에서 직선과 평면의 위치 관계**

  ① 한 점에서 만난다.   ② 직선이 평면에 포함된다.   ③ 평행하다.

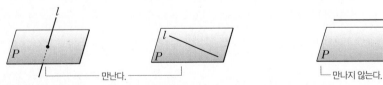

(3) **직선과 평면의 수직** 직선 l이 평면 P와 점 H에서 만나고, 점 H를 지나는 평면 P 위의 모든 직선과 서로 수직일 때, 직선 l과 평면 P는 서로 수직이다 또는 직교한다고 하고, 기호로 $l \perp P$와 같이 나타낸다.

5 공간에서 두 평면의 위치 관계

(1) **두 평면의 평행** 공간에서 두 평면 P, Q가 만나지 않을 때, 두 평면 P, Q는 서로 평행하다고 하고, 기호로 $P /\!/ Q$와 같이 나타낸다.

(2) **공간에서 두 평면의 위치 관계**

① 한 직선에서 만난다.　　② 일치한다.　　　　③ 평행하다.

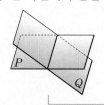　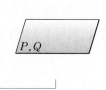　

└── 만난다. ──┘　　　　　　　　　└── 만나지 않는다. ──┘

(3) **두 평면의 수직** 평면 P가 평면 Q에 수직인 직선 l을 포함할 때, 평면 P와 평면 Q는 서로 수직이다 또는 직교한다고 하고, 기호로 $P \perp Q$와 같이 나타낸다.

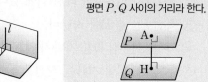

• **두 평면 사이의 거리**
평행한 두 평면 P, Q에 대하여 평면 P 위의 점 A에서 평면 Q에 내린 수선의 발 H까지의 거리를 두 평면 P, Q 사이의 거리라 한다.

6 동위각과 엇각

한 평면 위에서 서로 다른 두 직선이 한 직선과 만나서 생기는 8개의 교각 중에서

(1) **동위각** 서로 같은 위치에 있는 두 각

➡ $\angle a$와 $\angle e$, $\angle b$와 $\angle f$, $\angle c$와 $\angle g$, $\angle d$와 $\angle h$

(2) **엇각** 서로 엇갈린 위치에 있는 두 각

➡ $\angle b$와 $\angle h$, $\angle c$와 $\angle e$

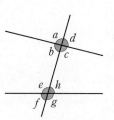

서로 다른 두 직선이 한 직선과 만나면 동위각은 4쌍, 엇각은 2쌍이 생겨.

7 평행선의 성질

서로 평행한 두 직선이 다른 한 직선과 만날 때

(1) **동위각의 크기는 서로 같다.**

➡ $l /\!/ m$이면 $\angle a = \angle b$

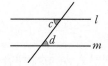

(2) **엇각의 크기는 서로 같다.**

➡ $l /\!/ m$이면 $\angle c = \angle d$

• 맞꼭지각의 크기는 항상 같지만 동위각과 엇각의 크기는 한 직선과 만나는 두 직선이 평행할 때만 같다.

• 다음 그림에서 $l /\!/ m$이면
$\angle a + \angle b = 180°$

8 두 직선이 평행할 조건

서로 다른 두 직선이 한 직선과 만날 때

(1) 동위각의 크기가 서로 같으면 두 직선은 평행하다.

➡ $\angle a = \angle b$이면 $l /\!/ m$

(2) 엇각의 크기가 서로 같으면 두 직선은 평행하다.

➡ $\angle c = \angle d$이면 $l /\!/ m$

• 다음 그림에서 $\angle a + \angle b = 180°$이면 $l /\!/ m$

1 평면에서의 위치 관계

01 다음 중 오른쪽 그림에 대한 설명으로 옳지 <u>않은</u> 것을 모두 고르면? (정답 2개)

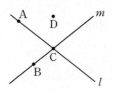

① 점 A는 직선 m 위에 있지 않다.

② 점 B와 점 C는 한 직선 위에 있다.

③ 직선 l은 점 B를 지난다.

④ 직선 m은 점 D를 지나지 않는다.

⑤ 두 점 A, C를 지나는 직선은 m이다.

02 오른쪽 그림과 같이 평면 P 위에 직선 l이 있을 때, 다섯 개의 점 A, B, C, D, E에 대하여 다음 보기에서 옳은 것을 모두 고르시오.

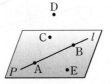

보기

㉠ 직선 l 위에 있지 않은 점은 3개이다.

㉡ 평면 P 위에 있는 점은 1개이다.

㉢ 점 C는 평면 P 위에 있지만 직선 l 위에 있지 않다.

㉣ 점 D는 평면 P 밖에 있다.

03 한 평면 위의 서로 다른 세 직선 l, m, n에 대한 설명으로 옳지 <u>않은</u> 것을 모두 고르면? (정답 2개)

① $l \perp m$, $m /\!\!/ n$이면 $l \perp n$이다.

② $l /\!\!/ m$, $m \perp n$이면 $l /\!\!/ n$이다.

③ $l \perp m$, $m \perp n$이면 $l /\!\!/ n$이다.

④ $l \perp m$, $l \perp n$이면 $m \perp n$이다.

⑤ $l /\!\!/ m$, $l /\!\!/ n$이면 $m /\!\!/ n$이다.

04 오른쪽 그림과 같은 정팔각형에서 각 변을 연장한 직선을 그을 때, $\overleftrightarrow{AB}$와 평행한 직선의 개수를 a개, $\overleftrightarrow{AB}$와 만나는 직선의 개수를 b개라 하자. 이때 $b - a$의 값을 구하시오.

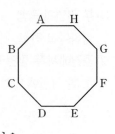

05 다음 중 평면이 하나로 정해지는 조건이 <u>아닌</u> 것은?

① 한 직선 위에 있지 않은 세 점

② 한 직선과 그 직선 위에 있지 않은 한 점

③ 한 점에서 만나는 두 직선

④ 평행한 두 직선

⑤ 꼬인 위치에 있는 두 직선

2 공간에서의 위치 관계

필수 ✔

06 오른쪽 그림과 같이 밑면이 정오각형인 오각기둥에 대한 설명으로 옳지 <u>않은</u> 것은?

① 모서리 AB와 모서리 BC는 한 점에서 만난다.

② 모서리 AF와 모서리 JI는 꼬인 위치에 있다.

③ 모서리 BG와 평행한 모서리는 4개이다.

④ 모서리 CD와 수직으로 만나는 모서리는 4개이다.

⑤ 모서리 BC와 모서리 GH는 만나지 않는다.

서술형 ✏️

07 오른쪽 그림의 직육면체에서 $\overline{DG}$와 꼬인 위치에 있는 모서리의 개수를 a개, 모서리 EF와 수직으로 만나는 모서리의 개수를 b개라 할 때, $a+b$의 값을 구하시오.

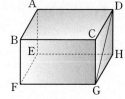

08 오른쪽 그림과 같이 밑면이 직각삼각형인 삼각기둥에서 꼭짓점 A와 면 DEF 사이의 거리를 a cm, 꼭짓점 B와 면 ADFC 사이의 거리를 b cm, 꼭짓점 C와 면 ABED 사이의 거리를 c cm라 할 때, $a+b-c$의 값을 구하시오.

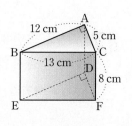

09 오른쪽 그림은 정육면체를 세 꼭짓점 B, F, C를 지나는 평면으로 잘라 내고 남은 입체도형이다. 다음 중 옳은 것을 모두 고르면? (정답 2개)

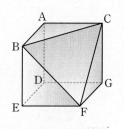

① 모서리 AB와 꼬인 위치에 있는 모서리는 4개이다.

② 모서리 BF와 평행한 모서리는 4개이다.

③ 면 CFG와 수직인 모서리는 2개이다.

④ 면 ADGC와 평행한 모서리는 없다.

⑤ 모서리 BC를 포함하는 면은 2개이다.

10 오른쪽 그림은 직육면체를 네 꼭짓점 A, B, C, D를 지나는 평면으로 잘라 내고 남은 입체도형이다. 면 ABE와 수직인 면의 개수를 a개, 면 ABCD와 평행한 모서리의 개수를 b개, 모서리 AB와 꼬인 위치에 있는 모서리의 개수를 c개라 할 때, $a+b+c$의 값을 구하시오.

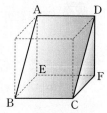

3 여러 가지 위치 관계

11 다음 중 공간에 있는 서로 다른 세 직선 l, m, n에 대한 설명으로 옳은 것은?

① $l \perp m$, $m \perp n$이면 $l /\!/ n$이다.

② $l \perp m$, $m \perp n$이면 $l \perp n$이다.

③ $l /\!/ m$, $m \perp n$이면 $l \perp n$이다.

④ $l \perp m$, $l /\!/ n$이면 $m \perp n$이다.

⑤ $l /\!/ m$, $l /\!/ n$이면 $m /\!/ n$이다.

필수 ✔️

12 다음 중 공간에서 서로 다른 두 직선 l, m과 서로 다른 세 평면 P, Q, R에 대한 설명으로 옳은 것은?

① $l /\!/ P$, $m /\!/ P$이면 $l /\!/ m$이다.

② $l /\!/ P$, $m \perp P$이면 $l \perp m$이다.

③ $l /\!/ P$, $l /\!/ Q$이면 $P /\!/ Q$이다.

④ $l \perp P$, $l \perp Q$이면 $P /\!/ Q$이다.

⑤ $P \perp Q$, $Q \perp R$이면 $P \perp R$이다.

4 동위각과 엇각

13 오른쪽 그림과 같이 세 직선이 만날 때, 다음 중 옳은 것은?

① ∠a와 ∠i는 동위각이다.

② ∠b와 ∠h는 동위각이다.

③ ∠d와 ∠l은 엇각이다.

④ ∠f의 동위각은 ∠b, ∠j이다.

⑤ ∠h의 엇각은 ∠c, ∠j이다.

14 오른쪽 그림에서 ∠x의 모든 동위각의 크기의 합을 구하시오.

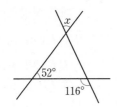

5 평행선의 성질 (1)

15 다음 그림에서 $l /\!/ m$일 때, ∠x, ∠y의 크기를 각각 구하시오.

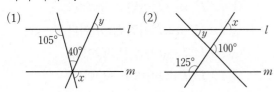

16 오른쪽 그림에서 $l /\!/ m$일 때, ∠x의 크기를 구하시오.

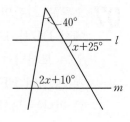

17 오른쪽 그림에 대한 다음 설명 중 옳지 <u>않은</u> 것은?

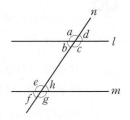

① $l /\!/ m$이면 ∠c=∠e이다.

② ∠a=∠g이면 $l /\!/ m$이다.

③ ∠b=∠h이면 $l /\!/ m$이다.

④ $l /\!/ m$이면 ∠c+∠f=180°이다.

⑤ $l /\!/ m$이면 ∠d+∠f=180°이다.

필수 ✔

18 오른쪽 그림에서 $\overleftrightarrow{AB} /\!/ \overleftrightarrow{CD}$이고 삼각형 EFG가 정삼각형일 때, ∠x의 크기를 구하시오.

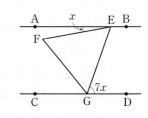

6 평행선의 성질 (2)

19 오른쪽 그림에서 $l/\!/m$일 때, $\angle x$의 크기를 구하시오.

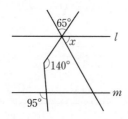

서술형 ✎

20 오른쪽 그림에서 $l/\!/m$일 때, $\angle x$의 크기를 구하시오.

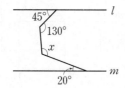

필수 ✔

21 오른쪽 그림에서 $l/\!/m$일 때, $\angle x$의 크기를 구하시오.

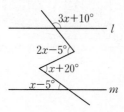

22 오른쪽 그림에서 $l/\!/m$일 때, $\angle x$의 크기를 구하시오.

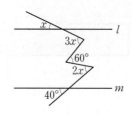

23 오른쪽 그림에서 $l/\!/m$이고 $\angle ABD : \angle DBC = 3 : 2$일 때, $\angle ABD$의 크기를 구하시오.

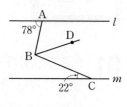

24 오른쪽 그림에서 $l/\!/m$일 때, $\angle a + \angle b + \angle c$의 크기를 구하시오.

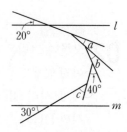

7 종이접기

25 직사각형 모양의 종이를 오른쪽 그림과 같이 접을 때, $\angle x$의 크기를 구하시오.

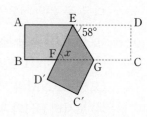

서술형 ✎

26 직사각형 모양의 종이를 오른쪽 그림과 같이 접을 때, $\angle x - \angle y + \angle z$의 크기를 구하시오.

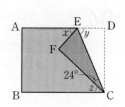

01 오른쪽 그림과 같이 한 평면 위에 네 점 A, B, C, D가 있고 이 평면 밖에 한 점 O가 있다. 이 5개의 점들 중에서 어느 세 점으로 정해지는 서로 다른 평면의 개수를 구하시오. (단, 다섯 개의 점 중 어느 세 점도 한 직선 위에 있지 않다.)

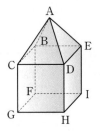

서술형

02 오른쪽 그림은 정사각형과 정삼각형 모양의 면으로만 이루어진 입체도형이다. 모서리 BC와 평행한 모서리의 개수를 a개, 모서리 DE와 꼬인 위치에 있는 모서리의 개수를 b개, 모서리 DH와 수직으로 만나는 모서리의 개수를 c개라 할 때, $a+b+c$의 값을 구하시오.

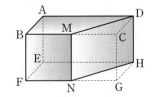

03 오른쪽 그림은 직육면체의 일부분을 잘라 낸 입체도형이다. 두 점 M, N은 각각 $\overline{BC}$, $\overline{FG}$의 중점일 때, 다음 중 옳은 것은?

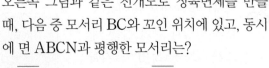

① 면 ABFE와 모서리 MD는 평행하다.
② 모서리 NH와 모서리 AB는 평행하다.
③ 면 BFNM과 모서리 DH는 한 점에서 만난다.
④ 모서리 DH와 평행한 면은 1개이다.
⑤ 모서리 MN과 모서리 AD는 꼬인 위치에 있다.

04 오른쪽 그림과 같은 전개도로 정육면체를 만들 때, 다음 중 모서리 BC와 꼬인 위치에 있고, 동시에 면 ABCN과 평행한 모서리는?

① $\overline{EF}$　　② $\overline{GH}$
③ $\overline{GL}$　　④ $\overline{HK}$
⑤ $\overline{NM}$

05 오른쪽 그림은 평면 P 위에 직사각형 모양의 종이를 반으로 접어서 세워 놓은 것이다. 이때 평면 P와 $\overline{AB}$가 수직임을 설명하기 위하여 필요한 조건을 다음 보기에서 모두 고르시오.

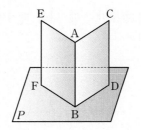

보기
ㄱ. $\overline{AB}/\!/\overline{CD}$ ㄴ. $\overline{AB}\perp\overline{BD}$ ㄷ. $\overline{AB}\perp\overline{BF}$
ㄹ. $\overline{AC}\perp\overline{AE}$ ㅁ. $\overline{BD}\perp\overline{BF}$ ㅂ. $\overline{CD}/\!/\overline{EF}$

해결 Plus⁺

직선 l이 평면 P와 수직인지 알아보기 위해서는 직선 l과 평면 P의 교점을 지나는 평면 P 위의 두 직선이 직선 l과 수직인지 알아보면 된다.

06 오른쪽 그림은 정육면체에서 일부를 평면으로 잘라 내고 남은 입체도형이다. 면 EFPQH와 수직인 면의 개수를 a개, 모서리 AB와 평행한 면의 개수를 b개, 모서리 BP와 꼬인 위치에 있는 모서리의 개수를 c개라 할 때, $a+b+c$의 값을 구하시오.

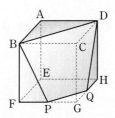

07 오른쪽 그림과 같은 정사각형 모양의 종이를 점선을 따라 접어 만든 입체도형에서 면 CEF와 수직인 면의 개수를 a개, $\overline{AF}$와 꼬인 위치에 있는 모서리의 개수를 b개라 할 때, $a+b$의 값을 구하시오.

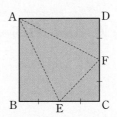

주어진 전개도로 입체도형을 만들어 직선과 평면의 위치 관계를 살펴본다.

08 다음 중 공간에서 서로 다른 세 직선 l, m, n과 서로 다른 세 평면 P, Q, R에 대한 설명으로 옳은 것을 모두 고르면? (정답 2개)

① $l/\!/m, l\perp n$이면 $m/\!/n$이다. ② $P\perp Q, Q\perp R$이면 $P/\!/R$이다.
③ $P/\!/Q, Q/\!/R$이면 $P/\!/R$이다. ④ $P/\!/Q, Q\perp R$이면 $P\perp R$이다.
⑤ $P\perp Q, l/\!/P, m/\!/Q$이면 $l\perp m$이다.

09 오른쪽 그림과 같이 네 직선이 만날 때, 다음 보기에 서 옳은 것을 모두 고르시오.

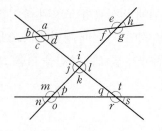

■ 해결 Plus⁺

보기

ㄱ. $\angle f$의 동위각은 $\angle c$, $\angle j$, $\angle n$이다.　ㄴ. $\angle g$의 엇각은 $\angle l$이다.

ㄷ. $\angle k$와 $\angle t$의 크기는 같다.　ㄹ. $\angle o$는 $\angle q$의 엇각이다.

10 오른쪽 그림에서 $l /\!/ m$일 때, $\angle x$의 크기를 구하시오.

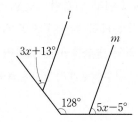

11 오른쪽 그림에서 $l /\!/ m$일 때, $\angle x$의 크기를 구하시 오.

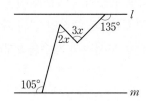

12 오른쪽 그림과 같이 정사각형 ABCD의 두 꼭짓점 A, C가 각각 평행한 두 직선 l, m 위에 있다. $\overrightarrow{\mathrm{BD}}$ 가 직선 l과 점 E에서 만나고 $\angle a = 4\angle b$일 때, $\angle x$의 크기를 구하시오.

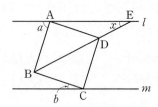

$$\angle \mathrm{DBC} = \frac{1}{2}\angle \mathrm{ABC}$$
$$= \frac{1}{2} \times 90°$$
$$= 45°$$

창의력 ⚡

13 오른쪽 그림과 같이 두 정삼각형이 포개져 있고 두 정삼 각형의 한 꼭짓점이 각각 두 직선 l, m 위에 있다. $l /\!/ m$ 일 때, $\angle x$의 크기를 구하시오.

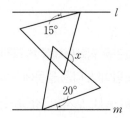

해결 Plus⁺

정삼각형의 한 각의 크기는 $60°$임을 이용한다.

14 오른쪽 그림에서 $l /\!/ m$이고 $\angle ABE = \angle EBF = \angle FBG$, $\angle EDC = \angle FDE = \angle GDF$, $\angle BED = 38°$일 때, $\angle x + \angle y$의 크기를 구하시오.

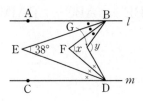

15 오른쪽 그림에서 $k /\!/ l$, $m /\!/ n$일 때, $\angle a + \angle b + \angle c + \angle d$의 크기를 구하시오.

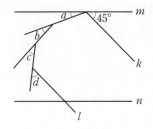

16 오른쪽 그림은 직사각형 모양의 종이를 접은 것이다. $\angle AFB = 64°$, $\angle FCE = 70°$일 때, 다음 중 옳은 것은?

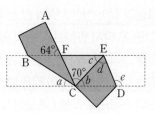

① $\angle a = 30°$ ② $\angle b = 40°$

③ $\angle c = 42°$ ④ $\angle d = 67°$

⑤ $\angle e = 110°$

01 오른쪽 그림은 정육면체를 세 꼭짓점 A, B, E를 지나는 평면으로 잘라 내고 남은 입체도형이다. 다음 물음에 답하시오.

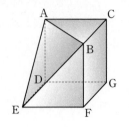

(1) 모서리 AB, 모서리 EF와 동시에 꼬인 위치에 있는 모서리를 구하시오.

(2) 면 ABC와 평행한 모서리의 개수를 a개, 면 BEF와 수직인 면의 개수를 b개라 할 때, $a+b$의 값을 구하시오.

(3) ∠ABE+∠ABC−∠BAD의 크기를 구하시오.

STEP UP

02 오른쪽 그림은 직육면체를 어떤 평면으로 잘라 내고 남은 입체도형의 전개도이다. 이 전개도로 만든 입체도형에서 모서리 AB와 꼬인 위치에 있는 모서리의 개수를 구하시오. (단, $\overline{OP}<\overline{EF}$)

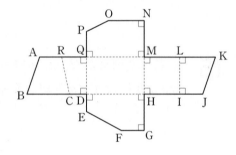

창의력

03 오른쪽 그림과 같이 직선 l 위의 한 점 P에서 직선 l과 10°가 되도록 반직선 l_1을 그린 후 다시 반직선 l_1 위의 한 점에서 반직선 l_1과 20°가 되도록 반직선 l_2를 그리고, 다시 반직선 l_2 위의 한 점에서 반직선 l_2와 30°가 되도록 반직선 l_3을 그린다. 이와 같은 방법으로 반직선을 계속 그릴 때, 몇 번째 반직선이 처음으로 직선 l과 평행하게 되는지 구하시오.

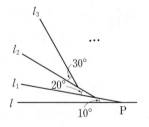

04 오른쪽 그림에서 $l /\!/ m, p /\!/ q$이고 $\angle a : \angle b = 7 : 3$일 때, $\angle x$의 크기를 구하시오.

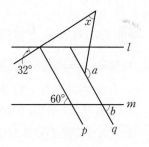

05 오른쪽 그림에서 $l /\!/ m$일 때, $\angle a + \angle b + \angle c + \angle d + \angle e$의 크기를 구하시오.

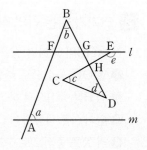

STEP UP ✐

06 오른쪽 그림과 같이 평행사변형 모양의 종이를 접었을 때, $\angle x + \angle y$의 크기를 구하시오.

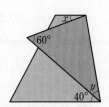

3 작도와 합동

1 길이가 같은 선분의 작도

(1) 작도 눈금 없는 자와 컴퍼스만을 사용하여 도형을 그리는 것

 ① 눈금 없는 자 : 두 점을 연결하여 선분을 그리거나 선분을 연장하는 데 사용

 ② 컴퍼스 : 원을 그리거나 선분의 길이를 재어서 옮기는 데 사용

(2) 길이가 같은 선분의 작도

선분 AB와 길이가 같은 선분은 다음과 같이 작도할 수 있다.

❶ 눈금 없는 자를 사용하여 직선 l을 그리고 그 위에 한 점 P를 잡는다.

❷ 컴퍼스를 사용하여 $\overline{AB}$의 길이를 잰다.

❸ 점 P를 중심으로 하고 반지름의 길이가 $\overline{AB}$인 원을 그려 직선 l과의 교점을 Q라 하면 선분 AB와 길이가 같은 선분 PQ가 작도된다.

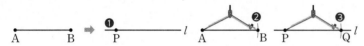

> 작도에서 사용하는 자는 눈금 없는 자이므로 선분의 길이를 잴 수 없다.

2 크기가 같은 각의 작도

각 AOB와 크기가 같은 각은 다음과 같이 작도할 수 있다.

❶ 점 O를 중심으로 하는 원을 그려 $\overrightarrow{OA}$, $\overrightarrow{OB}$와의 교점을 각각 C, D라 한다.

❷ 점 P를 중심으로 하고 반지름의 길이가 $\overline{OC}$인 원을 그려 $\overrightarrow{PQ}$와의 교점을 X라 한다.

❸ 컴퍼스를 사용하여 $\overline{CD}$의 길이를 잰다.

❹ 점 X를 중심으로 하고 반지름의 길이가 $\overline{CD}$인 원을 그려 ❷에서 그린 원과의 교점을 Y라 한다.

❺ $\overrightarrow{PY}$를 그리면 각 AOB와 크기가 같은 각 YPX가 작도된다.

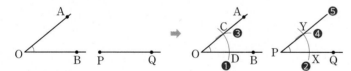

3 평행선의 작도

점 P를 지나고 직선 l과 평행한 직선은 다음과 같이 작도할 수 있다.

❶ 점 P를 지나는 직선을 그어 직선 l과의 교점을 Q라 한다.

❷ 점 Q를 중심으로 하는 원을 그려 $\overrightarrow{PQ}$, 직선 l과의 교점을 각각 A, B라 한다.

❸ 점 P를 중심으로 하고 반지름의 길이가 $\overline{QA}$인 원을 그려 $\overrightarrow{PQ}$와의 교점을 C라 한다.

❹ 컴퍼스를 사용하여 $\overline{AB}$의 길이를 잰다.

❺ 점 C를 중심으로 하고 반지름의 길이가 $\overline{AB}$인 원을 그려 ❸에서 그린 원과의 교점을 D라 한다.

❻ $\overrightarrow{PD}$를 그리면 직선 l과 평행한 직선 PD가 작도된다.

> 왼쪽의 평행선의 작도는 '서로 다른 두 직선이 한 직선과 만날 때, 동위각의 크기가 같으면 두 직선은 평행하다.'는 성질을 이용한 것이야.

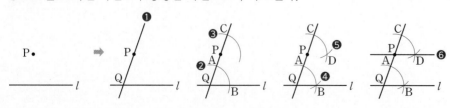

4 삼각형의 작도

(1) **삼각형 ABC** 삼각형 ABC를 기호로 △ABC와 같이 나타낸다.

　① 대변 : 한 각과 마주 보는 변

　② 대각 : 한 변과 마주 보는 각

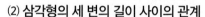

$\boxed{\overline{\text{BC}}\text{의 대각}}$

$\boxed{\angle A\text{의 대변}}$

(2) **삼각형의 세 변의 길이 사이의 관계**

삼각형의 두 변의 길이의 합은 나머지 한 변의 길이보다 크다.

　➡ $a+b>c$, $b+c>a$, $c+a>b$

(3) **삼각형의 작도** 다음 각 경우에 삼각형을 하나로 작도할 수 있다.

　① 세 변의 길이가 주어질 때

　② 두 변의 길이와 그 끼인각의 크기가 주어질 때

　③ 한 변의 길이와 그 양 끝 각의 크기가 주어질 때

　참고 삼각형을 작도할 때에는 길이가 같은 선분의 작도와 크기가 같은 각의 작도가 이용된다.

(4) **삼각형이 하나로 정해지는 경우**

　① 세 변의 길이가 주어질 때

　② 두 변의 길이와 그 끼인각의 크기가 주어질 때

　③ 한 변의 길이와 그 양 끝 각의 크기가 주어질 때

개념 Plus⁺

삼각형이 만들어지지 않거나 하나로 정해지지 않는 경우

(1) (가장 긴 변의 길이)≥(나머지 두 변의 길이의 합)일 때 → 삼각형이 만들어지지 않는다.

(2) 두 변의 길이와 그 끼인각이 아닌 다른 한 각의 크기가 주어질 때 → 삼각형이 만들어지지 않거나 1개 또는 2개로 그려진다.

(3) 세 각의 크기가 주어질 때 → 무수히 많은 삼각형이 만들어진다.

(4) 세 각의 크기의 합이 180°보다 클 때 → 삼각형이 만들어지지 않는다.

옆단 설명

- 삼각형 ABC에서 세 변 AB, BC, CA와 세 각 ∠A, ∠B, ∠C를 삼각형의 6요소라 한다.

- 일반적으로 ∠A, ∠B, ∠C의 대변의 길이를 차례대로 a, b, c로 나타낸다.

- 세 변의 길이가 주어졌을 때 삼각형이 될 수 있는 조건
  ➡ (가장 긴 변의 길이)
  　　<(나머지 두 변의 길이의 합)

- △ABC에서 $\overline{AB}$의 길이와 ∠A, ∠C의 크기가 주어질 때,
  ∠B=180°−(∠A+∠C)
  이므로 삼각형이 하나로 정해진다.

5 삼각형의 합동

(1) **삼각형의 합동** 두 삼각형 ABC와 DEF가 서로 합동일 때, 기호로 △ABC≡△DEF와 같이 나타낸다.

　→ 두 도형의 꼭짓점을 서로 대응하는 순서대로 쓴다.

(2) **합동인 도형의 성질**

두 도형이 서로 합동이면

　① 대응변의 길이가 같다.　② 대응각의 크기가 같다.

$\boxed{\text{대응점}}$ $\boxed{\text{대응변}}$ $\boxed{\text{대응각}}$

(3) **삼각형의 합동 조건**

다음 각 경우에 두 삼각형 ABC와 DEF는 서로 합동이다.

　① 세 쌍의 대응변의 길이가 각각 같을 때 (SSS 합동)

　　➡ $\overline{AB}=\overline{DE}$, $\overline{BC}=\overline{EF}$, $\overline{AC}=\overline{DF}$

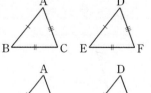

　② 두 쌍의 대응변의 길이가 각각 같고, 그 끼인각의 크기가 같을 때 (SAS 합동)

　　➡ $\overline{AB}=\overline{DE}$, $\overline{BC}=\overline{EF}$, ∠B=∠E

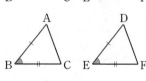

　③ 한 쌍의 대응변의 길이가 같고, 그 양 끝 각의 크기가 각각 같을 때 (ASA 합동)

　　➡ $\overline{BC}=\overline{EF}$, ∠B=∠E, ∠C=∠F

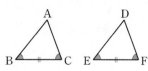

옆단 설명

- 모양과 크기가 같아서 완전히 포개지는 두 도형을 서로 합동이라 한다.

- 합동인 두 도형에서 서로 포개지는 꼭짓점과 꼭짓점, 변과 변, 각과 각은 서로 대응한다고 한다.

- SSS 합동, SAS 합동, ASA 합동에서 S는 변(side), A는 각(angle)을 뜻한다.

  세 변　　두 변　　한 변
  S S S　**S A S**　**A S A**
  　　　　　끼인각　　양끝각

1 작도

필수 ✓

01 다음 보기에서 작도에 대한 설명으로 옳은 것을 모두 고르시오.

> ─ 보기 ─
> ㉠ 눈금 없는 자, 컴퍼스, 각도기를 사용하여 도형을 그리는 것을 작도라 한다.
> ㉡ 선분을 연장할 때에는 눈금 없는 자를 사용한다.
> ㉢ 두 점을 지나는 직선을 그릴 때에는 컴퍼스를 사용한다.
> ㉣ 크기가 같은 각을 작도할 때에는 각도기를 사용한다.
> ㉤ 선분의 길이를 재어 다른 직선 위에 옮길 때에는 컴퍼스를 사용한다.

02 다음 그림은 $\angle XOY$와 크기가 같은 각을 반직선 PQ를 한 변으로 하여 작도한 것이다. 다음 중 옳지 <u>않은</u> 것은?

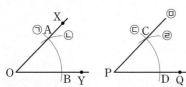

① $\overline{OA}=\overline{OB}$
② $\overline{AB}=\overline{CD}$
③ $\overline{PD}=\overline{CD}$
④ $\angle AOB = \angle CPD$
⑤ 작도 순서는 ㉠ → ㉢ → ㉡ → ㉣ → ㉤이다.

03 오른쪽 그림은 직선 l 위에 있지 않은 한 점 P를 지나고 직선 l과 평행한 직선을 작도한 것이다. 작도 순서를 나열하시오.

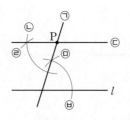

2 삼각형의 세 변의 길이 사이의 관계

04 다음 중 삼각형의 세 변의 길이가 될 수 있는 것을 모두 고르면? (정답 2개)

① 3 cm, 3 cm, 5 cm
② 3 cm, 5 cm, 9 cm
③ 4 cm, 6 cm, 12 cm
④ 5 cm, 5 cm, 10 cm
⑤ 5 cm, 7 cm, 10 cm

05 삼각형의 세 변의 길이가 $x-2$, x, $x+3$일 때, x의 값이 될 수 있는 한 자리의 자연수의 개수를 구하시오.

서술형 ✐

06 길이가 1, 2, 3, 4, 5, 6인 막대가 각각 하나씩 있다. 이 중에서 막대 3개를 이용하여 만들 수 있는 삼각형은 모두 몇 개인지 구하시오.

3 삼각형의 작도

07 $\overline{AB}$의 길이와 ∠A, ∠B의 크기가 주어졌을 때, 다음 중 △ABC를 작도하는 순서로 옳지 <u>않은</u> 것은?

① ∠A → ∠B → $\overline{AB}$

② ∠A → $\overline{AB}$ → ∠B

③ $\overline{AB}$ → ∠A → ∠B

④ $\overline{AB}$ → ∠B → ∠A

⑤ ∠B → $\overline{AB}$ → ∠A

필수✔

08 다음 보기에서 △ABC가 하나로 정해지는 것을 모두 고르시오.

┌ 보기 ┐
㉠ $\overline{AB}$=3 cm, $\overline{BC}$=5 cm, $\overline{CA}$=7 cm
㉡ $\overline{AB}$=4 cm, $\overline{BC}$=6 cm, ∠B=60°
㉢ $\overline{AB}$=7 cm, $\overline{AC}$=6 cm, ∠B=50°
㉣ $\overline{AB}$=8 cm, ∠A=60°, ∠C=45°
㉤ ∠A=30°, ∠B=60°, ∠C=90°
㉥ $\overline{BC}$=6 cm, ∠B=80°, ∠C=100°
└─────────────────────────────┘

09 $\overline{AB}$의 길이와 ∠B의 크기가 주어졌을 때, △ABC를 하나로 작도하기 위하여 필요한 한 가지 조건을 모두 구하시오.

10 다음 중 $\overline{BC}$의 길이가 주어졌을 때, △ABC가 하나로 정해지지 <u>않는</u> 것을 모두 고르면? (정답 2개)

① ∠A=30°, ∠B=80°

② $\overline{AB}$=5 cm, ∠B=50°

③ 정삼각형 ABC

④ ∠A=90°인 직각삼각형

⑤ $\overline{BC}$를 밑변으로 하는 이등변삼각형

11 △ABC의 변의 길이와 각의 크기가 다음과 같이 주어질 때, 그릴 수 있는 삼각형의 개수를 구하시오.

(1) $\overline{BC}$=4 cm, $\overline{AC}$=3 cm, ∠B=30°

(2) ∠A=80°, ∠C=70°, $\overline{AB}$=6 cm

(3) ∠A=100°, ∠B=80°, $\overline{AB}$=5 cm

(4) ∠A=75°, ∠B=60°, ∠C=45°

4 삼각형의 합동 조건

12 다음 중 △ABC≡△DEF라 할 수 <u>없는</u> 것은?

① $\overline{AB}$=$\overline{DE}$, $\overline{BC}$=$\overline{EF}$, $\overline{AC}$=$\overline{DF}$

② $\overline{AB}$=$\overline{DE}$, $\overline{BC}$=$\overline{EF}$, ∠B=∠E

③ $\overline{BC}$=$\overline{EF}$, $\overline{AC}$=$\overline{DF}$, ∠A=∠D

④ $\overline{AB}$=$\overline{DE}$, ∠A=∠D, ∠B=∠E

⑤ $\overline{AC}$=$\overline{DF}$, ∠A=∠D, ∠B=∠E

필수 ✓

13 다음 그림에서 $\overline{BC}=\overline{FE}$, $\angle C=\angle E$일 때, 한 가지 조건을 추가하여 $\triangle ABC\equiv\triangle DFE$가 되도록 하려고 한다. 이때 필요한 조건을 보기에서 모두 고르시오.

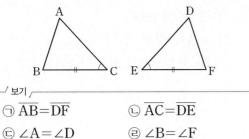

보기
ㄱ $\overline{AB}=\overline{DF}$
ㄴ $\overline{AC}=\overline{DE}$
ㄷ $\angle A=\angle D$
ㄹ $\angle B=\angle F$

14 다음은 오른쪽 그림에서 $\overline{OA}=\overline{OC}$, $\overline{AB}=\overline{CD}$일 때, $\triangle OAD\equiv\triangle OCB$임을 보이는 과정이다.
(가)~(라)에 알맞은 것을 구하시오.

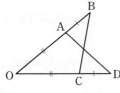

$\triangle OAD$와 $\triangle OCB$에서
$\overline{OA}=$ (가)
$\overline{OD}=\overline{OC}+\overline{CD}=\overline{OA}+$ (나) $=$ (다)
$\angle O$는 공통
$\therefore \triangle OAD\equiv\triangle OCB$ ((라) 합동)

15 오른쪽 그림에서 $\overline{AB}=\overline{AC}$이고 $\overline{AB}\perp\overline{CD}$, $\overline{AC}\perp\overline{BE}$일 때, 다음 중 옳지 않은 것은?

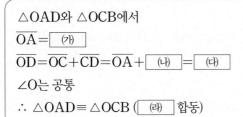

① $\overline{AD}=\overline{AE}$
② $\overline{BD}=\overline{CE}$
③ $\overline{PB}=\overline{PC}$
④ $\overline{AE}=\overline{BE}$
⑤ $\angle DBC=\angle ECB$

5 삼각형의 합동 조건의 활용

16 아래 그림과 같이 선분 AB 위의 한 점 C를 잡아 $\overline{AC}$, $\overline{CB}$를 각각 한 변으로 하는 정삼각형 ACD, CBE를 만들었다. 다음 중 옳지 않은 것은?

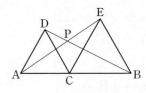

① $\overline{AE}=\overline{DB}$
② $\overline{AP}=\overline{PE}$
③ $\overline{CE}=\overline{CB}$
④ $\angle DCB=120°$
⑤ $\triangle ACE\equiv\triangle DCB$

17 오른쪽 그림에서 $\triangle ABC$와 $\triangle ADE$가 합동인 정삼각형일 때, 다음 중 옳지 않은 것은?

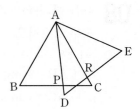

① $\overline{AB}=\overline{AE}$
② $\overline{AP}=\overline{AR}$
③ $\angle APB=\angle ARD$
④ $\angle ABC=\angle AED$
⑤ $\triangle ABP\equiv\triangle AER$

18 오른쪽 그림에서 $\triangle ABC$와 $\triangle CED$는 정삼각형이고 $\angle BDE=32°$일 때, $\angle BEA$의 크기를 구하시오.

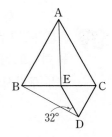

19 오른쪽 그림에서 △ABC는 정삼각형이고 $\overline{AD}=\overline{BE}=\overline{CF}$일 때, $\angle x$의 크기를 구하시오.

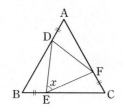

20 오른쪽 그림은 한 변의 길이가 3 cm인 정삼각형 ABC에서 $\overline{BC}$의 연장선 위에 $\overline{PB}=7$ cm가 되는 점 P를 잡아 정삼각형 APQ를 그린 것이다. 이때 $\overline{QB}$의 길이를 구하시오.

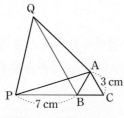

21 오른쪽 그림에서 △ABC는 $\angle A=90°$이고 $\overline{AB}=\overline{AC}$인 직각이등변삼각형이다. 두 꼭짓점 B, C에서 △ABC의 꼭짓점 A를 지나는 직선 l 위에 내린 수선의 발을 각각 D, E라 하자. $\overline{DE}=20$ cm, $\overline{EC}=5$ cm일 때, $\overline{BD}$의 길이를 구하시오.

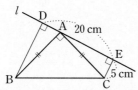

22 오른쪽 그림과 같이 정사각형 ABCD의 대각선 BD 위에 점 E를 잡아 $\overline{AE}$의 연장선과 $\overline{BC}$의 연장선의 교점을 F라 하자. $\angle AFC=28°$일 때, $\angle CEF$의 크기를 구하시오.

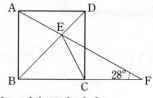

23 오른쪽 그림의 정사각형 ABCD에서 $\overline{AE}=\overline{DF}$일 때, $\angle BGF$의 크기를 구하시오.

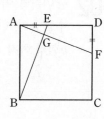

24 오른쪽 그림과 같이 한 변의 길이가 8 cm인 두 정사각형 ABCD, EFGO를 겹쳐 놓았다. 점 O가 $\overline{AC}$, $\overline{BD}$의 교점일 때, 두 정사각형이 겹쳐진 부분의 넓이를 구하시오.

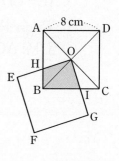

01 다음 보기에서 작도에 대한 설명으로 옳은 것을 모두 고르시오.

> 보기
> ㉠ 선분의 길이를 옮길 때 눈금 있는 자를 사용한다.
> ㉡ 한 각이 주어졌을 때 그 각의 크기의 2배가 되는 각을 작도할 수 있다.
> ㉢ 컴퍼스는 원을 그리거나 선분의 길이를 잴 때 사용한다.
> ㉣ 주어진 선분의 길이의 3배가 되는 선분은 작도할 수 없다.

해결 Plus⁺

02 동위각을 이용하여 한 직선과 평행한 직선을 작도할 때, 컴퍼스의 최소 사용 횟수를 a회, 한 둔각과 크기가 같은 각을 작도할 때, 컴퍼스의 최소 사용 횟수를 b회라 하자. 이때 $a+b$의 값을 구하시오.

03 오른쪽 그림은 직각인 $\angle XOY$의 삼등분선을 작도한 것이다. 다음 중 옳지 <u>않은</u> 것은?

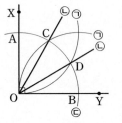

① $\angle COD = 30°$
② $\overline{BC} = \overline{OD}$
③ $\overline{AC} = \overline{CD} = \overline{DB}$
④ 작도 순서는 ㉠ → ㉢ → ㉡이다.
⑤ 삼각형 AOD는 정삼각형이다.

길이가 같은 선분의 작도를 이용한다.

04 길이가 1 m, 2 m, 3 m, 4 m인 나무기둥이 각각 1개씩 있다. 이 기둥으로 삼각형 모양의 조형물을 만들려고 할 때, 만들 수 있는 삼각형은 모두 몇 개인지 구하시오. (단, 2개의 기둥을 이어 삼각형의 한 변을 만들 수 있다.)

삼각형의 가장 긴 변의 길이는 나머지 두 변의 길이의 합보다 작음을 이용한다.

05 세 변의 길이가 자연수이고 세 변의 길이의 합이 27인 삼각형을 작도하려고 한다. 이때 작도 가능한 이등변삼각형은 모두 몇 개인지 구하시오.

해결 Plus⁺

서술형 ✎

06 오른쪽 그림에서 △ABC는 정삼각형이고 $\overline{BD}=\overline{CE}$, ∠CAE=28°일 때, ∠$x$의 크기를 구하시오.

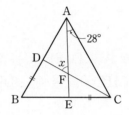

07 오른쪽 그림의 사각형 ABCD에서 $\overline{BO}=\overline{DO}$, $\overline{AC}=20$ cm이고 사각형 ABCD의 넓이는 160 cm²이다. 꼭짓점 D에서 대각선 AC에 내린 수선의 발을 E라 할 때, $\overline{DE}$의 길이를 구하시오. (단, 점 O는 두 대각선의 교점이다.)

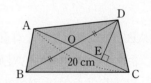

밑변의 길이와 높이가 각각 같은 두 삼각형은 넓이가 같다.

08 오른쪽 그림은 △ABC의 세 변 AB, BC, CA를 각각 한 변으로 하는 정삼각형 ADB, BCE, ACF를 그린 것이다. $\overline{AB}=5$ cm, $\overline{BC}=7$ cm, $\overline{CA}=3$ cm일 때, 오각형 EDBCF의 둘레의 길이를 구하시오.

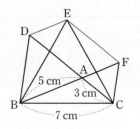

09 오른쪽 그림은 정사각형 ABCD에서 $\overline{AD}$ 위의 한 점 G를 잡아 정사각형 GCEF를 그린 것이다. 삼각형 DCE의 넓이가 200 cm²일 때, $\overline{AB}$의 길이를 구하시오.

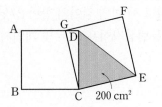

■ **해결 Plus⁺**

두 삼각형이 합동이면 두 삼각형의 넓이는 서로 같다.

10 오른쪽 그림에서 두 사각형 ABCD, EFGC는 정사각형이고 ∠ABG=72°, ∠CHE=65°일 때, ∠DEH의 크기를 구하시오.

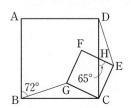

11 오른쪽 그림의 정사각형 ABCD에서 $\overline{BC}$ 위의 점 E와 $\overline{CD}$의 연장선 위의 점 G에 대하여 △ABE≡△ADG이다. $\overline{CD}$ 위의 점 F에 대하여 △CFE의 둘레의 길이가 정사각형 ABCD의 둘레의 길이의 $\frac{1}{2}$일 때, ∠EAF의 크기를 구하시오.

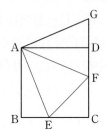

△CFE의 둘레의 길이가 정사각형 ABCD의 둘레의 길이의 $\frac{1}{2}$이므로

$\overline{EF}+\overline{CE}+\overline{CF}=\overline{BC}+\overline{CD}$

창의력 ⚡

12 오른쪽 그림은 직사각형 모양의 종이를 대각선 AC를 접는 선으로 하여 접은 것이다. 이때 △ABC의 넓이를 구하시오.

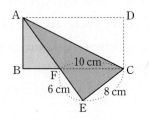

최고 수준 뛰어넘기

창의·융합 ✿

01 오른쪽 그림과 같은 작도에서 ∠BDC의 크기를 구하시오.

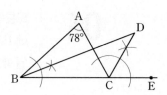

02 세 자연수 a, b, c에 대하여 $a+b+c=18$일 때, a, b, c를 세 변으로 하는 삼각형의 개수를 구하시오.

(단, $a \leq b \leq c$)

창의력 ⚡

03 오른쪽 그림의 직사각형 ABCD에서 $\overline{AB} : \overline{BC} = 4 : 7$, $\overline{BE} : \overline{EC} = 3 : 4$, $\overline{CF} : \overline{FD} = 3 : 1$일 때, ∠AFE의 크기를 구하시오.

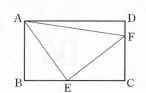

04 오른쪽 그림과 같이 $\overline{AB}=\overline{AC}$인 이등변삼각형 ABC에서 ∠B의 이등분선 위에 $\overline{BA}=\overline{BE}$가 되는 점 E를 잡고 $\overline{AC}$와 $\overline{BE}$의 교점을 D라 하자. $\overline{BC}=\overline{BD}$일 때, ∠AEC의 크기를 구하시오.

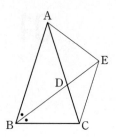

05 오른쪽 그림에서 △ABC는 정삼각형이고 $\overline{CE}=\overline{AD}$이다. ∠ADE=82° 일 때, ∠AEB의 크기를 구하시오.

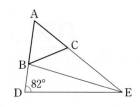

STEP UP

06 오른쪽 그림의 직사각형 ABCD에서 $\overline{DE}=\overline{EC}$, $\overline{DF}=\overline{BC}$이고 ∠DFE=25°일 때, ∠DAF의 크기를 구하시오.

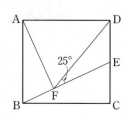

교과서 속 창의 사고력

01 오른쪽 그림과 같이 시계의 중앙에 거울을 세워 놓았을 때, 시계의 시침과 분침, 거울에 비친 시침과 분침에 의해 시계는 네 부분으로 나누어진다. 시계의 시침과 거울에 비친 시침 사이의 각을 $\angle x$, 시계의 시침과 분침 사이의 각을 $\angle y$, 시계의 분침과 거울에 비친 분침 사이의 각을 $\angle z$라 하면 $\angle x : \angle y : \angle z = 2 : 2 : 3$일 때, $\angle x + \angle y + \angle z$의 크기를 구하시오. (단, 시침과 분침, 거울의 두께는 생각하지 않는다.)

거울

생각 Plus⁺

네 부분으로 나누어진 각의 크기의 합은 360°임을 이용한다.

풀이▶

답▶

02 오른쪽 그림과 같이 네 반직선 a, b, c, d와 네 반직선 p, q, r, s가 직선 l 위의 두 점 A, B에서 각각 만날 때, 평행한 두 반직선을 모두 찾아 기호로 나타내시오.

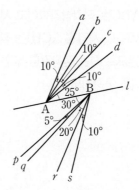

각 반직선들이 직선 l과 만나서 이루는 각의 크기를 구해 본다.

풀이▶

답▶

03 일정한 방향으로 진행하는 빛이 평면거울에 닿아 반사될 때 생기는 입사각과 반사각의 크기는 서로 같다고 한다. 오른쪽 그림에서 두 개의 평면거울을 서로 평행하게 놓았을 때, $\angle x$의 크기를 구하시오. (단, 평면거울의 두께는 생각하지 않는다.)

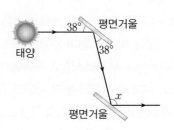

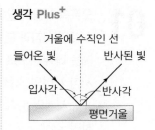

생각 Plus⁺

풀이▶

답▶

04 오른쪽 그림에서 △ABC는 직각삼각형이고 사각형 ADEB, 사각형 BFGC, 사각형 ACHI는 각각 $\overline{AB}$, $\overline{BC}$, $\overline{AC}$를 한 변으로 하는 정사각형이다. 이때 색칠한 부분의 넓이를 구하시오.

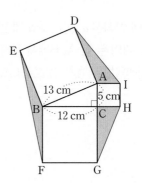

△ABC와 합동인 삼각형을 그려 △AID, △BEF의 높이를 각각 구한다.

풀이▶

답▶

II

평면도형

1 다각형

1 다각형

(1) 다각형 선분으로만 둘러싸인 평면도형

① **내각** : 다각형에서 이웃하는 두 변으로 이루어진 내부의 각

② **외각** : 다각형의 각 꼭짓점에서 한 변과 그 변에 이웃한 변의
연장선으로 이루어진 각

(2) 정다각형 변의 길이가 모두 같고, 내각의 크기가 모두 같은 다각형

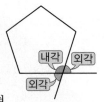

2 삼각형의 내각과 외각 사이의 관계

(1) 삼각형의 내각의 크기의 합

삼각형의 세 내각의 크기의 합은 $180°$이다.

➡ $\angle A + \angle B + \angle C = 180°$

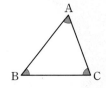

(2) 삼각형의 내각과 외각 사이의 관계

삼각형의 한 외각의 크기는 그와 이웃하지 않은 두 내각의 크기
의 합과 같다.

➡ $\angle ACD = \angle A + \angle B$

참고 △ABC에서 $\angle C + \angle ACD = 180°$이고

$\angle A + \angle B + \angle C = 180°$이므로

$\angle C + \angle ACD = \angle A + \angle B + \angle C$ ∴ $\angle ACD = \angle A + \angle B$

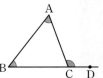

3 다각형의 대각선의 개수

(1) 대각선 다각형에서 서로 이웃하지 않은 두 꼭짓점을 이은 선분

(2) 대각선의 개수

① n각형의 한 꼭짓점에서 그을 수 있는 대각선의 개수는

$(n-3)$개

② n각형의 대각선의 개수는 $\dfrac{n(n-3)}{2}$개

4 다각형의 내각과 외각의 크기의 합

(1) 다각형의 내각의 크기의 합 n각형의 내각의 크기의 합은 $180° \times (n-2)$

(2) 다각형의 외각의 크기의 합 n각형의 외각의 크기의 합은 항상 $360°$이다.

참고 n각형에서

(내각의 크기의 합)+(외각의 크기의 합)$=180° \times n$

5 정다각형의 한 내각과 한 외각의 크기

(1) 정n각형의 한 내각의 크기 $\dfrac{180° \times (n-2)}{n}$

(2) 정n각형의 한 외각의 크기 $\dfrac{360°}{n}$

- 한 내각에 대한 외각은 2개이지만
  맞꼭지각으로 그 크기가 서로 같으
  므로 둘 중 하나만 생각한다.

- 다각형의 한 꼭짓점에서의 내각과
  외각의 크기의 합은 $180°$이다.

- n각형의 한 꼭짓점에서 자기 자신
  과 이웃하는 2개의 꼭짓점에는 대
  각선을 그을 수 없다.

  꼭짓점의 개수

  한 꼭짓점에서 그을 수
  $\dfrac{n(n-3)}{2}$ 있는 대각선의 개수

  한 대각선을 두 번씩 계산
  했으므로 2로 나눈다.

- n각형의 한 꼭짓점에서 대각선을
  모두 그으면 n각형은 $(n-2)$개
  의 삼각형으로 나뉜다.

$4-2=2$(개)　$5-2=3$(개)

- 정n각형은 모든 내각과 외각의 크
  기가 각각 같으므로 내각과 외각의
  크기의 합을 각각 n으로 나눈다.

입문하기

1 다각형과 정다각형

01 오른쪽 그림의 △ABC에 서 ∠x − ∠y의 크기를 구 하시오.

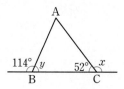

02 다음 중 옳은 것을 모두 고르면? (정답 2개)

① 세 변의 길이가 같은 삼각형은 정삼각형이다.
② 모든 변의 길이가 같은 다각형은 정다각형이다.
③ 다각형의 한 꼭짓점에 대하여 외각은 3개가 있 다.
④ 정다각형의 한 내각의 크기와 한 외각의 크기는 같다.
⑤ 다각형에서 변의 개수와 꼭짓점의 개수는 항상 같다.

2 삼각형의 세 내각의 크기의 합

03 오른쪽 그림에서 ∠x의 크 기를 구하시오.

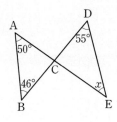

04 삼각형의 세 내각의 크기의 비가 2 : 3 : 5일 때, 세 내각 중 크기가 가장 작은 각의 크기를 구하시오.

필수 ✔

05 오른쪽 그림에서 ∠x의 크 기를 구하시오.

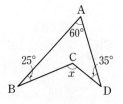

서술형 ✍

06 오른쪽 그림의 △ABC에 서 점 I는 ∠B, ∠C의 이등 분선의 교점이다.
∠A=70°일 때, ∠x의 크 기를 구하시오.

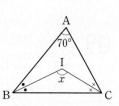

3 삼각형의 내각과 외각 사이의 관계

07 오른쪽 그림의 △ABC 에서 ∠x+∠y의 크기를 구하시오.

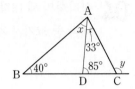

08 오른쪽 그림의 △ABC 에서 ∠ACD=∠DCB 일 때, ∠x의 크기를 구하시오.

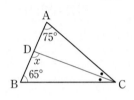

09 오른쪽 그림의 △ABC에서 $\overline{AB}=\overline{AC}$, $\overline{BC}=\overline{CD}$이고 ∠A=52°일 때, ∠$x$의 크기를 구하시오.

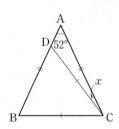

10 오른쪽 그림에서 $\overline{AB}=\overline{AC}=\overline{CD}=\overline{DE}$ 이고 ∠EDF=100°일 때, ∠x의 크기를 구하시오.

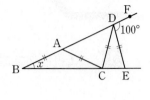

11 오른쪽 그림의 △ABC 에서 ∠B의 이등분선과 ∠C의 외각의 이등분선 의 교점을 D라 하자. ∠A=54°일 때, ∠x의 크기를 구하시오.

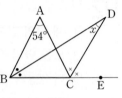

12 오른쪽 그림에서 ∠x+∠y 의 크기를 구하시오.

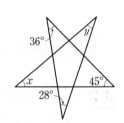

4 다각형의 대각선의 개수

13 팔각형의 한 꼭짓점에서 그을 수 있는 대각선의 개수를 a개, 이때 생기는 삼각형의 개수를 b개라 할 때, $a+b$의 값을 구하시오.

필수 ✓

14 어떤 다각형의 한 꼭짓점에서 그을 수 있는 대각선의 개수가 8개일 때, 이 다각형의 대각선의 개수는?

① 20개   ② 27개   ③ 35개
④ 44개   ⑤ 54개

15 대각선의 개수가 27개인 다각형의 꼭짓점의 개수를 구하시오.

16 어떤 다각형의 한 꼭짓점에서 그을 수 있는 대각선을 모두 그었더니 다각형이 13개의 삼각형으로 나누어졌다. 이 다각형의 대각선의 개수를 구하시오.

서술형 ✎

17 다음 조건을 모두 만족시키는 다각형을 구하시오.

㈎ 변의 길이가 모두 같고, 내각의 크기가 모두 같다.
㈏ 대각선의 개수가 35개이다.

18 어떤 다각형의 내부의 한 점에서 각 꼭짓점에 선분을 그었을 때 생기는 삼각형의 개수가 13개이다. 이때 이 다각형의 한 꼭짓점에서 그을 수 있는 대각선의 개수는?

① 6개   ② 7개   ③ 8개
④ 9개   ⑤ 10개

필수 ✓

19 오른쪽 그림과 같이 원 모양의 도로 위에 8개의 도시가 있다. 이웃하는 도시 사이에는 버스를 운행하고, 이웃하지 않은 도시 사이에는 철도를 운행하려고 한 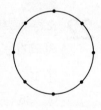 다. 버스 노선의 개수를 a개, 철도 노선의 개수를 b개라 할 때, $b-a$의 값을 구하시오.

5 다각형의 내각의 크기의 합과 외각의 크기의 합

필수 ✓

20 오른쪽 그림에서 $\angle x$의 크기를 구하시오.

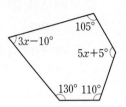

21 내각의 크기의 합이 $1800°$인 다각형의 대각선의 개수를 구하시오.

필수 ✓

22 오른쪽 그림에서 $\angle x + \angle y$의 크기는?

① $130°$ ② $133°$
③ $136°$ ④ $140°$
⑤ $143°$

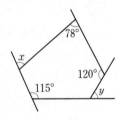

서술형 ✎

23 오른쪽 그림에서 $\angle x + \angle y$의 크기를 구하시오.

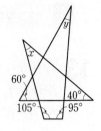

24 오른쪽 그림에서 $\angle x + \angle y$의 크기는?

① $80°$ ② $82°$
③ $84°$ ④ $86°$
⑤ $88°$

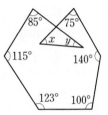

25 오른쪽 그림에서
$\angle a + \angle b + \angle c + \angle d + \angle e$
$\qquad + \angle f + \angle g$
의 크기를 구하시오.

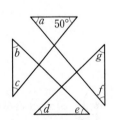

6 정다각형의 한 내각의 크기와 한 외각의 크기

26 한 꼭짓점에서 그을 수 있는 대각선의 개수가 7개 인 정다각형의 한 내각의 크기를 구하시오.

27 내각의 크기의 합이 $1080°$인 정다각형의 한 외각의 크기를 구하시오.

28 다음 중 한 내각의 크기와 한 외각의 크기의 비가 $7:2$인 정다각형에 대한 설명으로 옳지 <u>않은</u> 것은?

① 정구각형이다.

② 내각의 크기의 합은 $1260°$이다.

③ 한 외각의 크기는 $40°$이다.

④ 대각선의 개수는 35개이다.

⑤ 한 꼭짓점에서 그을 수 있는 대각선의 개수는 6개이다.

서술형 ✎

29 오른쪽 그림에서 사각형 ABCD는 정사각형이고 삼각형 PBC는 정삼각형일 때, $\angle x$의 크기를 구하시오.

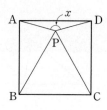

필수 ✔

30 다음 그림의 정다각형에서 $\angle x$의 크기를 구하시오.

(1)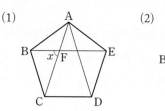

(2)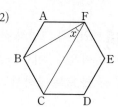

31 오른쪽 그림과 같이 평행한 두 직선 l, m이 정오각형 ABCDE의 두 꼭짓점 A, C를 각각 지나고 $\angle FAB=50°$일 때, $\angle x$의 크기를 구하시오.

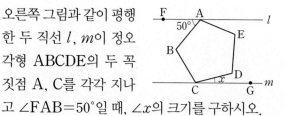

32 오른쪽 그림과 같이 한 변의 길이가 같은 정육각형과 정오각형의 한 변을 붙여 놓았을 때, $\angle x$의 크기를 구하시오.

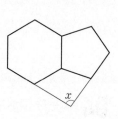

최고 수준 완성하기

01 오른쪽 그림과 같이 가로, 세로의 간격이 일정한 20개의 점이 있다. 이 점들을 연결하여 만들 수 있는 정사각형의 개수를 모두 구하시오.

해결 Plus⁺

점들을 연결하여 만들 수 있는 정사각형을 크기가 작은 것부터 차례로 생각해 본다.

02 오른쪽 그림에서 ∠x의 크기를 구하시오.

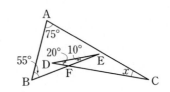

서술형

03 오른쪽 그림의 △ABC에서 $\overline{BD}=\overline{BE}$, $\overline{CE}=\overline{CF}$이고 ∠A=58°일 때, ∠x의 크기를 구하시오.

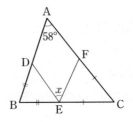

∠BED=∠a, ∠CEF=∠b로 놓고 ∠a+∠b의 크기를 구한다.

04 오른쪽 그림의 △ABC에서 ∠A와 ∠C의 외각의 이등분선의 교점을 D라 할 때, ∠ADC=70°이다. 이때 ∠B의 크기를 구하시오.

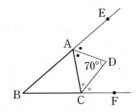

05 오른쪽 그림에서 $\angle a + \angle b + \angle c$의 크기를 구하시오.

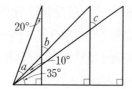

— **해결 Plus⁺**

삼각형의 한 외각의 크기는 그와 이웃하지 않은 두 내각의 크기의 합과 같음을 이용한다.

06 오른쪽 그림의 $\triangle ABC$에서 $\angle C = 40°$이고 $\overline{AD}$, $\overline{BE}$는 각각 $\angle A$, $\angle B$의 이등분선일 때, $\angle x + \angle y$의 크기를 구하시오.

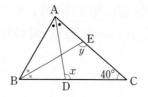

07 오른쪽 그림의 $\triangle ABC$에서 $\angle B$의 삼등분선과 $\angle C$의 외각의 삼등분선의 교점을 각각 D, E라 하자. $\angle A = 57°$일 때, $\angle x - \angle y$의 크기를 구하시오.

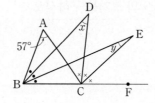

$\triangle ABC$에서
$57° + 3● = 3×$

08 오른쪽 그림에서
$\angle a + \angle b + \angle c + \angle d + \angle e + \angle f + \angle g + \angle h + \angle i + \angle j$
의 크기를 구하시오.

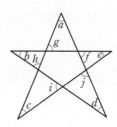

09 은수와 영민이가 각자에게 주어진 다각형의 한 꼭짓점에서 2개의 대각선을 그었더니 은수의 다각형은 3개의 삼각형으로 나누어졌고, 영민이의 다각형은 삼각형 1개, 사각형 1개, 오각형 1개로 나누어졌다. 은수와 영민이에게 주어진 두 다각형의 변의 개수의 합을 구하시오.

━ 해결 Plus⁺

영민이의 다각형이 모두 삼각형으로 나누어지도록 한 꼭짓점에서 대각선을 더 긋는다.

서술형 ✐

10 한 꼭짓점에서 그을 수 있는 대각선의 개수가 a개이고 이때 생기는 삼각형의 개수가 b개인 다각형이 있다. $a+b=27$일 때, 이 다각형의 대각선의 개수를 구하시오.

11 오른쪽 그림에서 $\angle EFA = 35°$일 때, $\angle a + \angle b + \angle c + \angle d + \angle e$의 크기를 구하시오.

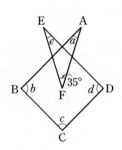

삼각형의 한 외각의 크기는 그와 이웃하지 않은 두 내각의 크기의 합과 같음을 이용한다.

12 오른쪽 그림에서 $\angle a + \angle b + \angle c + \angle d + \angle e + \angle f + \angle g$의 크기를 구하시오.

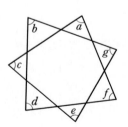

13 모든 내각과 외각의 크기의 합이 1620°인 정다각형의 한 내각의 크기를 구하시오.

Ⅱ

평면도형

14 오른쪽 그림과 같이 세 내각의 크기가 30°, 60°, 90°이고 서로 합동인 직각삼각형을 내각의 크기가 30°인 꼭짓점이 가장 긴 변의 중점에 오도록 이어 붙이고 있다. 직각삼각형의 내각의 크기가 30°인 꼭짓점을 꼭짓점으로 하는 다각형을 만들 때, 만들어지는 다각형을 구하시오.

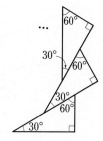

창의력⚡
15 오른쪽 그림과 같이 서로 합동인 정오각형 모양의 색종이 2장을 한 변이 붙도록 원 위에 올려 놓았다. 같은 방법으로 서로 합동인 정오각형 모양의 색종이를 변끼리 이어 붙여서 원주를 빈틈없이 채우려고 할 때, 더 필요한 정오각형 모양의 색종이는 모두 몇 장인지 구하시오.

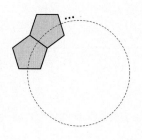

원의 내부에는 정다각형이 생긴다.

16 오른쪽 그림은 정오각형의 내부에 정오각형과 한 변의 길이가 같은 정사각형과 정삼각형을 그린 것이다. 이때 ∠x의 크기를 구하시오.

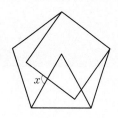

01 오른쪽 그림에서 점 E는 ∠B와 ∠D의 이등분선의 교점이고
∠BCD=160°, ∠BED=120°이다. 이때 ∠A의 크기를 구하시오.

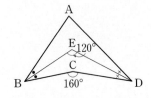

02 정십이각형의 대각선의 개수를 a개, 길이가 서로 다른 대각선의 개수를 b개라 할 때, $a-b$의 값을 구하
시오.

03 오른쪽 그림에서 $(∠e+∠f+∠g+∠h)-(∠a+∠b+∠c+∠d)$의 크기
를 구하시오.

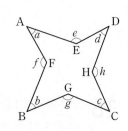

04 오른쪽 그림과 같은 육각형의 내각의 크기가 모두 같을 때, 두 수 x, y에 대하여 $2x+y$의 값을 구하시오.

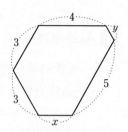

융합형 ✎

05 오른쪽 그림에서 $\overline{A_1B_1}=\overline{A_1B_2}=\overline{A_2B_2}=\overline{A_2B_3}=\cdots=\overline{A_nB_1}$이고

$\angle A_1=\angle A_2=\cdots=\angle A_n$,

$\angle A_nB_1A_1=\angle A_1B_2A_2=\cdots=\angle A_{n-1}B_nA_n$이다.

$\angle A_1B_2A_2-\angle A_1=18°$일 때, 자연수 n의 값을 구하시오.

(단, $\angle A_1$, $\angle A_1B_2A_2$는 예각이다.)

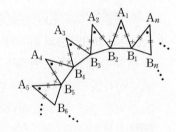

STEP UP ✐

06 한 내각의 크기가 (정수)°인 정다각형은 모두 몇 종류인지 구하시오. (단, 변의 길이는 생각하지 않는다.)

2 원과 부채꼴

1 원과 부채꼴

(1) **원** 평면 위의 한 점 O에서 일정한 거리에 있는 모든 점으로 이루어진 도형 ← 원의 중심

① 호 AB($\overset{\frown}{AB}$) : 원 위의 두 점 A, B를 잡았을 때 나누어지는 원의 두 부분

② 현 CD($\overline{CD}$) : 원 위의 두 점 C, D를 이은 선분

③ 할선 : 원과 두 점에서 만나는 직선

④ 부채꼴 AOB : 원 O에서 두 반지름 OA, OB와 호 AB로 이루어진 도형

⑤ 중심각 : 원 O에서 두 반지름 OA, OB가 이루는 각 ➡ ∠AOB

⑥ 활꼴 : 호 CD와 현 CD로 이루어진 도형

참고 반원은 중심각의 크기가 180°인 부채꼴이기도 하고 현이 지름인 활꼴이기도 하다.

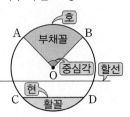

(2) **중심각의 크기와 호의 길이, 부채꼴의 넓이 사이의 관계**

한 원 또는 합동인 두 원에서

① 중심각의 크기가 같은 두 부채꼴의 호의 길이와 넓이는 각각 같다.

② 부채꼴의 호의 길이와 넓이는 각각 중심각의 크기에 정비례한다.

(3) **중심각의 크기와 현의 길이 사이의 관계**

한 원 또는 합동인 두 원에서

① 중심각의 크기가 같은 두 현의 길이는 같다.

② 길이가 같은 두 현에 대한 중심각의 크기는 같다.

참고 한 원에서 현의 길이는 중심각의 크기에 정비례하지 않는다.

2 부채꼴의 호의 길이와 넓이

(1) **원의 둘레의 길이와 넓이**

① 원주율(π) : 원의 지름의 길이에 대한 원의 둘레의 길이의 비율 ← '파이'라고 읽는다. ← 원주

$$(\text{원주율}) = \frac{(\text{원의 둘레의 길이})}{(\text{원의 지름의 길이})} = \pi$$

② 원의 둘레의 길이와 넓이 : 반지름의 길이가 r인 원의 둘레의 길이를 l, 넓이를 S라 하면

$$l = 2\pi r,\ S = \pi r^2$$

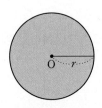

(2) **부채꼴의 호의 길이와 넓이**

① 부채꼴의 호의 길이와 넓이 : 반지름의 길이가 r, 중심각의 크기가 $x°$인 부채꼴의 호의 길이를 l, 넓이를 S라 하면

$$l = 2\pi r \times \frac{x}{360},\ S = \pi r^2 \times \frac{x}{360}$$

② 부채꼴의 호의 길이와 넓이 사이의 관계 : 반지름의 길이가 r, 호의 길이가 l인 부채꼴의 넓이를 S라 하면

$$S = \frac{1}{2}rl$$ → 중심각의 크기를 몰라도 반지름의 길이와 호의 길이를 알면 부채꼴의 넓이를 구할 수 있다.

• 원 위의 두 점 A, B에 의하여 두 개의 호가 생기는데 보통 $\overset{\frown}{AB}$는 짧은 쪽의 호를 나타내고, 길이가 긴 쪽의 호를 나타낼 때에는 그 호 위에 한 점 C를 잡아 $\overset{\frown}{ACB}$와 같이 나타낸다.

• 원의 중심을 지나는 현은 그 원의 지름이고, 한 원에서 길이가 가장 긴 현은 지름이다.

• 중심각의 크기와 호, 현의 길이

∠AOB = ∠COD = ∠DOE일 때

① $\overset{\frown}{AB} = \overset{\frown}{CD} = \overset{\frown}{DE}$

② $\overline{AB} = \overline{CD} = \overline{DE}$

③ $\overset{\frown}{CE} = 2\overset{\frown}{AB}$

④ $\overline{CE} \neq 2\overline{AB}$

• $l = 2\pi r \times \dfrac{x}{360}$에서

$\dfrac{1}{2}l = \pi r \times \dfrac{x}{360}$

$\therefore S = \pi r^2 \times \dfrac{x}{360}$

$= \pi r \times \dfrac{x}{360} \times r$

$= \dfrac{1}{2}rl$

최고 수준 입문하기

1 원과 부채꼴

01 다음 중 원과 부채꼴에 대한 설명으로 옳은 것을 모두 고르면? (정답 2개)

① 부채꼴은 현과 호로 이루어진 도형이다.
② 한 원에서 가장 긴 현은 지름이다.
③ 두 원에서 중심각의 크기가 같으면 현의 길이도 항상 같다.
④ 호 AB의 길이는 현 AB의 길이보다 길다.
⑤ 한 원에서 부채꼴이면서 활꼴이 되는 경우는 존재하지 않는다.

02 오른쪽 그림의 원 O에서 현 AB의 길이와 반지름의 길이가 같을 때, $\angle x$의 크기를 구하시오.

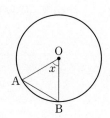

04 오른쪽 그림의 원 O에서 $\overarc{AB} : \overarc{BC} : \overarc{CA} = 2 : 3 : 4$일 때, $\angle AOB$의 크기를 구하시오.

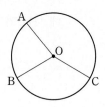

서술형 ✎

05 오른쪽 그림의 반원 O에서 $\overarc{AC}$의 길이가 $\overarc{BC}$의 길이의 5배일 때, $\angle BOC$의 크기를 구하시오.

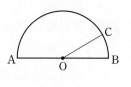

06 원 O에서 중심각의 크기가 24°인 부채꼴의 호의 길이가 5 cm일 때, 원 O의 둘레의 길이를 구하시오.

2 중심각의 크기와 호의 길이

03 오른쪽 그림에서 x, y의 값을 각각 구하시오.

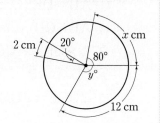

필수 ✓

07 오른쪽 그림과 같이 $\overline{AB}$를 지름으로 하는 반원 O에서 $\overline{AD} /\!/ \overline{OC}$이고 $\angle BOC = 36°$, $\overarc{BC} = 8$ cm일 때, $\overarc{AD}$의 길이를 구하시오.

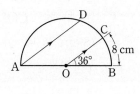

08 오른쪽 그림의 원 O에서 $\overline{AC} /\!/ \overline{DO}$, $\overparen{AD}=5$ cm일 때, $\overparen{BC}$의 길이를 구하시오.

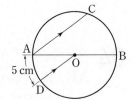

11 오른쪽 그림의 원 O에서 $\overline{AB} /\!/ \overline{OC}$이고 $\angle COD=40°$이다. 부채꼴 COD의 넓이가 18 cm²일 때, 부채꼴 AOB의 넓이를 구하시오.

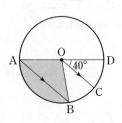

서술형 ✎

09 오른쪽 그림과 같이 원 O의 지름 AB의 연장선과 $\overline{CD}$의 연장선의 교점을 E라 하자. $\angle AEC=20°$, $\overline{OC}=\overline{EC}$, $\overparen{BD}=12$ cm일 때, $\overparen{AC}$의 길이를 구하시오.

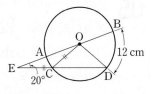

4 중심각의 크기와 현의 길이

12 오른쪽 그림의 원 O에서 $\overparen{AB}=\overparen{AC}$이고 $\overline{AC}=8$ cm, $\overline{OB}=5$ cm일 때, 색칠한 부분의 둘레의 길이를 구하시오.

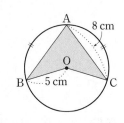

3 중심각의 크기와 부채꼴의 넓이

10 오른쪽 그림의 원 O에서 부채꼴 AOB의 넓이가 7 cm²이고 부채꼴 COD의 넓이가 28 cm²일 때, $\angle x$의 크기를 구하시오.

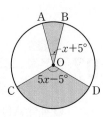

13 오른쪽 그림의 원 O에서
$$\angle AOB=\angle COD$$
$$=\angle DOE$$
일 때, 다음 중 옳지 <u>않은</u> 것은?

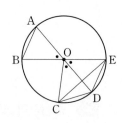

① $\overparen{AB}=\overparen{DE}$
② $\overline{AB}=\overline{CD}$
③ $\triangle AOB\equiv\triangle COD$
④ $\overline{CE}=2\overline{AB}$
⑤ $\angle OCE=\angle OEC$

14 오른쪽 그림과 같은 반원 O에서 $\overline{OC}=\overline{CB}$일 때, 다음 중 옳지 않은 것은?

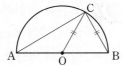

① $\widehat{AB} : \widehat{AC}=3 : 2$

② $\angle COB=\dfrac{1}{2}\angle AOC$

③ $\angle AOB=2\angle OBC$

④ $\overline{AC}\neq2\overline{BC}$

⑤ (부채꼴 AOC의 넓이)
 $=2\times$(부채꼴 COB의 넓이)

---

5 원의 둘레의 길이와 넓이

15 오른쪽 그림과 같이 지름의 길이가 22 cm인 원 O에서 색칠한 부분의 둘레의 길이를 구하시오.

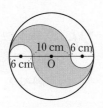

필수✔

16 오른쪽 그림과 같이 지름의 길이가 18 cm인 반원에서 색칠한 부분의 넓이를 구하시오.

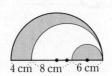

---

6 부채꼴의 호의 길이와 넓이

17 오른쪽 그림과 같이 한 변의 길이가 10 cm인 정오각형에서 색칠한 부분의 넓이를 구하시오.

18 오른쪽 그림과 같이 반지름의 길이가 6 cm인 원에서 색칠한 부채꼴의 넓이의 합을 구하시오.

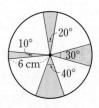

19 반지름의 길이가 6 cm이고 넓이가 24π cm²인 부채꼴의 호의 길이를 구하시오.

서술형✏

20 호의 길이가 π cm이고 넓이가 3π cm²인 부채꼴의 중심각의 크기를 구하시오.

7 색칠한 부분의 둘레의 길이와 넓이

21 오른쪽 그림과 같은 부채꼴에서 색칠한 부분의 둘레의 길이와 넓이를 각각 구하시오.

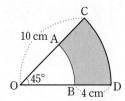

서술형 ✒

24 오른쪽 그림과 같이 한 변의 길이가 6 cm인 정사각형에서 색칠한 부분의 둘레의 길이와 넓이를 각각 구하시오.

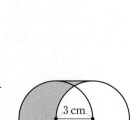

22 오른쪽 그림은 한 변의 길이가 8 cm인 정삼각형 ABC의 각 꼭짓점을 중심으로 하고 한 변을 반지름으로 하는 세 개의 호를 그린 것이다. 색칠한 부분의 둘레의 길이를 구하시오.

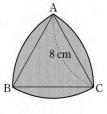

25 오른쪽 그림과 같이 반지름의 길이가 3 cm인 두 원이 서로의 중심을 지날 때, 색칠한 부분의 넓이를 구하시오.

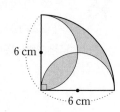

26 오른쪽 그림과 같은 부채꼴에서 색칠한 부분의 넓이를 구하시오.

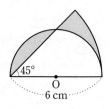

필수 ✔

23 오른쪽 그림과 같이 한 변의 길이가 9 cm인 정사각형에서 색칠한 부분의 둘레의 길이를 구하시오.

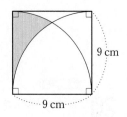

27 오른쪽 그림은 지름의 길이가 6 cm인 반원 O와 반지름의 길이가 6 cm이고 중심각의 크기가 45°인 부채꼴을 그린 것이다. 이때 색칠한 부분의 넓이를 구하시오.

28 오른쪽 그림은 반지름의 길이가 4 cm인 반원 O를 점 A를 중심으로 30°만큼 회전시킨 것이다. 이때 색칠한 부분의 넓이를 구하시오.

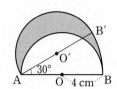

필수 ✔

31 오른쪽 그림과 같이 밑면의 반지름의 길이가 3 cm인 원기둥 모양의 통 3개를 테이프로 붙이려고 한다. 이때 필요한 테이프의 최소 길이를 구하시오.
(단, 테이프의 겹치는 부분은 생각하지 않는다.)

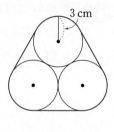

29 오른쪽 그림은 ∠A=90°이고 $\overline{AB}=5$ cm, $\overline{BC}=13$ cm, $\overline{CA}=12$ cm인 직각삼각형의 각 변을 지름으로 하는 반원을 그린 것이다. 이때 색칠한 부분의 넓이를 구하시오.

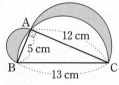

32 오른쪽 그림과 같이 반지름의 길이가 1 cm인 원 O가 한 변의 길이가 5 cm인 정삼각형의 둘레를 따라 돌아서 제자리로 왔을 때, 다음 물음에 답하시오.

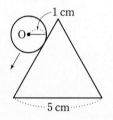

(1) 원 O가 지나간 부분의 넓이를 구하시오.

(2) 원 O의 중심이 움직인 거리를 구하시오.

30 오른쪽 그림의 직사각형 ABCD와 부채꼴 ABE에서 색칠한 두 부분의 넓이가 서로 같을 때, x의 값을 구하시오.

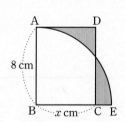

33 다음 그림과 같이 $\overline{AB}=3$ cm, $\overline{BC}=4$ cm이고 대각선의 길이가 5 cm인 직사각형 ABCD를 직선 l 위에서 미끄러지지 않게 한 바퀴 굴렸을 때, 꼭짓점 B가 움직인 거리를 구하시오.

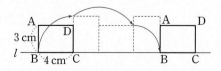

01 오른쪽 그림과 같이 원 O의 지름 AB의 연장선과 현 CD의 연장선의 교점을 P라 하자. $\overline{CP}=\overline{CO}$, ∠BOD=78°일 때, ∠APC의 크기를 구하시오.

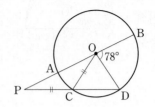

◼ 해결 Plus⁺

삼각형의 한 외각의 크기는 그와 이웃하지 않은 두 내각의 크기의 합과 같음을 이용한다.

02 오른쪽 그림과 같이 $\overline{AB}$를 지름으로 하는 원 O에서 $\overline{CO}$ ∥ $\overline{DB}$일 때, $\overline{AC}$: $\overline{CD}$를 가장 간단한 자연수의 비로 나타내시오.

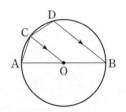

평행한 두 직선이 다른 한 직선과 만날 때 생기는 동위각(엇각)의 크기는 서로 같음을 이용한다.

03 오른쪽 그림과 같이 둘레의 길이가 30 cm인 원 O의 지름 AB와 현 CD가 한 점에서 만난다.
$\overset{\frown}{BC}$: $\overset{\frown}{BDC}$=5 : 7이고 ∠CDO : ∠AOD=3 : 4일 때, $\overset{\frown}{BD}$의 길이를 구하시오.

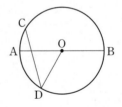

먼저 ∠BOD의 크기를 구한 후
$\overset{\frown}{BD}$: (원 O의 둘레의 길이)
= ∠BOD : 360°
임을 이용한다.

창의력 ⚡

04 오른쪽 그림에서 부채꼴 SOT의 넓이는 3π cm², 원 O의 넓이는 15π cm²이다. ∠OPQ= ∠a, ∠OQP= ∠b 라 할 때, ∠a+ ∠b의 크기를 구하시오.

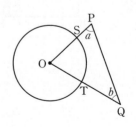

05 오른쪽 그림은 중심이 O로 같고, 반지름의 길이가 각각 1 cm, 2 cm, 3 cm인 세 원을 그린 것이다. 반지름의 길이가 3 cm인 원을 그림과 같이 8등분 하였을 때, 색칠한 부분의 둘레의 길이를 구하시오.

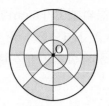

■ 해결 Plus+

06 오른쪽 그림과 같이 원 O의 둘레 위에 정육각형 ABCDEF의 6개의 꼭짓점이 놓여 있다. 원 O의 반지름의 길이가 6 cm일 때, 색칠한 부분의 둘레의 길이를 구하시오.

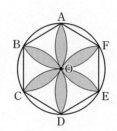

07 오른쪽 그림과 같이 한 변의 길이가 2 cm인 정오각형 ABCDE의 각 꼭짓점을 중심으로 부채꼴을 그릴 때, 색칠한 부분의 넓이를 구하시오.

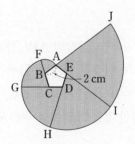

각 부채꼴의 중심각의 크기는 정오각형의 한 외각의 크기와 같다.

서술형 ✎

08 오른쪽 그림에서 사각형 ABCD는 한 변의 길이가 12 cm인 정사각형일 때, 색칠한 부분의 둘레의 길이를 구하시오.

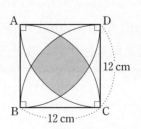

09 오른쪽 그림과 같이 반지름의 길이가 5 cm인 원의 둘레
의 길이를 4등분 한 점을 A, B, C, D라 하고 $\overline{AB}$, $\overline{BC}$,
$\overline{CD}$, $\overline{DA}$를 접는 선으로 하여 원을 접었을 때, 색칠한 부
분의 넓이를 구하시오.

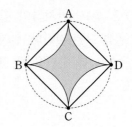

해결 Plus⁺

처음 원에 외접하는 정사각형을 그
려 본다.

10 오른쪽 그림과 같이 반지름의 길이가 4인 원 안에 반지름의
길이가 2인 네 개의 원을 일정하게 겹쳐서 그렸을 때, 색칠
한 부분의 넓이를 구하시오.

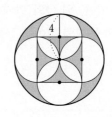

11 오른쪽 그림은 ∠A=90°인 직각삼각형 ABC를 점 B
를 중심으로 점 A가 $\overline{BC}$의 연장선 위의 점 D에 오도
록 회전시킨 것이다. $\overline{BC}$=10 cm, $\overline{AB}$=5 cm,
∠ABC=60°일 때, 색칠한 부분의 넓이를 구하시오.

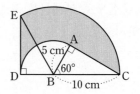

직각삼각형 ABC를 점 B를 중심
으로 회전시킨 것이므로
∠EBD=∠CBA=60°

12 오른쪽 그림은 $\overline{AB}$=6 cm, $\overline{AD}$=8 cm인 직사각
형 ABCD와 $\overline{CD}$를 지름으로 하는 반원을 그린 것
이다. $\overparen{DE}$=$\overparen{EC}$일 때, 색칠한 부분의 넓이를 구하
시오.

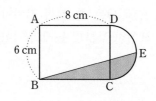

13 한 변의 길이가 16 cm인 정사각형의 네 꼭짓점과 네 변의 중점을 각각 중심으로 하고 반지름의 길이가 같은 원 8개를 그린 후 원의 일부를 지워서 오른쪽 그림과 같은 도형을 만들었다. 이때 색칠한 부분의 넓이를 구하시오.

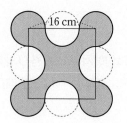

■ 해결 Plus⁺

창의력⚡

14 오른쪽 그림은 정사각형 ABCD를 점 D를 중심으로 60°만큼 회전시킨 것이다. $\overline{BD}=6$ cm일 때, 색칠한 부분의 넓이를 구하시오.

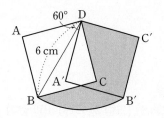

$\overline{DB'}$을 그으면 $\triangle DBC = \triangle DB'C'$이다.

융합형✎

15 오른쪽 그림과 같이 가로의 길이가 10 m, 세로의 길이가 4 m인 직사각형 모양의 울타리에 점 A에서 $\overline{AB}$, $\overline{BC}$를 거쳐 점 C까지 움직일 수 있는 고리에 염소가 묶여 있다. 묶여 있는 끈의 길이가 6 m일 때, 염소가 움직일 수 있는 영역의 최대 넓이를 구하시오.
(단, 염소와 고리의 크기, 끈의 매듭의 길이는 생각하지 않는다.)

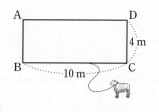

염소가 울타리의 어느 한 지점에 묶여 있는 것이 아니라 점 A에서 $\overline{AB}$, $\overline{BC}$를 거쳐 점 C까지 움직일 수 있는 고리에 묶여 있음에 착안한다.

16 오른쪽 그림과 같이 반지름의 길이가 2 cm인 원 O가 반지름의 길이가 10 cm이고 중심각의 크기가 36°인 부채꼴의 둘레를 따라 한 바퀴 돌아서 제자리로 왔을 때, 원 O가 지나간 부분의 넓이를 구하시오.

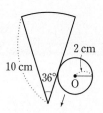

01 오른쪽 그림에서 $\overline{AB}$는 원 O의 지름이다. $\overline{CO} \perp \overline{AB}$이고
∠OBD : ∠OCD＝4 : 5일 때, ∠DAO의 크기를 구하시오.

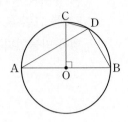

창의력 ⚡

02 다음 [그림 1], [그림 2], [그림 3]과 같이 길이가 x인 선분 AB 위에 반원을 그린 후 그 둘레의 길이의 합을 각각 l_1, l_2, l_3이라 할 때, l_1, l_2, l_3의 대소 관계를 구하시오.

[그림 1]

[그림 2]

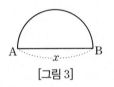
[그림 3]

03 오른쪽 그림은 한 변의 길이가 8 cm인 정사각형 ABCD의 두 꼭짓점 A, C를 각각 중심으로 하고 반지름의 길이가 6 cm인 두 부채꼴을 그린 것이다. 색칠한 세 부분의 넓이를 각각 S_1, S_2, S_3이라 할 때, $S_1 + S_3 - S_2$의 값을 구하시오.

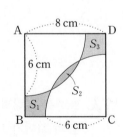

STEP UP ✎

04 오른쪽 그림은 세 변의 길이가 5 cm, 12 cm, 13 cm인 직각삼각형 ABC의 두 변 AB, AC를 점 A를 중심으로 각각 90° 회전시켜 만든 도형이다. 이때 이 도형의 넓이를 구하시오.

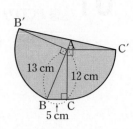

05 오른쪽 그림과 같이 반지름의 길이가 5 cm인 반원 O를 직선 l 위에서 미끄러지지 않게 한 바퀴 굴릴 때, 중심 O 가 움직인 거리를 구하시오.

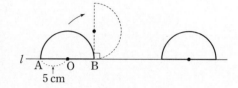

융합형 ✐

06 성훈이와 혜지는 밑면의 반지름의 길이가 4 cm인 원기둥 모양의 캔 7개를 다음 그림과 같이 끈으로 묶었다. 성훈이와 혜지 중에서 누가 끈을 얼마나 더 적게 사용하였는지 구하시오.

(단, 끈은 팽팽하게 당겨 묶고, 끈의 매듭의 길이는 생각하지 않는다.)

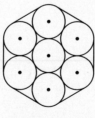
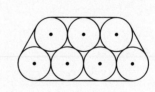

성훈   혜지

교과서 속 창의 사고력

01 오른쪽 그림과 같이 정오각형 ABCDE 안에 정삼각형 PCD가 들어 있을 때, $\angle x + \angle y - \angle z$의 크기를 구하시오.

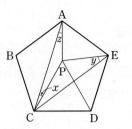

생각 Plus⁺

정오각형의 한 내각의 크기와 정삼각형의 한 내각의 크기를 이용한다.

풀이▶

답▶

02 테셀레이션이란 욕실 바닥에 깔린 타일처럼 틈이나 포개짐 없이 평면을 똑같은 모양의 도형으로 완전히 메꾸는 것을 말한다. 같은 정다각형 모양의 천들을 이어 붙여 테셀레이션 모양으로 만들려고 할 때, 테셀레이션이 가능한 정다각형의 종류를 모두 구하고, 정다각형의 종류에 따라 테셀레이션을 만들 수 있는 이유와 만들 수 없는 이유를 말하시오.

평면을 채우려면 한 점에 모인 정다각형의 내각의 크기의 합이 360°이어야 한다.

풀이▶

답▶

03 컴퓨터에서 다음의 명령들을 이용하여 정다각형을 그리려고 한다. 화살표가 보기와 같은 명령에 따라 움직인다고 할 때, 한 변의 길이가 5인 정팔각형을 그리기 위해서는 어떤 명령을 내려야 하는지 예와 같이 나타내시오.

> **보기**
>
> 가자 x : x만큼 앞으로 나아가며 선을 그린다.
> 돌자 y : $y°$만큼 시계 반대 방향으로 회전한다.
> 반복 n {명령} : {명령}을 n번 반복하여 실행한다.

> **예**
>
> 한 변의 길이가 2인 정사각형을 그리기 위해 필요한 명령은
> 반복 4 {가자 2 ; 돌자 90}

생각 **Plus**⁺

보기의 명령에 따라 화살표를 움직여 보고, 그 원리를 파악한다.

풀이▶

답▶

04 오른쪽 그림에서 다섯 개의 점 C, D, E, F, G는 지름의 길이가 8 cm인 반원 O의 $\overarc{AB}$를 6등분 하는 점이다. 이 다섯 개의 점에서 $\overline{AB}$에 각각 수선을 그었을 때, 색칠한 부분의 넓이를 구하시오.

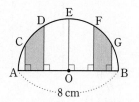

한 원에서 부채꼴의 호의 길이가 같으면 중심각의 크기도 같음을 이용한다.

풀이▶

답▶

05 다음 그림과 같이 반지름의 길이가 3 cm인 세 원이 접해 있다. 원 O가 고정된 두 원 P, Q의 둘레를 따라 화살표 방향으로 한 바퀴 돌아 제자리로 올 때까지 원 O의 중심이 움직인 거리를 구하시오.

생각 Plus⁺

원 O가 지나간 부분을 그려 본다.

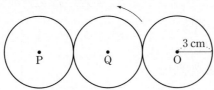

풀이▶

답▶

06 한 변의 길이가 3 cm인 정삼각형 ABC가 한 변의 길이가 6 cm인 정사각형의 네 변을 따라 다음 [그림 1]의 위치에서 [그림 2]의 위치까지 시계 반대 방향으로 회전할 때, 꼭짓점 A가 움직인 거리를 구하시오.

꼭짓점 A가 그리는 곡선은 부채꼴의 호임을 파악하고, 정삼각형 ABC가 시계 반대 방향으로 회전할 때 꼭짓점 A가 움직인 부분을 그려 본다.

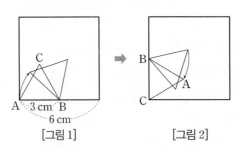

[그림 1]   [그림 2]

풀이▶

답▶

III

입체도형

다면체와 회전체

1 다면체

(1) **다면체** 다각형인 면으로만 둘러싸인 입체도형

① 면 : 다면체를 둘러싸고 있는 다각형

② 모서리 : 다면체를 둘러싸고 있는 다각형의 변

③ 꼭짓점 : 다면체를 둘러싸고 있는 다각형의 꼭짓점

(2) 다면체는 둘러싸인 면의 개수에 따라 사면체, 오면체, 육면체, …라 한다.

• 원기둥, 원뿔, 구 등과 같이 원이나 곡면으로 둘러싸인 부분이 있는 입체도형은 다면체가 아니다.

2 각뿔대

(1) **각뿔대** 각뿔을 밑면에 평행한 평면으로 자를 때 생기는 두 입체도형 중에서 각뿔이 아닌 쪽의 다면체

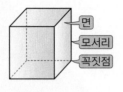

① 밑면 : 각뿔대에서 평행한 두 면

② 옆면 : 각뿔대에서 밑면이 아닌 면

③ 높이 : 각뿔대에서 두 밑면에 수직인 선분의 길이

(2) 각뿔대의 옆면은 모두 사다리꼴이다.

(3) 각뿔대는 밑면의 모양에 따라 삼각뿔대, 사각뿔대, 오각뿔대, …라 한다.

• ① 각기둥 : 두 밑면은 서로 평행하면서 합동인 다각형이고 옆면은 모두 직사각형인 다면체
② 각뿔 : 밑면은 다각형이고 옆면은 모두 삼각형인 다면체

참고 다면체의 면, 모서리, 꼭짓점의 개수

다면체	n각기둥	n각뿔	n각뿔대
면의 개수 (개)	$n+2$	$n+1$	$n+2$
모서리의 개수 (개)	$3n$	$2n$	$3n$
꼭짓점의 개수 (개)	$2n$	$n+1$	$2n$

3 정다면체

(1) **정다면체** 각 면이 모두 합동인 정다각형이고, 각 꼭짓점에 모인 면의 개수가 모두 같은 다면체

(2) **정다면체의 종류** 정사면체, 정육면체, 정팔면체, 정십이면체, 정이십면체의 5가지

• **정다면체가 5가지뿐인 이유**
정다면체는 입체도형이므로 한 꼭짓점에서 3개 이상의 면이 만나야 하고, 한 꼭짓점에 모인 각의 크기의 합이 360°보다 작아야 한다. 따라서 정다면체의 면이 될 수 있는 다각형은 정삼각형, 정사각형, 정오각형뿐이고, 만들 수 있는 정다면체는 5가지뿐이다.

• 정다면체의 각 면의 한가운데 점을 연결하면 다음과 같은 정다면체를 만들 수 있다.
① 정사면체 ➡ 정사면체
② 정육면체 ➡ 정팔면체
③ 정팔면체 ➡ 정육면체
④ 정십이면체 ➡ 정이십면체
⑤ 정이십면체 ➡ 정십이면체

	정사면체	정육면체	정팔면체	정십이면체	정이십면체
겨냥도					
전개도					
면의 모양	정삼각형	정사각형	정삼각형	정오각형	정삼각형
한 꼭짓점에 모인 면의 개수 (개)	3	3	4	3	5
면의 개수 (개)	4	6	8	12	20
모서리의 개수 (개)	6	12	12	30	30
꼭짓점의 개수 (개)	4	8	6	20	12

4 회전체

(1) 회전체 평면도형을 한 직선을 축으로 하여 1회전 시킬 때 생기는 입체도형

　① 회전축 : 회전시킬 때 축으로 사용한 직선

　② 모선 : 회전시킬 때 옆면을 만드는 선분

　　예 회전체에는 원기둥, 원뿔, 원뿔대, 구 등이 있다.

(2) 원뿔대 원뿔을 밑면에 평행한 평면으로 자를 때 생기는 두 입체도형 중에서 원뿔이 아닌 쪽의 입체도형

　① 밑면 : 원뿔대에서 평행한 두 면

　② 옆면 : 원뿔대에서 밑면이 아닌 곡면

　③ 높이 : 원뿔대에서 두 밑면에 수직인 선분의 길이

	원기둥	원뿔	원뿔대	구
겨냥도				

• 구는 옆면이 없으므로 모선을 생각하지 않는다.

5 회전체의 성질

(1) 회전체를 회전축에 수직인 평면으로 자르면 그 단면의 경계는 항상 원이다.

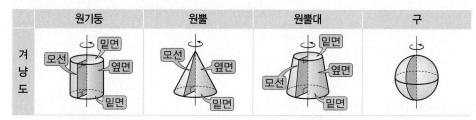

(2) 회전체를 회전축을 포함하는 평면으로 자르면 그 단면은 모두 합동이고, 회전축을 대칭축으로 하는 선대칭도형이다.

직사각형	이등변삼각형	사다리꼴	원

• **선대칭도형**
어떤 직선을 접는 선으로 하여 접었을 때 완전히 겹쳐지는 도형을 선대칭도형이라 하고, 그 직선을 대칭축이라 한다.

> 구는 어느 방향으로 잘라도 그 단면이 항상 원이야.

• 구의 전개도는 그릴 수 없다.

6 회전체의 전개도

	원기둥	원뿔	원뿔대
전개도			

참고 • 원기둥의 전개도 : (밑면인 원의 둘레의 길이)=(옆면인 직사각형의 가로의 길이)

　　　　　　　　　　　 (옆면인 직사각형의 세로의 길이)=(원기둥의 높이)

　　　　 • 원뿔의 전개도 : (밑면인 원의 둘레의 길이)=(옆면인 부채꼴의 호의 길이)

　　　　　　　　　　　 (옆면인 부채꼴의 반지름의 길이)=(원뿔의 모선의 길이)

1 다면체

01 다음 보기의 입체도형 중 다면체를 모두 고르시오.

보기

ㄱ 구　　　　ㄴ 원기둥　　　ㄷ 삼각뿔

ㄹ 사각기둥　ㅁ 원뿔　　　ㅂ 사각뿔

ㅅ 원뿔대　　ㅇ 정사면체　ㅈ 삼각뿔대

필수 ✔

02 다음 중 입체도형과 그 옆면의 모양이 바르게 짝 지어진 것은?

① 육각기둥 − 육각형

② 삼각뿔 − 사다리꼴

③ 오각뿔대 − 삼각형

④ 사각뿔대 − 직사각형

⑤ 삼각기둥 − 직사각형

03 다음 중 오른쪽 그림과 같은 전개도로 만들어지는 입체도형에 대한 설명으로 옳지 않은 것을 모두 고르면? (정답 2개)

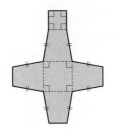

① 사각뿔대이다.

② 꼭짓점의 개수는 10개이다.

③ 옆면의 모양은 사다리꼴이다.

④ 두 밑면은 서로 평행하고 합동이다.

⑤ 모서리의 개수와 면의 개수의 차는 6개이다.

04 다음 중 다면체에 대한 설명으로 옳은 것을 모두 고르면? (정답 2개)

① n각기둥은 $(n+2)$면체이다.

② n각뿔대의 꼭짓점의 개수는 $(n+1)$개이다.

③ 각뿔의 면의 개수와 모서리의 개수는 같다.

④ 육각뿔을 밑면에 평행한 평면으로 자른 단면은 육각형이다.

⑤ 각기둥의 모서리의 개수는 밑면인 다각형의 꼭짓점의 개수의 2배이다.

05 다음 조건을 모두 만족시키는 다면체의 꼭짓점의 개수를 구하시오.

조건

㈎ 두 밑면은 서로 평행하다.

㈏ 옆면의 모양은 직사각형이 아닌 사다리꼴이다.

㈐ 모서리의 개수와 면의 개수의 합은 26개이다.

서술형 ✐

06 밑면의 대각선의 개수가 14개인 각뿔의 꼭짓점의 개수를 v개, 모서리의 개수를 e개라 할 때, $v+e$의 값을 구하시오.

07 오른쪽 그림과 같은 입체도형의 꼭짓점의 개수를 v개, 모서리의 개수를 e개, 면의 개수를 f개라 할 때, $v-e+f$의 값을 구하시오.

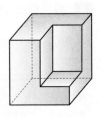

2 정다면체

08 다음 중 정다면체에 대한 설명으로 옳지 <u>않은</u> 것은?

① 정다면체는 5가지뿐이다.
② 각 꼭짓점에 모인 면의 개수는 같다.
③ 면의 모양이 정삼각형인 정다면체는 3가지이다.
④ 정다면체의 면의 모양은 정삼각형, 정사각형, 정오각형 중 하나이다.
⑤ 한 꼭짓점에 모인 면의 개수가 3개인 정다면체는 정사면체뿐이다.

필수 ✔

09 다음 조건을 모두 만족시키는 정다면체를 구하시오.

┌─ 조건 ─
㈎ 각 면의 모양은 모두 합동인 정삼각형이다.
㈏ 한 꼭짓점에 모인 면의 개수는 3개이다.
└─

10 오른쪽 그림과 같은 전개도로 만들어지는 정육면체에서 평행한 두 면의 눈의 수의 합이 일정할 때, 두 면 A, B의 눈의 수를 각각 구하시오.

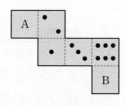

11 다음 중 정육면체의 전개도가 <u>아닌</u> 것은?

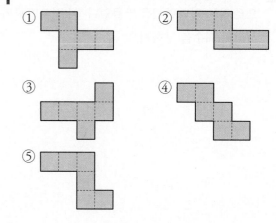

12 오른쪽 그림과 같은 전개도로 만들어지는 정다면체에 대하여 다음을 구하시오.

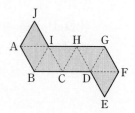

(1) $\overline{BC}$와 겹치는 모서리

(2) $\overline{BC}$와 꼬인 위치에 있는 모서리

13 다음 중 오른쪽 그림과 같은 전개도로 만들어지는 정다면체에 대한 설명으로 옳지 <u>않은</u> 것을 모두 고르면? (정답 2개)

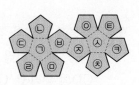

① 정이십면체이다.
② 면 ㉣과 평행한 면은 면 ㉠이다.
③ 모서리의 개수는 30개이다.
④ 꼭짓점의 개수는 20개이다.
⑤ 한 꼭짓점에 모인 면의 개수는 3개이다.

14 정사면체의 각 면의 한가운데에 있는 점을 꼭짓점으로 하는 정다면체를 만들었다. 이 정다면체의 모서리의 개수를 구하시오.

15 오른쪽 그림과 같은 정육면체에서 점 P가 모서리 AB의 중점일 때, 이 정육면체를 세 점 D, P, F를 지나는 평면으로 자른 단면의 모양을 말하시오.

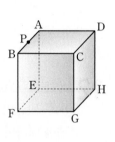

16 오른쪽 그림과 같은 정사면체를 세 모서리 AB, AC, CD의 중점 P, Q, R를 지나는 평면으로 자른 단면의 모양을 말하시오.

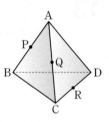

3 회전체

[필수 ✔]

17 다음 중 직선 l을 축으로 하여 1 회전 시킬 때, 오른쪽 그림과 같은 회전체가 생기는 것은?

[필수 ✔]

18 다음은 회전체와 그 회전체를 회전축을 포함하는 평면으로 자른 단면의 모양을 짝 지은 것이다. 옳지 않은 것은?

① 원뿔 − 직각삼각형 ② 구 − 원
③ 원기둥 − 직사각형 ④ 원뿔대 − 사다리꼴
⑤ 반구 − 반원

[서술형 ✐]

19 오른쪽 그림과 같은 사다리꼴을 직선 l을 축으로 하여 1회전 시킬 때 생기는 회전체를 회전축을 포함하는 평면으로 자른 단면의 넓이를 구하시오.

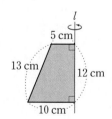

20 다음 중 오른쪽 그림의 직사각형 ABCD를 대각선 AC를 축으로 하여 1회전 시킬 때 생기는 회전체는?

①   ②   ③

④   ⑤

21 오른쪽 그림과 같이 원기둥 위의 한 점 A에서 원기둥의 옆면을 따라 한 바퀴 돌아 점 B까지 끈으로 연결하려고 한다. 끈의 길이가 가장 짧게 되는 경로를 전개도 위에 바르게 나타낸 것은?

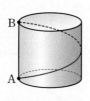

① 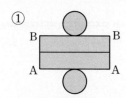 ②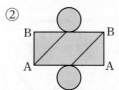

③ 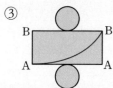 ④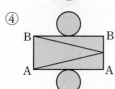

⑤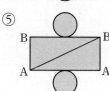

서술형 ✎

22 오른쪽 그림과 같은 원뿔의 전개도에서 부채꼴의 중심각의 크기를 구하시오.

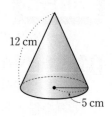

23 다음 중 오른쪽 그림과 같은 전개도로 만들어지는 회전체를 한 평면으로 자를 때 생기는 단면의 모양이 아닌 것은?

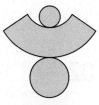

①   ②   ③

④   ⑤

24 오른쪽 그림과 같은 직각삼각형을 직선 l을 축으로 하여 1회전 시킬 때 생기는 회전체를 회전축에 수직인 평면으로 자를 때, 넓이가 가장 큰 단면의 넓이를 구하시오.

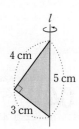

해결 Plus⁺

01 다음 그림과 같이 모양과 크기가 같은 직육면체 30개를 꼭짓점을 1개씩 공유하도록 연결하였다. 이 도형의 꼭짓점의 개수를 v개, 모서리의 개수를 e개, 면의 개수를 f개라 할 때, $v-e+f$의 값을 구하시오.

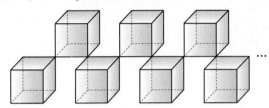

02 오른쪽 그림과 같이 정육면체에서 각 모서리를 삼등분하는 점들을 이어서 만든 삼각뿔을 잘라 냈다. 남은 입체도형의 면의 개수를 a개, 꼭짓점의 개수를 b개, 모서리의 개수를 c개라 할 때, $a+b+c$의 값을 구하시오.

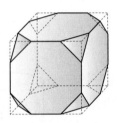

서술형 ✏️

03 오른쪽 그림과 같이 정오각형 12개와 정육각형 20개를 이어 붙이면 축구공 모양의 입체도형이 만들어진다. 이 입체도형의 꼭짓점의 개수와 모서리의 개수의 합을 구하시오.

한 꼭짓점에는 3개의 면이 모이고, 한 모서리에는 2개의 면이 모인다.

창의력 ⚡

04 오른쪽 그림과 같이 변의 길이가 모두 같은 정사각형 4개와 정삼각형 8개를 모두 사용하여 다면체를 만들 때, 이 다면체와 꼭짓점의 개수가 같은 각뿔대를 구하시오.

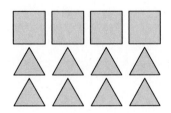

n각뿔대의 꼭짓점의 개수는 $2n$개이다.

05 정팔면체의 꼭짓점의 개수를 a개, 정이십면체의 모서리의 개수를 b개, 정십이
면체의 모서리를 잘라 그 전개도를 만들 때, 잘라야 하는 최소한의 모서리의 개
수를 c개라 하자. 이때 $a+b+c$의 값을 구하시오.

■ 해결 Plus$^+$

융합형🖋

06 정다면체에서 꼭짓점의 개수를 v개, 모서리의 개수를 e개, 면의 개수를 f개라
하면 $v-e+f=2$가 성립한다. 이때 $3v=2e=5f$를 만족시키는 정다면체를 구
하시오.

$3v=2e=5f$임을 이용하여 v와 e
를 각각 f를 사용한 식으로 나타낸
다.

07 오른쪽 그림과 같은 전개도로 정팔면체를 만들었더니 평행
한 두 면에 적힌 수의 곱이 24로 일정하였을 때, $\dfrac{a}{c}+\dfrac{b}{d}$의
값을 구하시오.

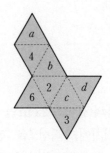

08 다음 중 정육면체를 평면으로 자른 단면의 모양이 될 수 <u>없는</u> 것은?
① 이등변삼각형   ② 마름모   ③ 사다리꼴
④ 정오각형   ⑤ 정육각형

09 오른쪽 그림과 같은 원뿔대의 전개도의 둘레의 길이를 구하시오.

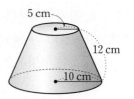

해결 Plus⁺

원뿔대의 전개도에서 옆면의 두 호의 길이는 각각 두 밑면의 둘레의 길이와 같다.

창의·융합 ⚛

10 오른쪽 그림과 같은 도형을 직선 *l*을 축으로 하여 1회전 시킬 때 생기는 도형에 일정한 속력으로 물을 채울 때, 다음 중 경과 시간 *x*에 따른 물의 높이 *y* 사이의 관계를 나타낸 그래프로 가장 알맞은 것은?

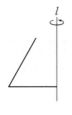

11 오른쪽 그림과 같이 반지름의 길이가 2 cm인 원 O를 직선 *l*로부터 4 cm 떨어진 위치에서 직선 *l*을 축으로 하여 1회전 시켰다. 이때 생기는 회전체를 원의 중심 O를 지나면서 회전축에 수직인 평면으로 자른 단면의 넓이를 구하시오.

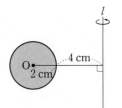

회전체를 회전축에 수직인 평면으로 자른 단면의 경계는 항상 원이다.

서술형 ✎

12 오른쪽 그림은 원뿔의 밑면의 둘레 위의 한 점 A에서 출발하여 옆면을 한 바퀴 돌아 다시 점 A로 돌아오는 최단 경로를 원뿔 위에 나타낸 것이다. 원뿔의 모선의 길이가 8 cm, 밑면의 반지름의 길이가 2 cm일 때, 색칠한 부분의 넓이를 구하시오.

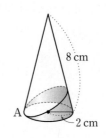

01 m각기둥의 모서리의 개수와 n각뿔대의 꼭짓점의 개수의 합이 40개일 때, $m+n$의 최댓값과 최솟값을 각각 구하시오.

02 오른쪽 그림과 같은 정육면체의 전개도에서 $\overline{AB}, \overline{KH}$의 중점을 각각 P, Q라 하자. 이 전개도를 접어서 정육면체를 만든 후 세 점 P, Q, F를 지나는 평면으로 잘랐을 때 생기는 단면의 모양을 구하시오.

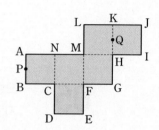

III

입체도형

STEP UP ✐

03 오른쪽 그림과 같은 정육면체에서 임의의 세 꼭짓점을 택하여 정삼각형을 만들 때, 정삼각형은 모두 몇 개를 만들 수 있는지 구하시오.

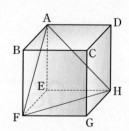

04 오른쪽 그림은 정사각형과 정육각형으로 이루어진 다면체이다. 정육각형의 개수는 8개, 모서리의 개수는 36개일 때, 정사각형의 개수와 꼭짓점의 개수의 합을 구하시오.

05 오른쪽 그림과 같은 원뿔대의 전개도에서 $R-r=6$일 때, 이 전개도로 만들어지는 원뿔대의 모선의 길이를 구하시오.

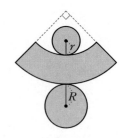

융합형 🖉

06 정이십면체의 대각선의 개수를 구하시오. (단, 입체도형의 대각선은 입체도형의 두 꼭짓점을 잇는 선분 중에서 입체도형의 면에 포함되지 않는 선분이다.)

2 입체도형의 겉넓이와 부피

최·고·수·준·수·학

1 기둥의 겉넓이와 부피

(1) 기둥의 겉넓이

① (각기둥의 겉넓이)=(밑넓이)×2+(옆넓이)

      → (밑면의 둘레의 길이)×(높이)

② 밑면의 반지름의 길이가 r, 높이가 h인 원기둥
의 겉넓이 S는

  $S=$(밑넓이)×2+(옆넓이)$=2\pi r^2+2\pi rh$
               └→ 밑넓이 └→ 옆넓이

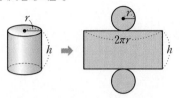

(2) 기둥의 부피

① 밑넓이가 S, 높이가 h인 각기둥의 부피 V는

  $V=$(밑넓이)×(높이)$=Sh$

② 밑면의 반지름의 길이가 r, 높이가 h인 원기둥
의 부피 V는

  $V=$(밑넓이)×(높이)$=\pi r^2 h$
               └→ 밑넓이

기둥의 겉넓이를
구할 때에는 밑면이 2개임에
주의해.

• (원기둥의 밑면의 둘레의 길이)
  =(전개도에서 직사각형의 가로의
  길이)

2 뿔의 겉넓이와 부피

(1) 뿔의 겉넓이

① (각뿔의 겉넓이)=(밑넓이)+(옆넓이)

② 밑면의 반지름의 길이가 r, 모선의 길이가 l인
원뿔의 겉넓이 S는 ┌ (부채꼴의 넓이)
                  │ $=\frac{1}{2}×$(반지름의 길이)×(호의 길이)

  $S=$(밑넓이)+(옆넓이)$=\pi r^2+\pi rl$
                       └→ 옆넓이

  [참고] (뿔대의 겉넓이)=(두 밑넓이의 합)+(옆넓이)
                      └→ 밑넓이

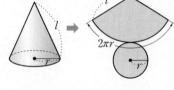

(2) 뿔의 부피

① 밑넓이가 S, 높이가 h인 각뿔의 부피 V는

  $V=\frac{1}{3}×$(밑넓이)×(높이)$=\frac{1}{3}Sh$

② 밑면의 반지름의 길이가 r, 높이가 h인 원뿔의
부피 V는

  $V=\frac{1}{3}×$(밑넓이)×(높이)$=\frac{1}{3}\pi r^2 h$

  [참고] (뿔대의 부피)=(큰 뿔의 부피)−(작은 뿔의 부피)

• 원뿔의 전개도에서
  ① (부채꼴의 반지름의 길이)
    =(원뿔의 모선의 길이)
  ② (부채꼴의 호의 길이)
    =(원뿔의 밑면의 둘레의 길이)

3 구의 겉넓이와 부피

(1) 구의 겉넓이

반지름의 길이가 r인 구의 겉넓이 S는 $S=4\pi r^2$

(2) 구의 부피

반지름의 길이가 r인 구의 부피 V는 $V=\frac{4}{3}\pi r^3$

[참고] 원기둥에 꼭 맞게 들어 있는 원뿔과 구에 대하여

  (원뿔의 부피) : (구의 부피) : (원기둥의 부피)

  $=\frac{2}{3}\pi r^3 : \frac{4}{3}\pi r^3 : 2\pi r^3 = 1 : 2 : 3$

• 구는 전개도를 그릴 수 없으므로
  구의 겉넓이는 전개도를 이용하여
  구할 수 없다.

III

입체도형

1 기둥의 겉넓이와 부피

01 겉넓이가 150 cm²인 정육면체의 한 모서리의 길이를 구하시오.

필수 ✓

02 오른쪽 그림의 전개도로 만들어지는 원기둥의 겉넓이를 구하시오.

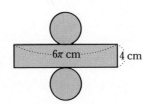

서술형 ✎

03 오른쪽 그림과 같은 사각형을 밑면으로 하는 사각기둥의 높이가 8 cm일 때, 다음을 구하시오.

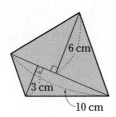

(1) 밑넓이

(2) 부피

04 오른쪽 그림과 같은 입체도형의 부피를 구하시오.

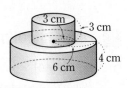

05 오른쪽 그림과 같은 입체도형의 겉넓이와 부피를 각각 구하시오.

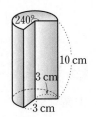

06 오른쪽 그림과 같은 입체도형의 겉넓이를 구하시오.

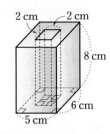

서술형 ✎

07 오른쪽 그림은 직육면체에서 작은 직육면체를 잘라 낸 입체도형이다. 이 입체도형에 대하여 다음을 구하시오.

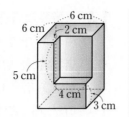

(1) 겉넓이

(2) 부피

08 오른쪽 그림과 같은 직사각형을 직선 l을 축으로 하여 1회전 시킬 때 생기는 회전체의 부피를 구하시오.

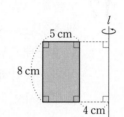

09 오른쪽 그림은 삼각기둥 모양의 그릇 안에 한 모서리의 길이가 3 cm인 정육면체 모양의 물체를 넣고 물을 가득 채운 것이다. 물 속에 있는 물체를 꺼냈을 때, 물의 높이는 몇 cm 낮아지는지 구하시오.
(단, 그릇의 두께는 생각하지 않는다.)

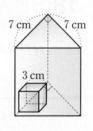

10 오른쪽 그림은 한 모서리의 길이가 3 cm인 정육면체 3개를 쌓아서 만든 입체도형이다. 이 입체도형의 겉넓이를 구하시오.

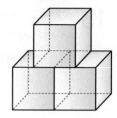

2 뿔의 겉넓이와 부피

필수 ✔

11 오른쪽 그림과 같이 밑면은 한 변의 길이가 8 cm인 정사각형이고, 옆면은 모두 합동인 이등변삼각형으로 이루어진 사각뿔의 겉넓이가 144 cm²일 때, h의 값을 구하시오.

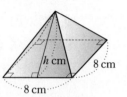

12 오른쪽 그림과 같은 원뿔의 겉넓이가 56π cm²일 때, 이 원뿔의 모선의 길이를 구하시오.

13 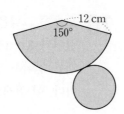 오른쪽 그림과 같은 전개도로 만들어지는 원뿔의 겉넓이를 구하시오.

14 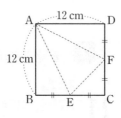 오른쪽 그림과 같이 한 변의 길이가 12 cm인 정사각형 ABCD에서 $\overline{BC}$, $\overline{CD}$의 중점을 각각 E, F라 할 때, $\overline{AE}$, $\overline{EF}$, $\overline{FA}$를 접는 선으로 하여 접었을 때 만들어지는 입체도형의 부피를 구하시오.

15 다음 그림과 같은 원뿔 모양의 그릇에 물을 가득 채운 후 원기둥 모양의 빈 그릇에 부었을 때, 원기둥 모양의 그릇에 채워진 물의 높이를 구하시오. (단, 그릇의 두께는 생각하지 않는다.)

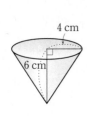

16 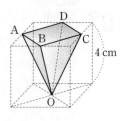 오른쪽 그림과 같이 한 모서리의 길이가 4 cm인 정육면체의 한 밑면의 두 대각선의 교점을 O, 다른 한 밑면의 네 모서리의 중점을 각각 A, B, C, D라 할 때, 사각뿔 O−ABCD의 부피를 구하시오.

17 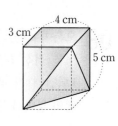 오른쪽 그림은 직육면체를 세 꼭짓점을 지나는 평면으로 잘라 내고 남은 입체도형이다. 이 입체도형의 부피를 구하시오.

서술형

18 다음 그림과 같이 두 개의 직육면체 모양의 그릇 A, B에 같은 양의 물이 들어 있다. 이때 x의 값을 구하시오. (단, 그릇의 두께는 생각하지 않는다.)

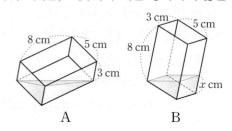

A   B

19 오른쪽 그림과 같이 밑면의 반지름의 길이가 6 cm이고 높이가 9 cm인 원뿔 모양의 그릇에 1분에 4π cm³씩 물을 넣을 때, 빈 그릇에 물을 가득 채우는 데 걸리는 시간을 구하시오.

(단, 그릇의 두께는 생각하지 않는다.)

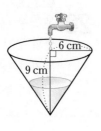

20 오른쪽 그림과 같은 원뿔대에 대하여 다음을 구하시오.

(1) 겉넓이

(2) 부피

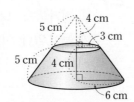

21 오른쪽 그림과 같은 평면도형을 직선 l을 축으로 하여 1회전 시킬 때 생기는 입체도형의 부피를 구하시오.

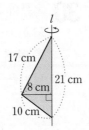

22 오른쪽 그림과 같이 밑면의 반지름의 길이가 10 cm인 원뿔을 점 O를 중심으로 굴렸더니 4바퀴 회전한 후 처음 자리로 돌아왔다. 이 원뿔의 겉넓이를 구하시오.

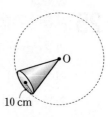

---

3 구의 겉넓이와 부피

23 다음 그림과 같이 야구공의 겉면은 크기와 모양이 같은 2개의 가죽 조각으로 이루어져 있다. 반지름의 길이가 4 cm인 야구공을 이루는 가죽 조각 1개의 넓이를 구하시오.

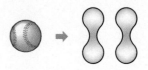

24 오른쪽 그림과 같은 입체도형의 부피를 구하시오.

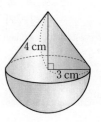

필수 ✓

25 오른쪽 그림은 반지름의 길이 가 $2\,cm$인 구의 $\dfrac{1}{4}$을 잘라 낸 것이다. 이 입체도형의 겉넓 이를 구하시오.

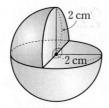

서술형 ✎

28 오른쪽 그림과 같이 원기둥에 원 뿔과 구가 꼭 맞게 들어 있다. 구의 부피가 $18\pi\,cm^3$일 때, 원뿔과 원 기둥의 부피를 각각 구하시오.

26 반지름의 길이가 $12\,cm$인 쇠공을 녹여서 반지름 의 길이가 $3\,cm$인 쇠공을 만들 때, 최대 몇 개 만들 수 있는지 구하시오.

29 오른쪽 그림과 같이 부피가 $1296\pi\,cm^3$ 인 원기둥에 크기가 같은 구 3개가 꼭 맞 게 들어 있다. 이때 구 1개의 부피를 구하 시오.

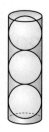

27 오른쪽 그림과 같은 평면도형 을 직선 l을 축으로 하여 1회 전 시킬 때 생기는 입체도형의 겉넓이와 부피를 각각 구하시 오.

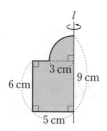

30 오른쪽 그림과 같이 부피가 $512\,cm^3$인 정육면체에 구가 꼭 맞게 들어 있다. 이 구의 겉 넓이를 구하시오.

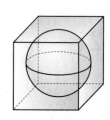

창의력 ⚡

01 오른쪽 그림과 같이 한 모서리의 길이가 6 cm인 정육
면체의 각 면에 색이 칠해져 있다. 이 정육면체를 각 모
서리를 3등분하여 작은 정육면체 27개로 나누었을 때,
27개의 작은 정육면체에서 색이 칠해져 있지 않은 면
의 넓이의 합을 구하시오.

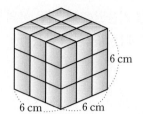

6 cm

6 cm   6 cm

■ 해결 Plus⁺

(정육면체의 겉넓이)
=(한 면의 넓이)×6

서술형 ✎

02 오른쪽 그림과 같이 한 모서리의 길이가 3 cm인 정육
면체를 면 CGHD에 평행한 평면으로 12번 잘라 13개
의 직육면체를 만들었다. 13개의 직육면체의 겉넓이
의 합을 구하시오.

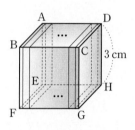

A   D

B   C

3 cm

E   H

F   G

Ⅲ

입체도형

03 오른쪽 그림과 같이 밑면의 반지름의 길이가 4 cm이
고 높이가 10 cm로 같은 두 원기둥에 대하여 색칠한
입체도형의 겉넓이를 구하시오.

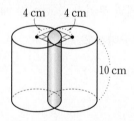

4 cm   4 cm

10 cm

04 오른쪽 그림은 가로, 세로의 길이와 높이의 비가
5 : 3 : 4인 직육면체에서 부피가 80 cm³인 작은 직육면
체를 잘라 낸 것이다. 이 입체도형의 겉넓이가 376 cm²
일 때, 이 입체도형의 부피를 구하시오.

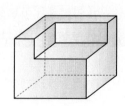

(잘라 내고 남은 입체도형의 부피)
=(잘라 내기 전의 직육면체의 부
피)−(잘라 낸 직육면체의 부피)

05 오른쪽 그림과 같이 밑면의 반지름의 길이가 5 cm이고 높이가 10 cm인 원기둥을 이등분한 모양의 통에 물을 가득 담은 후 45°만큼 기울였을 때, 남은 물의 양을 구하시오. (단, 통의 두께는 생각하지 않는다.)

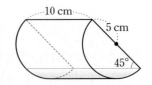

06 오른쪽 그림과 같이 한 모서리의 길이가 6 cm인 정육면체에서 삼각뿔 4개를 잘라 내고 남은 삼각뿔 C−AFH의 부피를 구하시오.

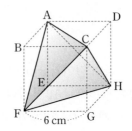

네 삼각뿔 A−EFH, C−ABF, C−FGH, C−AHD의 부피는 같다.

서술형 ✍

07 오른쪽 그림과 같이 정육면체의 각 면의 대각선의 교점을 꼭짓점으로 하는 정팔면체의 부피가 $\dfrac{9}{2}$ cm³일 때, 정육면체의 한 모서리의 길이를 구하시오.

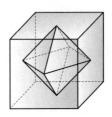

두 대각선의 길이가 각각 a, b인 마름모의 넓이 S는
$$S = \frac{1}{2}ab$$

08 오른쪽 그림은 밑면의 반지름의 길이가 5 cm, 높이가 12 cm, 모선의 길이가 13 cm인 원뿔에서 일부를 잘라 낸 것이다. 이 입체도형의 겉넓이와 부피를 각각 구하시오.

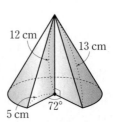

09 오른쪽 그림과 같은 삼각기둥의 모서리 BE 위에 점 P 가 있다. 이 삼각기둥을 세 점 A, P, C를 지나는 평면으로 잘랐을 때, 꼭짓점 E를 포함하는 입체도형의 부피를 V_1, 꼭짓점 B를 포함하는 입체도형의 부피를 V_2라 하자. $V_1 = 4V_2$일 때, $\overline{PE}$의 길이를 구하시오.

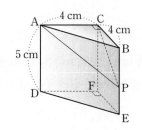

해결 Plus⁺

$\overline{PE} = x$ cm라 하면
$\overline{BP} = (5-x)$ cm이다.

융합형

10 오른쪽 그림과 같이 좌표평면 위에 네 점 A(1, 5), B(1, 1), C(2, 1), D(2, 4)가 있다. 사각형 ABCD를 y축을 축으로 하여 1회전 시킬 때 생기는 입체도형의 부피를 구하시오.

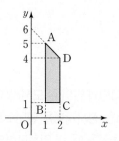

창의·융합

11 오른쪽 그림은 가로의 길이, 세로의 길이, 높이가 각각 20 cm, 16 cm, 12 cm인 직육면체 모양의 상자의 한 꼭짓점에 줄로 공을 연결한 것이다. 줄의 길이가 12 cm일 때, 이 공이 움직일 수 있는 공간의 최대 부피를 구하시오. (단, 공의 크기는 생각하지 않는다.)

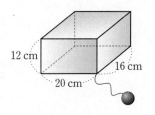

공은 직육면체의 안쪽으로는 움직일 수 없다.

12 오른쪽 그림과 같이 밑면의 반지름의 길이가 r, 높이가 r인 원기둥에 원뿔대, 반구가 꼭 맞게 들어 있다. 원뿔대, 반구, 원기둥의 부피의 비를 가장 간단한 자연수의 비로 나타내시오.

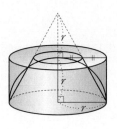

01 부피가 8 cm³, 125 cm³, 343 cm³인 세 정육면체를 면끼리 붙여서 입체도형을 만들었을 때, 이 입체도형의 겉넓이의 최솟값을 구하시오.

02 오른쪽 그림과 같이 한 모서리의 길이가 10 cm인 정육면체를 한 변의 길이가 2 cm인 정사각형을 밑면으로 하는 사각기둥 모양으로 각 면의 중앙에 구멍을 뚫었을 때, 이 입체도형의 겉넓이를 구하시오.

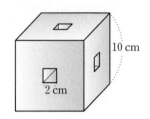

창의력 ⚡

03 직육면체에서 밑면이 반원인 기둥을 잘라 내고 남은 입체도형을 위에서 본 모양과 앞에서 본 모양이 각각 오른쪽 그림과 같을 때, 이 입체도형의 겉넓이를 구하시오.

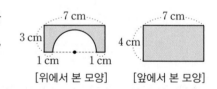

04 부피가 $405\ cm^3$인 직육면체에서 한 꼭짓점에 모이는 세 모서리의 삼등분점 중 그 꼭짓점에 가까운 점을 세 꼭짓점으로 하는 삼각뿔을 잘라 내었다. 모든 꼭짓점에 대하여 이와 같이 삼각뿔을 잘라 내었을 때, 남아 있는 입체도형의 부피를 구하시오.

융합형 ✎

05 오른쪽 그림과 같이 정비례 관계 $y=ax\,(0\le x\le 3)$의 그래프를 x축을 축으로 하여 1회전 시킬 때 생기는 회전체의 부피를 V_1, 정비례 관계 $y=2ax\,(0\le x\le 2)$의 그래프를 y축을 축으로 하여 1회전 시킬 때 생기는 회전체의 부피를 V_2라 할 때, $\dfrac{V_1}{V_2}$의 값을 a를 사용한 식으로 나타내시오.

(단, $a>0$)

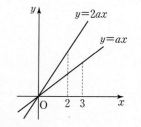

06 오른쪽 그림의 직사각형은 대각선의 길이가 $6\ cm$인 정사각형 3개를 이어 붙여서 만든 도형이다. 이 도형을 가운데 정사각형의 대각선을 지나는 직선 l을 축으로 하여 1회전 시킬 때 생기는 입체도형의 부피를 구하시오.

STEP UP ✐

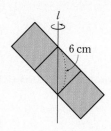

01 모양과 크기가 같은 작은 정육면체 512개를 오른쪽 그림과 같이 쌓아서 큰 정육면체를 만든 후 모든 면에 색을 칠하였다. 이때 한 면만 색이 칠해진 작은 정육면체의 개수를 a개, 두 면에 색이 칠해진 작은 정육면체의 개수를 b개, 세 면에 색이 칠해진 작은 정육면체의 개수를 c개라 할 때, $a-b+c$의 값을 구하시오.

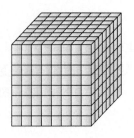

생각 Plus⁺

작은 정육면체 512개를 쌓아서 만든 큰 정육면체의 한 모서리에 작은 정육면체가 몇 개인지 생각해 본다.

풀이▶

답▶

02 정십이면체의 각 모서리에 빨간색 또는 파란색을 칠하려고 한다. 모든 면이 적어도 하나의 빨간색 모서리를 갖도록 하려면 최소한 몇 개의 모서리에 빨간색을 칠해야 하는지 구하시오.

정십이면체의 모서리의 개수와 면의 모양을 생각해 본다.

풀이▶

답▶

03 다음 그림과 같이 작은 정육면체를 붙여서 직육면체를 만들 때, 직육면체의 겉넓이는 정육면체를 붙이는 방법에 따라 달라지게 된다. 한 모서리의 길이가 1 cm인 정육면체 18개를 이용하여 겉넓이가 최소가 되는 직육면체를 만들 때, 이 직육면체의 겉넓이를 구하시오.

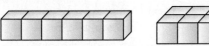

생각 Plus⁺

겉넓이가 최소가 되게 만들려면 겹치는 면이 많아야 한다.

풀이▶

답▶

04 오른쪽 그림과 같이 길이가 10 m인 휴지를 밑면의 반지름의 길이가 3 cm인 원기둥 모양의 통에 감았더니 휴지를 포함한 밑면의 반지름의 길이가 8 cm가 되었을 때, 휴지 한 겹의 두께를 구하시오.

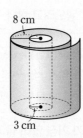

8 cm

3 cm

휴지를 통에 감았을 때와 통에서 풀었을 때의 부피는 같다.

풀이▶

답▶

05 오른쪽 그림과 같이 밑면의 반지름의 길이가 8 cm인 원기둥 모양의 통에 담겨 있는 주스를 모양과 크기가 모두 같은 원뿔 모양의 컵 6개에 컵의 부피의 $\dfrac{4}{5}$만큼씩 나누어 담았

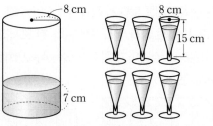

더니 통에 남아 있는 주스의 높이가 7 cm가 되었다. 이때 처음 원기둥 모양의 통에 담겨 있던 주스의 높이를 구하시오. (단, 통과 컵의 두께는 생각하지 않는다.)

풀이▶

답▶

생각 Plus⁺

처음 통에 담겨 있던 주스의 부피는 컵 6개에 담겨 있는 주스의 부피와 통에 남아 있는 주스의 부피의 합과 같다.

06 어느 정유 회사에서 겉넓이가 같은 다음 세 가지 모양의 원유 저장 탱크를 만들어서 원유를 가득 채워 넣으려고 한다.

> ㈎ 한 변의 길이가 r인 정사각형을 밑면으로 하는 사각기둥 모양의 탱크
> ㈏ 밑면의 반지름의 길이가 r인 원기둥 모양의 탱크
> ㈐ 반지름의 길이가 r인 구 모양의 탱크

㈎, ㈏, ㈐ 중에서 원유가 가장 많이 들어가는 탱크를 구하시오.
(단, 탱크의 두께는 생각하지 않는다.)

풀이▶

답▶

탱크의 부피가 클수록 원유가 더 많이 들어간다.

IV

자료의 정리와 해석

1 도수분포표와 그래프

1 줄기와 잎 그림

(1) **변량** 자료를 수량으로 나타낸 것
(2) **줄기와 잎 그림** 줄기와 잎을 이용하여 자료를 나타낸 그림
(3) **줄기와 잎 그림을 그리는 순서**

① 변량을 줄기와 잎으로 나눈다.
② 세로선을 긋고, 세로선의 왼쪽에 줄기를 작은 수부터 세로로 쓴다.
③ 세로선의 오른쪽에 각 줄기에 해당하는 잎을 가로로 쓴다. → 중복된 변량은 중복된 횟수만큼 나열한다.
④ 그림의 오른쪽 위에 '줄기│잎'을 설명한다.

[자료]
(단위 : 회)

24	36	27	12
33	35	18	28
10	21	24	30
24	19	33	28

➡

[줄기와 잎 그림]
(1│0은 10회)

줄기	잎
1	0 2 8 9
2	1 4 4 4 7 8 8
3	0 3 3 5 6

• 줄기와 잎 그림은 자료를 작은 수부터 순서대로 나열한 것으로 자료의 분포를 파악하기에 편리하다.

• 전체 자료의 개수는 잎의 개수와 같다.

2 도수분포표

(1) **계급** 변량을 일정한 간격으로 나눈 구간
(2) **계급의 크기** 변량을 나눈 구간의 너비, 즉 계급의 양 끝 값의 차
(3) **계급의 개수** 변량을 나눈 구간의 수
(4) **계급값** 계급을 대표하는 값으로 각 계급의 양 끝 값의 중앙의 값

➡ (계급값) $=\dfrac{(계급의 양 끝 값의 합)}{2}$

(5) **도수** 각 계급에 속하는 자료의 수
(6) **도수분포표** 자료를 몇 개의 계급으로 나누고 각 계급의 도수를 나타낸 표
(7) **도수분포표를 만드는 순서**

① 자료에서 가장 작은 변량과 가장 큰 변량을 찾는다.
② ①의 두 변량이 포함되는 구간을 일정한 간격으로 나누어 계급을 정한다.
③ 각 계급에 속하는 변량의 개수를 세어 계급의 도수를 구한다.

• a 이상 b 미만인 계급에서
(계급의 크기)$=b-a$

> 도수분포표를 만들 때 계급의 개수는 5~15개 정도가 적당해.

• 계급, 계급의 크기, 계급값, 도수는 항상 단위를 포함하여 쓴다.

• 변량의 개수를 셀 때 /// 또는 正를 이용하면 편리하다.

[자료]
(단위 : 점)

72	86	75	88
53	64	76	72
72	80	61	73
96	72	73	74
67	83	58	70

➡

[도수분포표]

계급(점)		도수(명)
50이상 ~ 60미만	//	2
60 ~ 70	///	3
70 ~ 80	//// ////	10
80 ~ 90	////	4
90 ~ 100	/	1
합계		20

3 히스토그램

(1) **히스토그램** 도수분포표의 각 계급의 크기를 가로로 하고, 도수를 세로로 하는 직사각형으로 그린 그래프

(2) **히스토그램을 그리는 순서**

① 가로축에 각 계급의 양 끝 값을 차례로 표시한다.

② 세로축에 도수를 차례로 표시한다.

③ 각 계급의 크기를 가로로 하고, 도수를 세로로 하는 직사각형을 차례로 그린다.

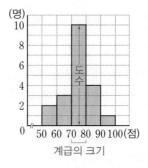

(3) **히스토그램의 특징**

① 자료의 분포 상태를 한눈에 알아볼 수 있다.

② 각 직사각형의 넓이는 각 계급의 도수에 정비례한다.

➡ (각 직사각형의 넓이)=(계급의 크기)×(그 계급의 도수)

③ (직사각형의 넓이의 합)=(계급의 크기)×(도수의 총합)

• 히스토그램에서
① (계급의 개수)
= (직사각형의 개수)
② (계급의 크기)
= (직사각형의 가로의 길이)
③ (계급의 도수)
= (직사각형의 세로의 길이)

4 도수분포다각형

(1) **도수분포다각형** 히스토그램에서 각 직사각형의 윗변의 중앙에 찍은 점을 차례로 선분으로 연결하고, 양 끝에 도수가 0인 계급이 하나씩 더 있는 것으로 생각하여 그 중앙에 찍은 점과 연결하여 그린 그래프

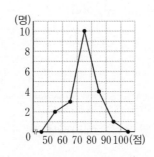

(2) **도수분포다각형을 그리는 순서**

① 히스토그램에서 각 직사각형의 윗변의 중앙에 점을 찍는다.

② 양 끝에 도수가 0인 계급이 하나씩 더 있는 것으로 생각하여 그 중앙에 점을 찍는다.

③ ①, ②에서 찍은 점을 차례로 선분으로 연결한다.

(3) **도수분포다각형의 특징**

① 자료의 분포 상태를 연속적으로 관찰할 수 있다.

② (도수분포다각형과 가로축으로 둘러싸인 부분의 넓이)

=(히스토그램의 각 직사각형의 넓이의 합)

=(계급의 크기)×(도수의 총합)

• 도수분포다각형에서 계급의 개수를 셀 때, 양 끝에 도수가 0인 계급은 세지 않는다.

• 2개 이상의 자료의 분포 상태를 동시에 나타내어 비교할 때 도수분포다각형이 히스토그램보다 편리하다.

참고
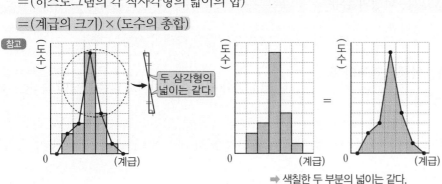

➡ 색칠한 두 부분의 넓이는 같다.

1 줄기와 잎 그림

01 아래는 시현이네 반 학생들의 줄넘기 횟수를 조사하여 줄기와 잎 그림으로 나타낸 것이다. 다음 중 옳은 것은?

(3|2는 32회)

줄기	잎
3	2 5 8 9
4	2 2 3 4 5 7 8
5	3 5 6 7 8
6	2 4 4 5 8 9
7	0 3 7

① 잎이 가장 많은 줄기는 6이다.
② 시현이네 반의 전체 학생 수는 30명이다.
③ 줄넘기 횟수가 40회 미만인 학생 수는 5명이다.
④ 줄넘기 횟수가 가장 많은 학생과 가장 적은 학생의 줄넘기 횟수의 차는 25회이다.
⑤ 시현이의 줄넘기 횟수가 65회일 때, 시현이보다 줄넘기를 많이 한 학생 수는 5명이다.

02 다음은 진우네 반 학생들의 하루 동안의 컴퓨터 사용 시간을 조사하여 줄기와 잎 그림으로 나타낸 것이다. 물음에 답하시오.

(1|2는 12분)

줄기	잎
1	2 5 8
2	5 5 6 6 7
3	4 5 6 6 7 8
4	3 6 7 8
5	2 8

(1) 컴퓨터 사용 시간이 8번째로 많은 학생의 컴퓨터 사용 시간을 구하시오.

(2) 컴퓨터 사용 시간이 40분대인 학생은 전체의 몇 %인지 구하시오.

03 아래는 어느 반 학생들의 윗몸일으키기 기록을 조사하여 줄기와 잎 그림으로 나타낸 것이다. 다음 중 옳지 <u>않은</u> 것을 모두 고르면? (정답 2개)

(1|8은 18회)

잎(남학생)	줄기	잎(여학생)
7	1	8 9
6	2	1 5
4 2	3	0 5 8 9
7 5 2	4	4 7 8
8 4 0	5	3
8 3 2	6	1

① 이 반의 전체 학생 수는 26명이다.
② 여학생에서 잎이 가장 많은 줄기는 6이다.
③ 윗몸일으키기 기록이 50회 이상 61회 미만인 학생 수는 4명이다.
④ 윗몸일으키기를 54회 한 학생은 기록이 좋은 편이다.
⑤ 여학생의 기록이 남학생의 기록보다 더 좋은 편이다.

2 도수분포표

필수 ✔

04 오른쪽은 혜은이네 학교 학생 50명의 하루 동안의 통화 횟수를 조사하여 나타낸 도수분포표이다. 다음을 구하시오.

통화 횟수(회)	도수(명)
0이상 ~ 2미만	4
2 ~ 4	12
4 ~ 6	17
6 ~ 8	13
8 ~ 10	4
합계	50

(1) 계급의 개수

(2) 가장 많은 학생이 속하는 계급

(3) 통화 횟수가 10번째로 많은 학생이 속하는 계급

05 오른쪽은 어느 중학교 학생 36명의 몸무게를 조사하여 나타낸 도수분포표이다. 다음 중 옳지 않은 것은?

몸무게(kg)	도수(명)
35^{이상}~40^{미만}	4
40 ~45	7
45 ~50	16
50 ~55	A
55 ~60	6
합계	36

① 계급의 크기는 5 kg 이다.

② 도수가 가장 작은 계급의 계급값은 37.5 kg이다.

③ 몸무게가 50 kg 이상인 학생은 전체의 25 %이다.

④ 몸무게가 40 kg 이상 50 kg 미만인 학생 수는 23명이다.

⑤ 몸무게가 무거운 쪽에서부터 19번째인 학생이 속하는 계급의 도수는 16명이다.

서술형 ✏️

06 오른쪽은 정민이네 반 학생 30명의 키를 조사하여 나타낸 도수분포표이다. 키가 160 cm 이상 165 cm 미만인 계급의 도수가 145 cm 이상 150 cm 미만인 계급의 도수의 5배라 할 때, 다음을 구하시오.

키(cm)	도수(명)
145^{이상}~150^{미만}	
150 ~155	7
155 ~160	8
160 ~165	
165 ~170	3
합계	30

(1) 키가 145 cm 이상 150 cm 미만인 학생 수

(2) 키가 160 cm 이상인 학생 수

07 오른쪽은 유진이네 학교 학생 50명의 몸무게를 조사하여 나타낸 도수분포표이다. 몸무게가 45 kg 미만인 학생이 전체의 30 %일 때, 몸무게가 45 kg 이상 50 kg 미만인 학생은 전체의 몇 %인지 구하시오.

몸무게(kg)	도수(명)
35^{이상}~40^{미만}	5
40 ~45	
45 ~50	
50 ~55	8
합계	50

08 오른쪽은 지현이네 반 학생들의 윗몸일으키기 기록을 조사하여 나타낸 도수분포표이다. 기록이 20회 미만인 학생이 전체의 45 %일 때, 기록이 20회 이상 30회 미만인 학생 수를 구하시오.

기록(회)	도수(명)
0^{이상}~10^{미만}	7
10 ~20	11
20 ~30	
30 ~40	6
40 ~50	3
합계	

3 히스토그램

09 오른쪽은 서준이네 반 학생들의 통학 시간을 조사하여 나타낸 히스토그램이다. 통학 시간이 20분 이상 40분 미만인 학생은 전체의 몇 %인지 구하시오.

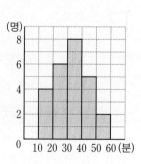

필수 ✔

10 오른쪽은 인성이네 반 학생들의 미술 실기 점수를 조사하여 나타낸 히스토그램이다. 다음 중 옳은 것을 모두 고르면? (정답 2개)

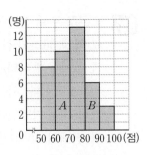

① 전체 학생 수는 40명이다.
② 도수가 가장 작은 계급은 50점 이상 60점 미만이다.
③ 점수가 70점 미만인 학생 수는 14명이다.
④ 두 직사각형 A, B의 넓이의 비는 5 : 3이다.
⑤ 점수가 6번째로 좋은 학생이 속하는 계급은 70점 이상 80점 미만이다.

11 오른쪽은 근영이네 반 학생들의 분당 자판 입력 타수를 조사하여 나타낸 히스토그램이다. 입력 타수가 상위 20 % 이내인 학생의 분당 자판 입력 타수는 최소한 몇 타 이상인지 구하시오.

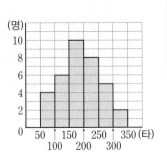

12 오른쪽은 수영이네 반 학생들이 도서관을 방문한 횟수를 조사하여 나타낸 히스토그램인데 일부가 찢어져 보이지 않는다. 두 직사각형 A, B의 넓이의 비가 4 : 3일 때, 수영이네 반 전체 학생 수를 구하시오.

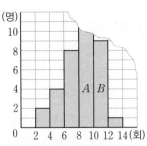

13 오른쪽은 어느 프로 야구단 선수 40명의 타율을 조사하여 나타낸 히스토그램인데 일부가 찢어져 보이지 않는다. 타율이 2.5할 이상인 선수가 전체의 40 %일 때, 타율이 2.0할 이상 2.5할 미만인 선수의 수를 구하시오.

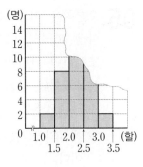

14 오른쪽은 어느 도시의 낮 시간의 평균 기온을 측정하여 나타낸 히스토그램인데 일부가 찢어져 보이지 않는다. 기온이 26 ℃ 이상 30 ℃ 미만인 날이 전체의 55 %일 때, 낮 시간의 평균 기온이 30 ℃ 이상 32 ℃ 미만인 날은 모두 며칠인지 구하시오.

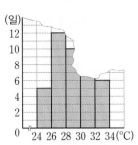

15 오른쪽은 진성이네 반 학생 45명의 과학 성적을 조사하여 나타낸 히스토그램인데 일부가 찢어져 보이지 않는다. 과학 성적이 70점 이상 80점 미만인 학생 수가 60점 이상 70점 미만인 학생 수의 2배보다 1명이 적을 때, 과학 성적이 60점 이상 70점 미만인 학생은 전체의 몇 %인지 구하시오.

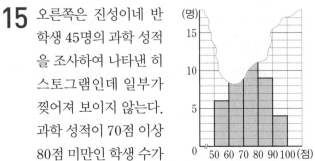

4 도수분포다각형

16 오른쪽은 형수네 반 학생들이 가지고 있는 연필의 수를 조사하여 나타낸 도수분포다각형이다. 다음 중 옳지 않은 것은?

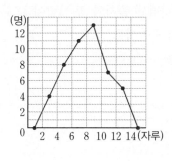

① 계급의 개수는 6개이다.

② 전체 학생 수는 48명이다.

③ 도수가 가장 큰 계급의 계급값은 9자루이다.

④ 도수분포다각형과 가로축으로 둘러싸인 부분의 넓이는 96이다.

⑤ 연필의 수가 6자루 미만인 학생은 전체의 20 %이다.

17 오른쪽은 어느 사과 농장에서 수확한 사과가 담긴 상자의 무게를 조사하여 나타낸 도수분포다각형이다. 무게가 11번째로 가벼운 상자가 속하는 계급의 도수를 구하시오.

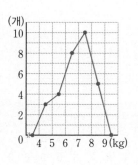

18 오른쪽은 어느 반 학생들의 수학 성적을 조사하여 나타낸 도수분포다각형인데 일부가 찢어져 보이지 않는다. 수학 성적이 60점 이상 70점 미만인 학생이 전체의 25 %일 때, 수학 성적이 70점 이상 80점 미만인 학생 수를 구하시오.

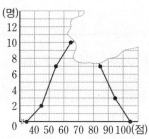

19 오른쪽은 승우네 동아리 학생 32명의 하루 동안의 운동 시간을 조사하여 나타낸 도수분포다각형인데 일부가 찢어져 보이지 않는다. 운동 시간이 40분 이상인 학생이 전체의 50 %일 때, 운동 시간이 30분 이상 40분 미만인 학생은 전체의 몇 %인지 구하시오.

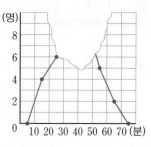

20 다음은 K 중학교 1학년 남녀 학생들의 100 m 달리기 기록을 조사하여 나타낸 도수분포다각형이다. 보기에서 옳은 것을 모두 고르시오.

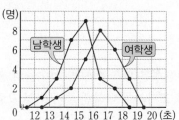

보기

㉠ 남학생 수와 여학생 수는 같다.

㉡ 여학생의 기록이 남학생의 기록보다 더 좋다.

㉢ 각각의 그래프와 가로축으로 둘러싸인 부분의 넓이는 같다.

㉣ 계급값이 16.5초인 계급에 속하는 학생은 여학생이 남학생보다 4명 더 많다.

해결 Plus⁺

01 다음은 혜원이네 반 학생들의 수학 성적을 조사하여 나타낸 줄기와 잎 그림이다. 수학 성적이 85점 이상인 학생은 전체의 몇 %인지 구하시오.

(전체 학생 수)
=(잎의 개수)

(5 | 3은 53점)

잎(남학생)	줄기	잎(여학생)
6 4	5	3 8
7 4 2	6	8
7 3 2 1	7	3 3 7 9
9 4 3 2	8	1 4 6 7
5 1	9	1 5 6 9

02 오른쪽은 어느 반 학생들의 하루 동안의 SNS 게시글 수를 조사하여 나타낸 줄기와 잎 그림이다. SNS 게시글 수기 많은 순서대로 전체 학생의 상위 20 %에게 우리 학교 SNS 홍보 대사의 자격을 줄 때, 자격이 되는 학생들 중에서 SNS 게시글 수가 가장 많은 학생과 가장 적은 학생의 게시글 수의 차를 구하시오.

(1 | 0은 10개)

줄기	잎
1	0 1 6 9
2	1 1 2 3 4 7
3	0 0 1 4 5 9
4	0 2 4 5 6 7 8
5	1 6

03 오른쪽은 어느 야구팀 선수들의 홈런 수를 조사하여 나타낸 줄기와 잎 그림이다. 홈런 수의 평균이 12개일 때, $x+y$의 값을 구하시오.

(평균)= $\dfrac{(자료의 총합)}{(자료의 개수)}$

(0 | 2는 2개)

줄기	잎
0	2 3 4 4 5 5 x 8
1	0 1 2 3 3 5 5 6 9
2	2 y
3	0

04 오른쪽은 인수네 반 학생 40명의 주말 동안의 TV 시청 시간을 조사하여 나타낸 도수분포표이다. TV 시청 시간이 60분 미만인 학생이 전체의 10 %이고 TV 시청 시간이 100분 이상인 학생 수를 A명이라 할 때, A의 값이 될 수 있는 가장 큰 수와 가장 작은 수의 합을 구하시오.

TV 시청 시간(분)	도수(명)
0 이상 ~ 30 미만	1
30 ~ 60	
60 ~ 90	8
90 ~120	13
120 ~150	
150 ~180	5
합계	40

05 오른쪽은 어느 학교 학생들의 키를 조사하여 나타 낸 도수분포표이다. 키가 150 cm 미만인 학생이 전체의 26 %일 때, 키가 큰 쪽에서부터 24번째인 학생이 속하는 계급을 구하시오.

키(cm)	도수(명)
$140^{이상} \sim 145^{미만}$	6
145 ~150	7
150 ~155	15
155 ~160	
160 ~165	
합계	

── **해결 Plus⁺**

키가 큰 쪽에서부터 24번째인 학 생은 키가 작은 쪽에서부터 몇 번 째인지 생각한다.

융합형 🖉

06 오른쪽은 어느 반 학생 40명의 몸무게를 조사하여 나타낸 도수분포표이다. 몸무게가 50 kg 이상 55 kg 미만인 학생 수는 60 kg 이상 65 kg 미만인 학생 수보다 많고 두 학생 수의 최소공배수가 12일 때, 몸무게가 50 kg 이상 55 kg 미만인 학생 수를 구하시오.

몸무게(kg)	도수(명)
$40^{이상} \sim 45^{미만}$	2
45 ~50	10
50 ~55	
55 ~60	11
60 ~65	
65 ~70	3
합계	40

07 오른쪽은 영화 동아리 회원들이 지난 6개월 동안 본 영화의 수를 조사하여 나타낸 히스토그램이 다. 영화를 많이 본 순서대로 상위 30 % 이내에 드는 학생은 영화를 적어도 a편 이상 보았고, 상 위 75 % 이내에 드는 학생은 영화를 적어도 b편 이상 보았다고 할 때, $a+b$의 값을 구하시오.

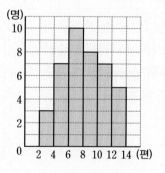

서술형 🖉

08 오른쪽은 어느 중학교 학생 80명의 한 뼘의 길이를 조사하여 나타낸 히스토그램인데 일부가 찢어져 세 로축이 보이지 않는다. 한 뼘의 길이가 19 cm인 학 생이 속하는 계급의 도수를 구하시오.

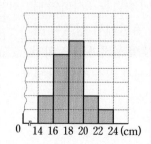

세로축의 눈금 한 칸이 나타내는 학생 수가 몇 명인지 구해 본다.

IV

자료의 정리와 해석

09 오른쪽은 어느 중학교 1학년 학생 50명의 수학 성적을 조사하여 나타낸 히스토그램인데 일부가 찢어져 보이지 않는다. 수학 성적이 75점 이상 80점 미만인 학생 수와 80점 이상 85점 미만인 학생 수의 비는 4 : 7이고 80점 이상 85점 미만인 학생 수와 85점 이상 90점 미만인 학생 수의 비가 2 : 1일 때, 수학 성적이 85점 이상인 학생은 전체의 몇 %인지 구하시오.

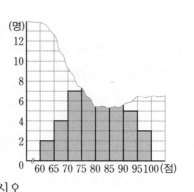

해결 Plus⁺

학생 수의 비를 이용하여 각 계급의 도수를 모두 같은 문자로 나타낸다.

10 오른쪽은 어느 중학교 학생들의 영어 성적을 조사하여 도수분포다각형으로 나타낸 것인데 일부가 찢어져 보이지 않는다. 영어 성적이 60점 이상 70점 미만인 학생 수가 70점 이상 80점 미만인 학생 수보다 7명이 많고, 80점 이상인 학생이 전체의 5 %일 때, 영어 성적이 70점 이상 80점 미만인 학생 수를 구하시오.

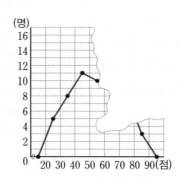

창의력

11 오른쪽은 어느 중학교 1학년 1반과 2반 학생들이 일주일 동안 쓴 용돈을 조사하여 나타낸 도수분포다각형이다. 색칠한 부분의 넓이를 각각 S_1, S_2 라 할 때, S_1과 S_2의 대소를 비교하시오.

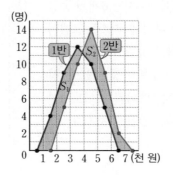

각 반의 전체 학생 수를 먼저 구해 본다.

12 오른쪽은 A반과 B반의 국어 성적을 조사하여 나타낸 도수분포다각형이다. A반에서 성적이 상위 22.5 % 이내에 드는 학생의 성적과 같은 성적을 받은 B반의 학생은 B반에서 최소 상위 몇 % 이내에 드는지 구하시오.

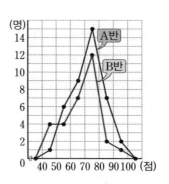

뛰어넘기

01 다음은 태희네 반 학생 20명의 국어 성적을 조사하여 나타낸 도수분포표이다. 한 문제당 점수가 5점씩 이고 $A-B=15$일 때, A, B의 값을 각각 구하시오.

(단위 : 점)

50	70	60	80
90	65	95	85
75	A	80	55
70	95	B	70
60	80	55	75

⇒

국어 성적(점)	도수(명)
50^{이상}~ 60^{미만}	3
60 ~ 70	4
70 ~ 80	
80 ~ 90	5
90 ~100	
합계	20

02 오른쪽은 어느 중학교 학생 40명의 팔굽혀펴기 기록을 조사하여 나타낸 도수분포표이다. 기록이 10회 이하인 학생이 전체의 20 %, 기록이 25회 이상인 학생이 전체의 30 %일 때, A의 최댓값과 최솟값의 차를 구하시오.

기록(회)	도수(명)
0^{이상}~ 8^{미만}	3
8 ~16	A
16 ~24	12
24 ~32	
32 ~40	5
합계	40

03 오른쪽은 어느 지역의 연간 황사 발생일 수를 조사하여 나타낸 히스토그램인데 일부가 얼룩이 묻어 보이지 않는다. 연간 황사 발생일 수가 3일 이상 6일 미만인 해가 12일 이상 15일 미만인 해의 2.5배이고, 9일 미만인 해가 전체 조사한 해의 70 %일 때, 3일 이상 6일 미만인 계급과 12일 이상 15일 미만인 계급의 도수의 차를 구하시오.

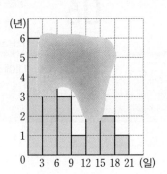

IV

자료의 정리와 해석

04~05 오른쪽은 어느 학교 학생 50명의 던지기 기록을 조사하여 나타낸 도수
분포다각형인데 일부가 찢어져 보이지 않는다. 다음 물음에 답하시오.

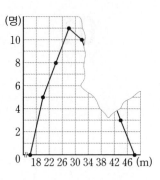

04 기록이 38 m 미만인 학생 수가 38 m 이상인 학생 수의 5배보다 4명이 적다고 할 때, 기록이 34 m 이상
38 m 미만인 학생 수를 구하시오.

05 주어진 도수분포다각형의 가장 높은 꼭짓점에서 가로축에 수선을 내리면 도수분포다각형과 가로축으로
둘러싸인 부분이 이 수선에 의하여 두 부분으로 나누어진다. 왼쪽 부분의 넓이를 A, 오른쪽 부분의 넓이
를 B라 할 때, $A : B$를 가장 간단한 자연수의 비로 나타내시오.

STEP UP

06 오른쪽은 어느 중학교 1학년 1반과 2반의 과학 성적을 조사하여 나
타낸 도수분포다각형이다. 1반에서 상위 10 % 이내에 드는 학생 중
1명인 선미가 2반으로 반을 옮기면 선미는 2반에서 상위 몇 % 이
내에 드는지 구하시오.

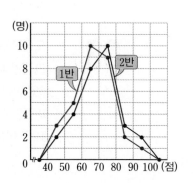

2 상대도수와 그 그래프

1 상대도수

(1) 상대도수   도수의 총합에 대한 각 계급의 도수의 비율

$$(어떤\ 계급의\ 상대도수) = \frac{(그\ 계급의\ 도수)}{(도수의\ 총합)}$$

(2) 상대도수의 분포표   각 계급의 상대도수를 나타낸 표

(3) 상대도수의 특징

① 각 계급의 상대도수는 0 이상 1 이하인 수이고, 총합은 항상 1이다.

② 각 계급의 상대도수는 그 계급의 도수에 정비례한다.

③ 도수의 총합이 다른 여러 자료의 분포 상태를 비교할 때 편리하다.

계급(점)	도수(명)	상대도수
$70^{이상} \sim 80^{미만}$	4	0.2
$80\ \sim\ 90$	10	0.5
$90\ \sim 100$	6	0.3
합계	20	1

- ① (어떤 계급의 도수)
  = (도수의 총합)
  × (그 계급의 상대도수)
  ② (도수의 총합)
  = $\dfrac{(그\ 계급의\ 도수)}{(어떤\ 계급의\ 상대도수)}$

- (백분율) = (상대도수) × 100 (%)

2 상대도수의 분포를 나타낸 그래프

(1) 상대도수의 분포를 나타낸 그래프   상대도수의 분포표를 히스토그램이나 도수분포다각형 모양으로 나타낸 그래프

(2) 상대도수의 분포를 나타낸 그래프 그리는 순서

① 가로축에 각 계급의 양 끝 값을 차례로 표시한다.

② 세로축에 상대도수를 차례로 표시한다.

③ 히스토그램 또는 도수분포다각형과 같은 모양으로 그린다.

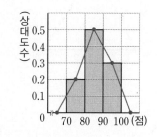

(3) 상대도수의 분포를 나타낸 그래프의 특징

상대도수의 분포를 나타낸 그래프와 가로축으로 둘러싸인 부분의 넓이는 계급의 크기와 같다.

(그래프와 가로축으로 둘러싸인 부분의 넓이)

= (계급의 크기) × (상대도수의 총합)

= (계급의 크기) × 1

= (계급의 크기)

- 상대도수의 분포를 나타낸 그래프는 히스토그램, 도수분포다각형과 세로축만 도수, 상대도수로 다르다.

3 도수의 총합이 다른 두 집단의 자료의 분포

도수의 총합이 다른 두 집단의 자료를 비교할 때는

(1) 도수로 비교하는 것보다 상대도수로 비교하는 것이 더 적절하다.

(2) 상대도수의 분포를 그래프로 나타내면 두 집단의 분포 상태를 한눈에 쉽게 비교할 수 있다.

두 집단의 그래프가 어느 쪽으로 치우쳤는지에 따라 두 집단의 경향을 파악할 수 있어.

1 상대도수

01 다음 중 옳지 <u>않은</u> 것은?

① 상대도수는 도수의 총합에 대한 각 계급의 도수의 비율이다.

② 어떤 계급의 도수는 도수의 총합과 그 계급의 상대도수를 곱한 값이다.

③ 각 계급의 상대도수는 그 계급의 도수에 정비례한다.

④ 상대도수는 도수의 총합이 다른 두 자료를 비교할 때 편리하다.

⑤ 상대도수의 총합은 전체 도수에 따라 다르다.

02 오른쪽은 현석이네 반 학생들이 1년 동안 여행한 횟수를 조사하여 나타낸 도수분포다각형이다. 도수가 가장 큰 계급의 상대도수를 구하시오.

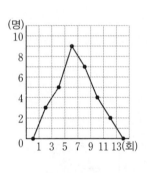

서술형 ✎

03 오른쪽은 정인이네 반 학생 40명의 수학 성적을 조사하여 나타낸 히스토그램인데 일부가 찢어져 보이지 않는다. 수학 성적이 70점 미만인 학생이 전체의 40 %일 때, 70점 이상 80점 미만인 계급의 상대도수를 구하시오.

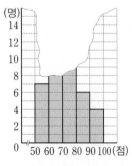

04 어떤 계급의 상대도수가 0.24이고 그 계급의 도수가 60일 때, 도수의 총합을 구하시오.

05 어떤 도수분포표에서 도수가 17인 계급의 상대도수는 0.34이다. 이 도수분포표에서 도수가 8인 계급의 상대도수는 a이고 상대도수가 0.26인 계급의 도수는 b일 때, a, b의 값을 각각 구하시오.

2 상대도수의 분포표

필수 ✔

06 다음은 리나네 학교 학생들의 윗몸일으키기 기록을 조사하여 나타낸 상대도수의 분포표이다. 물음에 답하시오.

기록(회)	도수(명)	상대도수
0이상 ~ 10미만	4	A
10 ~ 20	16	0.2
20 ~ 30	B	0.35
30 ~ 40	24	C
40 ~ 50	D	0.1
합계		E

(1) 전체 학생 수를 구하시오.

(2) A, B, C, D, E의 값을 각각 구하시오.

(3) 기록이 10회 이상 30회 미만인 학생은 전체의 몇 %인지 구하시오.

07 다음은 민정이네 학교 학생들의 몸무게를 조사하여 나타낸 상대도수의 분포표인데 일부가 찢어져 보이지 않는다. 몸무게가 45 kg 이상 50 kg 미만인 계급의 상대도수를 구하시오.

몸무게(kg)	도수(명)	상대도수
40^{이상}～45^{미만}	4	0.08
45 ～50	12	

08 다음은 승훈이네 반 학생들이 1년 동안 읽은 책의 수를 조사하여 나타낸 상대도수의 분포표인데 일부가 찢어져 보이지 않는다. 책을 10권 이상 읽은 학생이 전체의 65 %일 때, 책을 5권 이상 10권 미만 읽은 학생 수를 구하시오.

책의 수(권)	도수(명)	상대도수
0^{이상}～ 5^{미만}	4	0.2
5 ～10		
10 ～15		

3 상대도수의 분포를 나타낸 그래프

09 오른쪽은 어느 중학교 학생 800명의 하루 수면 시간에 대한 상대도수의 분포를 그래프로 나타낸 것이다. 도수가 가장 큰 계급에 속하는 학생 수를 구하시오.

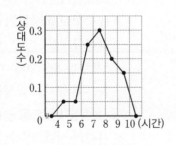

10 다음은 어느 지역에서 10월 한 달 중 며칠 동안 측정한 일별 최고 기온에 대한 상대도수의 분포를 그래프로 나타낸 것이다. 상대도수가 가장 작은 계급의 도수가 1일일 때, 다음 중 옳은 것은?

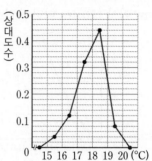

① 기온을 측정한 전체 일수는 25일이다.
② 도수가 가장 큰 계급의 계급값은 17.5 ℃이다.
③ 기온이 17 ℃ 미만인 일수는 전체의 15 %이다.
④ 기온이 18 ℃ 이상인 일수는 전체의 50 %이다.
⑤ 계급값이 17.5 ℃인 계급의 도수는 6일이다.

서술형

11 다음은 소희네 반 남학생들의 턱걸이 기록에 대한 상대도수의 분포를 나타낸 그래프인데 일부가 찢어져 보이지 않는다. 기록이 8회 이상 10회 미만인 학생 수가 11명일 때, 기록이 10회 이상 14회 미만인 학생 수를 구하시오.

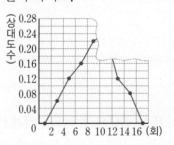

IV

자료의 정리와 해석

12 다음은 수박씨 멀리 뱉기 대회에 참가한 중학생 150명의 기록에 대한 상대도수의 분포를 나타낸 그래프인데 일부가 찢어져 보이지 않는다. 기록이 160 cm 이상인 학생이 전체의 32 %일 때, 기록이 160 cm 이상 170 cm 미만인 학생 수를 구하시오.

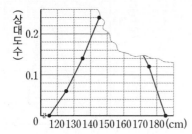

15 오른쪽은 A 학교와 B 학교 학생들의 수학 성적에 대한 상대도수의 분포를 나타낸 그래프이다. 각 학교에서 수학 성적

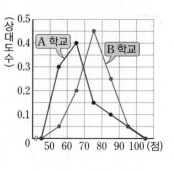

이 상위 30 % 이내에 들려면 적어도 A 학교에서는 x점 이상, B 학교에서는 y점 이상 받아야 할 때, $x+y$의 값을 구하시오.

---

4 도수의 총합이 다른 두 집단의 자료의 분포

13 오른쪽은 어느 중학교 1학년 1반과 2반의 영어 성적을 조사하여 나타낸 도수분포표이다. 영어 성적이 50점 이상 60점 미만인 계급의 1반과 2반의 상대도수의 비가 2 : 3일 때, A의 값을 구하시오.

영어 성적(점)	도수(명)	
	1반	2반
40^{이상} ~ 50^{미만}	4	1
50 ~ 60	5	
60 ~ 70		10
70 ~ 80	15	14
80 ~ 90		5
90 ~ 100	3	A
합계	50	40

14 A, B 두 집단의 전체 도수의 비가 2 : 3이고 어떤 계급의 도수의 비가 3 : 5일 때, 이 계급의 상대도수의 비를 가장 간단한 자연수의 비로 나타내시오.

16 다음은 A, B 두 중학교 학생들의 등교 시각에 대한 상대도수의 분포를 나타낸 그래프이다. 다음 중 옳지 <u>않은</u> 것은?

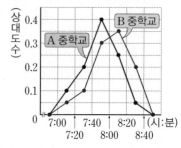

① A 중학교 학생들이 B 중학교 학생들보다 일찍 등교한다.

② A 중학교 학생들의 70 %는 8시 이전에 학교에 도착한다.

③ B 중학교 학생들의 60 %는 8시부터 학교에 도착한다.

④ 8시부터 8시 20분 이전에 도착하는 학생의 비율은 B 중학교 학생들이 A 중학교 학생들에 비하여 상대적으로 높다.

⑤ 각각의 상대도수의 그래프와 가로축으로 둘러싸인 부분의 넓이는 같다.

최고수준 완성하기

01 오른쪽은 어느 반 학생들의 혈액형을 조사하여 나타낸 상대수의 분포표이다. A형과 AB형의 학생 수의 비가 5 : 2일 때, $a-b$의 값을 구하시오.

혈액형	상대도수
A형	a
B형	0.11
O형	0.26
AB형	b
합계	1

> **해결 Plus⁺**
>
> 각 계급의 상대도수는 그 계급의 도수에 정비례하므로
> $a : b = 5 : 2$

융합형 ✎

02 오른쪽은 영희네 반 학생들의 평균 수면 시간을 조사하여 나타낸 상대도수의 분포표이다. 영희네 반 전체 학생 수가 될 수 있는 수 중 가장 작은 수를 구하시오.

수면 시간(시간)	상대도수
5이상 ~ 6미만	$\dfrac{1}{8}$
6 ~ 7	
7 ~ 8	$\dfrac{1}{3}$
8 ~ 9	$\dfrac{1}{6}$
9 ~ 10	$\dfrac{1}{8}$
합계	

> 학생 수는 자연수이다.

서술형 ✎

03 오른쪽은 서울의 어느 지하철역에서 시민들이 개찰구를 통과하는 평균 시각에 대한 상대도수의 분포를 나타낸 그래프이고 7시 40분 이상 7시 50분 미만인 시간대에 개찰구를 통과하는 시민이 75명이라 한다. A 회사에서 시민들이 가장 많이 개찰구를 통과하는 시간대에 홍보 전단지를 한 명당 한 장씩 빠짐없이 나누어 주려고 할 때, 필요한 홍보 전단지는 모두 몇 장인지 구하시오.

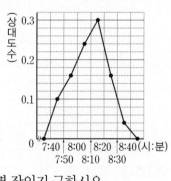

04 오른쪽은 어느 중학교 1학년 학생들의 몸무게에 대한 상대도수의 분포를 나타낸 그래프이다. 몸무게가 45 kg 이상 50 kg 미만인 학생이 50 kg 이상인 학생보다 21명 더 많을 때, 전체 학생 수를 구하시오.

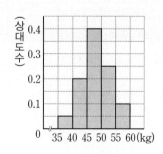

05 오른쪽은 어느 직업 체험관에 입장하려고 기다린 가연이네 학교 1학년 학생들의 대기 시간에 대한 상대도수의 분포를 나타낸 그래프인데 일부가 찢어져 보이지 않는다. 대기 시간이 20분 이상 25분 미만인 학생 수와 25분 이상 30분 미만인 학생 수의 비가 2 : 3이고 대기 시간이 30분 이상인 학생 수가 50명일 때, 대기 시간이 25분 이상인 학생 수를 구하시오.

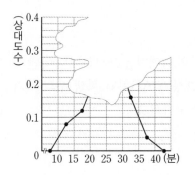

■ 해결 Plus⁺

06 오른쪽은 어느 중학교 1학년 1반과 2반 학생들이 일주일 동안 읽은 책의 수를 조사하여 나타낸 상대도수의 분포표이다. 읽은 책의 수가 24권 이상 28권 미만인 1반의 학생 수와 2반의 학생 수의 비가 9 : 2일 때, 읽은 책의 수가 20권 미만인 1반의 학생 수와 2반의 학생 수의 비를 가장 간단한 자연수의 비로 나타내시오.

책의 수 (권)	상대도수	
	1반	2반
12^{이상} ~ 16^{미만}	0.05	0.2
16 ~ 20	0.15	0.28
20 ~ 24	0.25	0.35
24 ~ 28	0.45	0.09
28 ~ 32	0.1	0.08
합계	1	1

1반과 2반의 전체 학생 수를 각각 x명, y명이라 하고 x, y에 대한 비례식을 세운다.

창의력⚡

07 오른쪽은 어느 중학교 1학년 1반과 1학년 전체 학생의 수학 성적에 대한 상대도수의 분포를 나타낸 그래프이다. 수학 성적이 60점 이상 70점 미만인 학생 수가 1학년 1반에서는 10명, 1학년 전체에서는 32명일 때, 1학년 1반에서 10등인 학생은 1학년 전체에서 적어도 몇 등 안에 든다고 할 수 있는지 구하시오.

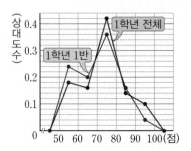

1학년 1반에서 10등인 학생의 성적이 몇 점 이상인지 확인한다.

최고 수준 뛰어넘기

01 오른쪽은 어느 편의점에서 고객들이 구입한 물품의 금액을 조사하여 나타낸 상대도수의 분포표이다. 구입한 물품의 금액이 2만 원 미만인 고객이 모두 63명일 때, 구입한 물품의 금액이 25번째로 적은 고객이 속하는 계급의 상대도수를 구하시오.

금액(천 원)	도수(명)	상대도수
0이상 ~ 5미만	6	0.05
5 ~ 10		0.1
10 ~ 15		
15 ~ 20		0.3
20 ~ 25		
25 ~ 30		
합계		1

창의력

02 오른쪽은 진희네 반 학생들의 과학 성적을 조사하여 나타낸 상대도수의 분포표이다. 지난 학기보다 이번 학기의 성적이 향상되어 한 계급이 올라간 학생 수가 4명일 때, A, B의 값을 각각 구하시오. (단, 진희네 반 학생들은 변함이 없고, 계급이 떨어지거나 두 계급 이상 올라간 학생은 없다.)

과학 성적(점)	지난 학기 도수(명)	이번 학기 상대도수
40이상 ~ 50미만	3	0.04
50 ~ 60	4	0.2
60 ~ 70	12	A
70 ~ 80	1	0
80 ~ 90	3	B
90 ~ 100	2	0.08
합계	25	1

창의·융합

03 오른쪽은 어느 중학교 학생들의 여름 방학 동안의 봉사 활동 시간을 조사하여 나타낸 상대도수의 분포표이다. a, b의 최대공약수가 8일 때, 이 조사에 참여한 학생은 모두 몇 명인지 구하시오.

봉사 활동 시간(시간)	도수(명)	상대도수
0이상 ~ 5미만		0.2
5 ~ 10	a	0.25
10 ~ 15		0.1
15 ~ 20		0.125
20 ~ 25	b	0.2
25 ~ 30		0.125
합계		1

IV 자료의 정리와 해석

04 오른쪽은 어느 반 학생들의 수행 평가 성적에 대한 상대도수의 분포를 나타낸 그래프인데 일부가 찢어져 보이지 않는다. 수행 평가 성적이 60점 이상 70점 미만, 70점 이상 80점 미만인 계급의 상대도수를 각각 a, b라 하면 $25a$, $25b$가 모두 3의 배수일 때, 수행 평가 성적이 70점 미만인 학생은 전체의 몇 %인지 구하시오. (단, $a > b$)

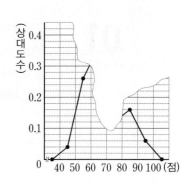

05 오른쪽은 어느 중학교 1학년과 2학년 학생들의 매달리기 기록에 대한 상대도수의 분포를 나타낸 그래프인데 일부가 찢어져 보이지 않는다. 기록이 15초 미만인 학생 수가 1학년은 80명, 2학년은 28명일 때, 기록이 25초 이상인 학생 수는 어느 학년이 몇 명 더 많은지 구하시오.

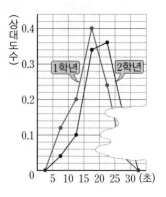

STEP UP

06 오른쪽은 A, B 두 헬스클럽 회원들의 나이에 대한 상대도수의 분포를 나타낸 그래프인데 세로축은 찢어지고 일부는 얼룩져 보이지 않는다. A 헬스클럽의 전체 회원 수는 120명일 때, A 헬스클럽에서 나이가 50세 이상인 회원 수를 구하시오.

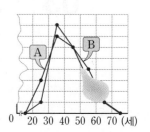

교과서 속 창의 사고력

정답과 풀이 P 61

01

오른쪽은 경미네 반 학생들의 체육 실기 점수를 조사하여 나타낸 줄기와 잎 그림인데 얼룩이 묻어 일부가 보이지 않는다. 10점대인 학생 수와 40점대인 학생 수의 비는 3 : 2이고, 10점대인 학생들의 점수의 평균이 17점, 40점대인 학생들의 점수의 평균이 44점, 반 전체 학생들의 점수의 평균이 29점일 때, 경미네 반 전체 학생 수를 구하시오.

(1|3은 13점)

줄기	잎
1	3 6 7 8
2	0 1 1 3 5 6 8
3	2 2 4 5 6 7 8 9
4	0 3 4

풀이▶

답▶

생각 Plus⁺

어떤 자료의 변량의 개수가 n개이고 평균이 m일 때,
(자료의 총합)$=mn$

02

오른쪽은 진주네 반 학생 37명이 지난 여름 방학 때 A, B, C 세 지역으로 봉사 활동을 나가서 받은 점수를 조사하여 나타낸 표이다. A 지역에서 봉사 활동을 한 학생은 4점, B 지역에서 봉사 활동을 한 학생은 5점, C 지역에서 봉사 활동을 한 학생은 4점을 받고, A 지역에서 봉사 활동을 한 학생이 x명, C 지역에서 봉사 활동을 한 학생이 y명이라 할 때, $x+y$의 값을 구하시오. (단, 같은 지역에는 다시 가지 않는다.)

점수(점)	학생 수(명)
4	5
5	7
8	10
9	8
13	7
합계	37

풀이▶

답▶

학생들이 받은 점수로 어디에서 봉사 활동을 하였는지 추측할 수 있다.

03~04 다음은 가수 최고양의 콘서트에 온 관객들의 입장 및 퇴장 시간에 대한 도수분포표와 히스토그램이다. 콘서트장은 17시 30분에 문을 열어 18시 30분부터 20시까지 콘서트가 진행되었고, 20시 30분부터는 출입할 수 없도록 콘서트장의 문을 닫았다. 물음에 답하시오. (단, 한 번 퇴장한 관객은 다시 입장하지 않는다.)

입장 시간

시각	도수(명)
$17:30^{이상}$ ~ $18:00^{미만}$	90
18:00 ~18:30	80
18:30 ~19:00	65
19:00 ~19:30	55
19:30 ~20:00	10
20:00 ~20:30	0
합계	300

퇴장 시간

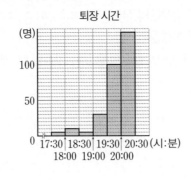

생각 Plus⁺

03 콘서트장에 남아 있는 관객 수가 네 번째로 많은 계급을 구하시오.

풀이▶

답▶

주어진 자료를 이용하여 각 계급의 입장 관객 수, 퇴장 관객 수, 콘서트장에 남아 있는 관객 수를 도수분포표로 나타내어 본다.

04 콘서트가 시작되기 전 18시 10분부터 18시 20분까지 신인 가수 수준군의 사전 공연이 있었다고 할 때, 이 사전 공연을 본 관객의 수의 최댓값과 최솟값을 각각 구하시오.

18 : 00 이상 18 : 30 미만인 계급에서 생각한다.

풀이▶

답▶

05 다음은 어느 중학교 학생 500명의 취미를 조사하여 백분율로 나타낸 표이다. 이 표를 보고 알 수 있는 것으로 옳은 것은?

취미 학생	A	B	C	D	E	합계
남학생(%)	15	36	30	14	5	100
여학생(%)	6	20	60	14	0	100
전교생(%)	13.2	32.8	36	14	4	100

① 취미가 A인 남학생 수는 취미가 A인 여학생 수의 3배이다.

② 취미가 A인 남학생 수와 취미가 D인 여학생 수는 4명 차이가 난다.

③ 취미가 C인 여학생 수는 취미가 C인 남학생 수의 2배이다.

④ 취미가 D인 남학생 수와 취미가 D인 여학생 수는 같다.

⑤ 취미가 E인 남학생 수와 취미가 B인 여학생 수는 같다.

풀이▶

답▶

생각 Plus⁺

취미가 E인 학생들의 백분율을 이용하여 남학생 수와 여학생 수를 각각 구한다.

06 오른쪽은 어느 중학교 학생들의 키를 조사하여 나타낸 도수분포다각형이다. 이 도수분포다각형에서 색칠한 두 삼각형의 넓이를 각각 S_1, S_2라 할 때, $S_1+S_2=45$이었다. 이때 키가 160 cm 이상 170 cm 미만인 학생 수를 구하시오.

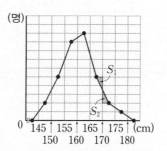

풀이▶

답▶

먼저 세로축의 눈금 한 칸이 나타내는 학생 수를 구한다.

Memo

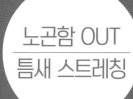
피곤한 눈을 맑고 개운하게!
눈 스트레칭

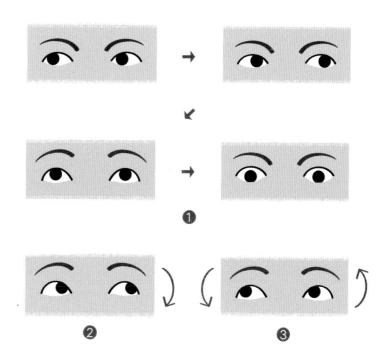

눈이 피곤하면 집중력도 떨어지고, 심한 경우 두통이 생기기도 합니다.
꾸준한 눈 스트레칭으로 눈의 피로를 꼭 풀어주세요. 눈 스트레칭을 할 때 목은
고정하고 눈동자만 움직여야 효과가 좋아진다는 것! 잊지 마세요.

❶ 눈동자를 다음과 같은 순서로 움직여보세요. 한 방향당 10초 간 머물러야 합니다.

　　왼쪽 ➡ 오른쪽 ➡ 위쪽 ➡ 아래쪽

❷ 눈동자를 시계 방향으로 한 바퀴 돌려주세요.

❸ 눈동자를 시계 반대 방향으로 한 바퀴 돌려주세요.

　　※ 스트레칭 후에도 눈에 피곤함이 남아 있다면, 2~3회 반복해 주세요.

최고
고
수준
준
수학

정답과
풀이

중학
수학
1·2

천재교육

정답 시스템 활용법

강점 01
Action

문제 해결을 위한 실마리를 정확하게 짚어준다.

강점 02
명쾌한 풀이

실력파 학생을 위해 군더더기 없고 명쾌한 풀이 방법을 제시한다.

강점 03
다른 풀이

다른 풀이 방법을 제시하여 다각적인 수학적 해결력을 강화시킨다.

강점 04
Lecture

풀이 방법과 관련된 핵심 내용과 헷갈리기 쉬운 부분을 강의하는 것처럼 짚어준다.

정답과 풀이

중학
수학 **1·2**

I. 기본 도형

1. 기본 도형

01 ③, ④	**02** 16	**03** ②	**04** ④, ⑤
05 ③, ⑤	**06** 6개	**07** (1) 10개 (2) 20개 (3) 10개	
08 14	**09** ④	**10** 5 cm	**11** 12 cm
12 20 cm	**13** 4 cm	**14** 65°	**15** 75°
16 ④	**17** 60°	**18** 24°	**19** 45°
20 108°	**21** 127.5°	**22** 90°	
23 $\angle x = 64°$, $\angle y = 26°$, $\angle z = 128°$			**24** 25°
25 125°	**26** 12쌍	**27** ③	**28** 144°
29 4 cm	**30** ③		

01 **Action** 교점과 교선의 뜻과 성질을 이해한다.

③ 교점은 선과 선 또는 선과 면이 만날 때 생긴다.
④ 면과 면이 만나서 생기는 교선은 직선 또는 곡선이다.

02 **Action** 각뿔에서 (교점의 개수)=(꼭짓점의 개수), (교선의 개수)=(모서리의 개수)임을 이용한다.

교점의 개수는 꼭짓점의 개수와 같으므로 6개
∴ $a = 6$
교선의 개수는 모서리의 개수와 같으므로 10개
∴ $b = 10$
∴ $a + b = 6 + 10 = 16$

03 **Action** 주어진 직선, 반직선, 선분이 서로 같은지 확인한다.

② $\overrightarrow{BD}$와 $\overrightarrow{DB}$는 시작점과 방향이 모두 다르므로
$\overrightarrow{BD} \neq \overrightarrow{DB}$

04 **Action** $\overrightarrow{DB}$는 직선 l 위의 점 D에서 점 B의 방향으로 뻗은 부분이다.

$\overrightarrow{DB}$는 직선 l 위의 점 D에서 점 B의 방향으로 뻗은 부분이므로 $\overrightarrow{DB}$를 포함하는 것은 $\overrightarrow{DA}$, $\overrightarrow{DC}$이다.

05 **Action** 직선, 반직선, 선분의 특징을 이해한다.

③ 서로 다른 세 점을 지나는 직선은 존재하지 않을 수도 있다.
⑤ 반직선과 직선의 길이는 생각할 수 없다.

06 **Action** 두 점을 지나는 서로 다른 직선의 개수를 세어 본다.

$\overleftrightarrow{AB}$, $\overleftrightarrow{AC}$, $\overleftrightarrow{AD}$, $\overleftrightarrow{BC}$, $\overleftrightarrow{BD}$, $\overleftrightarrow{CD}$의 6개이다.

07 **Action** 직선, 반직선, 선분의 개수를 각각 세어 본다.

(1) $\overleftrightarrow{AB}$, $\overleftrightarrow{AC}$, $\overleftrightarrow{AD}$, $\overleftrightarrow{AE}$, $\overleftrightarrow{BC}$, $\overleftrightarrow{BD}$, $\overleftrightarrow{BE}$, $\overleftrightarrow{CD}$, $\overleftrightarrow{CE}$, $\overleftrightarrow{DE}$의 10개

(2) $\overrightarrow{AB}$, $\overrightarrow{AC}$, $\overrightarrow{AD}$, $\overrightarrow{AE}$, $\overrightarrow{BA}$, $\overrightarrow{BC}$, $\overrightarrow{BD}$, $\overrightarrow{BE}$, $\overrightarrow{CA}$, $\overrightarrow{CB}$, $\overrightarrow{CD}$, $\overrightarrow{CE}$, $\overrightarrow{DA}$, $\overrightarrow{DB}$, $\overrightarrow{DC}$, $\overrightarrow{DE}$, $\overrightarrow{EA}$, $\overrightarrow{EB}$, $\overrightarrow{EC}$, $\overrightarrow{ED}$의 20개

(3) $\overline{AB}$, $\overline{AC}$, $\overline{AD}$, $\overline{AE}$, $\overline{BC}$, $\overline{BD}$, $\overline{BE}$, $\overline{CD}$, $\overline{CE}$, $\overline{DE}$의 10개

🔊 Lecture

직선, 반직선, 선분의 개수

어느 세 점도 한 직선 위에 있지 않은 n개의 점에 대하여 두 점을 지나는 직선, 반직선, 선분의 개수는 각각 다음과 같다.

(1) 직선(또는 선분)의 개수 : $\dfrac{n(n-1)}{2}$개

(2) 반직선의 개수 : $n(n-1)$개

➡ (반직선의 개수)=2×(직선의 개수)=2×(선분의 개수)

08 **Action** 세 점 B, C, D는 모두 직선 l 위의 점이므로 세 점 B, C, D를 지나는 직선은 1개이다.

서로 다른 직선은 $\overleftrightarrow{AB}$, $\overleftrightarrow{AC}$, $\overleftrightarrow{AD}$, $\overleftrightarrow{BD}$의 4개이므로
$a = 4$
서로 다른 반직선은 $\overrightarrow{AB}$, $\overrightarrow{AC}$, $\overrightarrow{AD}$, $\overrightarrow{BA}$, $\overrightarrow{BC}$, $\overrightarrow{CA}$, $\overrightarrow{CB}$, $\overrightarrow{CD}$, $\overrightarrow{DA}$, $\overrightarrow{DC}$의 10개이므로
$b = 10$
∴ $a + b = 4 + 10 = 14$

09 **Action** 선분의 중점은 그 선분의 길이를 이등분하는 점임을 이용하여 각 선분의 길이의 비를 생각한다.

④ $\overline{MN} = \dfrac{1}{4}\overline{AB}$

⑤ $\overline{AN} = \overline{AM} + \overline{MN} = \dfrac{1}{2}\overline{AB} + \dfrac{1}{4}\overline{AB} = \dfrac{3}{4}\overline{AB}$

∴ $\overline{AB} = \dfrac{4}{3}\overline{AN}$

따라서 옳지 않은 것은 ④이다.

10 **Action** 두 점 M, N이 각각 $\overline{AB}$, $\overline{AC}$의 중점이므로 $\overline{AM} = \dfrac{1}{2}\overline{AB}$, $\overline{AN} = \dfrac{1}{2}\overline{AC}$임을 이용한다.

$\overline{AM} = \dfrac{1}{2}\overline{AB} = \dfrac{1}{2} \times 18 = 9$ (cm)

$\overline{AN} = \dfrac{1}{2}\overline{AC} = \dfrac{1}{2} \times (18 + 10) = \dfrac{1}{2} \times 28 = 14$ (cm)

∴ $\overline{MN} = \overline{AN} - \overline{AM} = 14 - 9 = 5$ (cm)

11 `Action` $\overline{MC} = \overline{MB} + \overline{BC}$임을 이용한다.

점 M이 $\overline{AB}$의 중점이므로

$\overline{MB} = \frac{1}{2}\overline{AB} = \frac{1}{2} \times 12 = 6 \,(\text{cm})$ 30%

이때 $\overline{BN} = \overline{AN} - \overline{AB} = 15 - 12 = 3 \,(\text{cm})$ 20%

점 N이 $\overline{BC}$의 중점이므로

$\overline{BC} = 2\overline{BN} = 2 \times 3 = 6 \,(\text{cm})$ 30%

$\therefore \overline{MC} = \overline{MB} + \overline{BC} = 6 + 6 = 12 \,(\text{cm})$ 20%

12 `Action` $\overline{BN} = \frac{1}{2}\overline{BC} = \frac{1}{2} \times \frac{1}{2}\overline{AB} = \frac{1}{4}\overline{AB}$임을 이용한다.

$\begin{aligned}
\overline{MN} &= \overline{MB} + \overline{BN} = \frac{1}{2}\overline{AB} + \frac{1}{2}\overline{BC} \\
&= \frac{1}{2}\overline{AB} + \frac{1}{2} \times \frac{1}{2}\overline{AB} \\
&= \frac{1}{2}\overline{AB} + \frac{1}{4}\overline{AB} \\
&= \frac{3}{4}\overline{AB}
\end{aligned}$

$\therefore \overline{AB} = \frac{4}{3}\overline{MN} = \frac{4}{3} \times 15 = 20 \,(\text{cm})$

13 `Action` $\overline{AB} : \overline{BC} = 3 : 1$임을 이용하여 $\overline{BC}$의 길이를 구한다.

점 M이 $\overline{AB}$의 중점이므로

$\overline{AB} = 2\overline{AM} = 2 \times 3 = 6 \,(\text{cm})$, $\overline{MB} = 3 \,\text{cm}$

$\overline{AB} : \overline{BC} = 3 : 1$에서 $6 : \overline{BC} = 3 : 1$

$3\overline{BC} = 6$ $\therefore \overline{BC} = 2 \,(\text{cm})$

점 N이 $\overline{BC}$의 중점이므로

$\overline{BN} = \frac{1}{2}\overline{BC} = \frac{1}{2} \times 2 = 1 \,(\text{cm})$

$\therefore \overline{MN} = \overline{MB} + \overline{BN} = 3 + 1 = 4 \,(\text{cm})$

14 `Action` $\angle AOB + \angle BOC = 90°$, $\angle BOC + \angle COD = 90°$임을 이용한다.

$\angle AOB + \angle BOC = 90°$, $\angle BOC + \angle COD = 90°$이고

$\angle AOB + \angle COD = 50°$이므로

$\angle AOB = \angle COD = \frac{1}{2} \times 50° = 25°$

$\therefore \angle BOC = 90° - 25° = 65°$

15 `Action` 평각의 크기는 $180°$임을 이용한다.

$(\angle x - 30°) + 55° + (\angle x + 5°) = 180°$이므로

$2\angle x + 30° = 180°$, $2\angle x = 150°$

$\therefore \angle x = 75°$

16 `Action` 먼저 $\angle COD$의 크기를 구한다.

$\angle COD : \angle DOB = 4 : 3$에서

$\angle COD : 48° = 4 : 3$

$3\angle COD = 192°$ $\therefore \angle COD = 64°$

$\therefore \angle AOC = 180° - (64° + 48°) = 68°$

17 `Action` $\angle z = 180° \times \dfrac{4}{3+5+4}$임을 이용한다.

$\angle z = 180° \times \dfrac{4}{3+5+4} = 180° \times \dfrac{1}{3} = 60°$

> 🔊 *Lecture*
>
> **각의 크기의 비가 주어진 경우**
>
> 오른쪽 그림에서
>
> $\angle x : \angle y : \angle z = a : b : c$
>
> $\angle x = 180° \times \dfrac{a}{a+b+c}$
>
> $\angle y = 180° \times \dfrac{b}{a+b+c}$
>
> $\angle z = 180° \times \dfrac{c}{a+b+c}$
>
>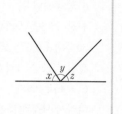

18 `Action` $\angle AOC + \angle COB = 180°$임을 이용하여 $\angle AOC$의 크기를 구한다.

$\angle AOC + \angle COB = 180°$에서

$\angle AOC + \frac{2}{3}\angle AOC = 180°$

$\frac{5}{3}\angle AOC = 180°$ $\therefore \angle AOC = 108°$ 40%

$\angle COB = 180° - 108° = 72°$이므로 30%

$\angle x + (3\angle x - 24°) = 72°$, $4\angle x = 96°$

$\therefore \angle x = 24°$ 30%

19 `Action` $\angle AOC + \angle COD + \angle DOE + \angle EOB = 180°$임을 이용하여 $\angle COD + \angle DOE$의 크기를 구한다.

$\angle AOC + \angle COD + \angle DOE + \angle EOB = 180°$에서

$3\angle COD + \angle COD + \angle DOE + 3\angle DOE = 180°$

$4(\angle COD + \angle DOE) = 180°$

$\therefore \angle COD + \angle DOE = 45°$

$\therefore \angle COE = \angle COD + \angle DOE = 45°$

20 `Action` 먼저 $\angle COD$의 크기는 $\angle AOD$의 크기의 몇 배인지 구해 본다.

$5\angle AOC = 2\angle AOD$이므로 $\angle AOC = \frac{2}{5}\angle AOD$

$\therefore \angle COD = \frac{3}{5}\angle AOD$

$5\angle\text{DOE}=3\angle\text{DOB}$이므로 $\angle\text{DOE}=\dfrac{3}{5}\angle\text{DOB}$

$\therefore \angle\text{COE}=\angle\text{COD}+\angle\text{DOE}$

$\qquad=\dfrac{3}{5}\angle\text{AOD}+\dfrac{3}{5}\angle\text{DOB}$

$\qquad=\dfrac{3}{5}(\angle\text{AOD}+\angle\text{DOB})$

$\qquad=\dfrac{3}{5}\times180°=108°$

21 Action 시침과 분침이 움직인 각도를 각각 구한다.

시침은 1시간에 $30°$, 1분에 $0.5°$씩 움직이고, 분침은 1분에 $6°$씩 움직인다.

시침이 12를 가리킬 때부터 4시간 45분 동안 움직인 각도는
$30°\times4+0.5°\times45=120°+22.5°=142.5°$

분침이 12를 가리킬 때부터 45분 동안 움직인 각도는
$6°\times45=270°$

따라서 시침과 분침이 이루는 각 중에서 작은 쪽의 각의 크기는 $270°-142.5°=127.5°$

> 📣 **Lecture**
>
> **시계에서의 각의 크기**
>
> (1) 시침이 1시간 동안 움직이는 각의 크기는
> $360°\times\dfrac{1}{12}=30°$
>
> 시침이 1분 동안 움직이는 각의 크기는
> $30°\times\dfrac{1}{60}=0.5°$
>
> (2) 분침이 1분 동안 움직이는 각의 크기는
> $360°\times\dfrac{1}{60}=6°$

22 Action 맞꼭지각의 크기가 서로 같음을 이용하여 $\angle x$의 크기를 구하고, 평각의 크기가 $180°$임을 이용하여 $\angle y$의 크기를 구한다.

$3\angle x+10°=2\angle x+50°$에서 $\angle x=40°$

$\angle y+(3\angle x+10°)=180°$에서

$\angle y+(120°+10°)=180°$ $\qquad\therefore \angle y=50°$

$\therefore \angle x+\angle y=40°+50°=90°$

23 Action 평각의 크기가 $180°$임을 이용하여 $\angle x$, $\angle z$의 크기를 각각 구하고, 맞꼭지각의 크기가 서로 같음을 이용하여 $\angle y$의 크기를 구한다.

$26°+\angle x+90°=180°$에서

$\angle x+116°=180°$ $\qquad\therefore \angle x=64°$

$\angle y=26°$

$26°+\angle z+\angle26°=180°$에서

$\angle z+52°=180°$ $\qquad\therefore \angle z=128°$

24 Action 맞꼭지각의 크기가 서로 같음을 이용하여 $\angle x$와 크기와 같은 각을 찾는다.

오른쪽 그림에서 맞꼭지각의 크기는 서로 같으므로

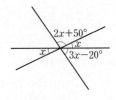

$(2\angle x+50°)+\angle x$
$\qquad+(3\angle x-20°)=180°$

$6\angle x+30°=180°, 6\angle x=150°$

$\therefore \angle x=25°$

25 Action 평각의 크기가 $180°$임을 이용하여 $\angle x$의 크기를 구하고, 맞꼭지각의 크기가 서로 같음을 이용하여 $\angle y$의 크기를 구한다.

$90°+(2\angle x+15°)+(3\angle x-25°)=180°$에서

$5\angle x+80°=180°, 5\angle x=100°$

$\therefore \angle x=20°$

$\therefore \angle y=90°+(2\angle x+15°)$

$\qquad=90°+(40°+15°)$

$\qquad=145°$

$\therefore \angle y-\angle x=145°-20°=125°$

26 Action 서로 다른 2개의 직선이 한 점에서 만날 때 생기는 맞꼭지각은 모두 2쌍이다.

직선 AB와 직선 CD, 직선 AB와 직선 EF, 직선 AB와 직선 GH, 직선 CD와 직선 EF, 직선 CD와 직선 GH, 직선 EF와 직선 GH로 만들어지는 맞꼭지각이 각각 2쌍이므로 $2\times6=12$(쌍)

27 Action 먼저 $\angle\text{AOF}$, $\angle\text{FOD}$, $\angle\text{DOB}$의 크기를 각각 구한다.

$\angle\text{AOF}=\angle\text{BOE}=180°\times\dfrac{3}{3+4+2}$

$\qquad=180°\times\dfrac{1}{3}=60°$

$\angle\text{FOD}=\angle\text{EOC}=180°\times\dfrac{4}{3+4+2}$

$\qquad=180°\times\dfrac{4}{9}=80°$

$\angle\text{DOB}=\angle\text{COA}=180°\times\dfrac{2}{3+4+2}$

$\qquad=180°\times\dfrac{2}{9}=40°$

① $\angle\text{AOC}=40°$, $\angle\text{BOE}=60°$이므로 $\angle\text{AOC}\neq\angle\text{BOE}$

② $\angle\text{AOE}=\angle\text{AOC}+\angle\text{COE}=40°+80°=120°$

④ $\angle\text{COD}$는 평각이다.

⑤ $\angle\text{FOC}=\angle\text{FOA}+\angle\text{AOC}=60°+40°=100°$이므로 둔각이다.

28 Action $\angle$AOC$+\angle$COE$=180°$임을 이용한다.

$\angle$AOB$=\angle x$, $\angle$DOE$=\angle y$라 하면

$\angle$BOC$=4\angle x$, $\angle$COD$=4\angle y$ 20%

$\angle$AOC$+\angle$COE$=180°$이므로

$\angle x+4\angle x+4\angle y+\angle y=180°$

$5\angle x+5\angle y=180°$ ∴ $\angle x+\angle y=36°$ 40%

∴ $\angle$HOF$=\angle$HOG$+\angle$FOG

$=\angle$COD$+\angle$BOC

$=4\angle y+4\angle x=4(\angle x+\angle y)$

$=4\times36°=144°$ 40%

29 Action 점 D와 $\overleftrightarrow{\text{BC}}$ 사이의 거리는 점 D에서 $\overleftrightarrow{\text{BC}}$에 내린 수선의 발까지의 거리이다.

오른쪽 그림과 같이 점 D와 $\overleftrightarrow{\text{BC}}$ 사이의 거리는 점 D에서 $\overleftrightarrow{\text{BC}}$에 내린 수선의 발 H까지의 거리이므로 $\overline{\text{DH}}$의 길이와 같다.

∴ $\overline{\text{DH}}=\overline{\text{AB}}=4$ cm

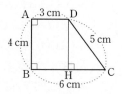

30 Action 수직과 수선의 성질을 생각한다.

③ $\overleftrightarrow{\text{CD}}$는 $\overline{\text{AB}}$의 수직이등분선이다.

최고수준 **완성하기** ⓟ 13- ⓟ 15

01 32	**02** 10	**03** 26개	**04** ③
05 45개	**06** 7 cm	**07** 9	**08** 15 m
09 48°	**10** 3시 49$\frac{1}{11}$분		**11** 61°
12 24			

01 Action 주어진 입체도형에서 (교점의 개수)=(꼭짓점의 개수), (교선의 개수)=(모서리의 개수)임을 이용한다.

교점의 개수는 꼭짓점의 개수와 같으므로 $a=8$

교선의 개수는 모서리의 개수와 같으므로 $b=13$

면의 개수는 $c=7$

한 꼭짓점에서 만나는 교선의 개수는 3개 또는 4개이므로

$d=4$

∴ $a+b+c+d=8+13+7+4=32$

02 Action 직선과 반직선의 개수를 각각 세어 본다.

직선은 $\overleftrightarrow{\text{AB}}$, $\overleftrightarrow{\text{AC}}$, $\overleftrightarrow{\text{AD}}$, $\overleftrightarrow{\text{AE}}$, $\overleftrightarrow{\text{BC}}$, $\overleftrightarrow{\text{BD}}$, $\overleftrightarrow{\text{BE}}$, $\overleftrightarrow{\text{CD}}$의 8개이므로 $a=8$ 40%

반직선은 $\overrightarrow{\text{AB}}$, $\overrightarrow{\text{AC}}$, $\overrightarrow{\text{AD}}$, $\overrightarrow{\text{AE}}$, $\overrightarrow{\text{BA}}$, $\overrightarrow{\text{BC}}$, $\overrightarrow{\text{BD}}$, $\overrightarrow{\text{BE}}$, $\overrightarrow{\text{CA}}$, $\overrightarrow{\text{CB}}$, $\overrightarrow{\text{CD}}$, $\overrightarrow{\text{DA}}$, $\overrightarrow{\text{DB}}$, $\overrightarrow{\text{DC}}$, $\overrightarrow{\text{DE}}$, $\overrightarrow{\text{EA}}$, $\overrightarrow{\text{EB}}$, $\overrightarrow{\text{EC}}$의 18개이므로 $b=18$ 40%

∴ $b-a=18-8=10$ 20%

03 Action 두 점을 지나는 서로 다른 반직선의 개수를 세어 본다.

$\overrightarrow{\text{AB}}$, $\overrightarrow{\text{AD}}$, $\overrightarrow{\text{AE}}$, $\overrightarrow{\text{AF}}$, $\overrightarrow{\text{BA}}$, $\overrightarrow{\text{BC}}$, $\overrightarrow{\text{BD}}$, $\overrightarrow{\text{BE}}$, $\overrightarrow{\text{BF}}$, $\overrightarrow{\text{CB}}$, $\overrightarrow{\text{CD}}$, $\overrightarrow{\text{CF}}$, $\overrightarrow{\text{DA}}$, $\overrightarrow{\text{DB}}$, $\overrightarrow{\text{DC}}$, $\overrightarrow{\text{DE}}$, $\overrightarrow{\text{DF}}$, $\overrightarrow{\text{EA}}$, $\overrightarrow{\text{EB}}$, $\overrightarrow{\text{ED}}$, $\overrightarrow{\text{EF}}$, $\overrightarrow{\text{FA}}$, $\overrightarrow{\text{FB}}$, $\overrightarrow{\text{FC}}$, $\overrightarrow{\text{FD}}$, $\overrightarrow{\text{FE}}$의 26개이다.

04 Action 반직선을 직접 그려 본다.

③ $\overrightarrow{\text{BA}}$와 $\overrightarrow{\text{BD}}$의 공통 부분은 점 B이다.

05 Action 직선의 개수에 따른 교점의 개수의 규칙성을 찾아본다.

직선의 개수가 2개일 때, 교점의 개수는 1개

직선의 개수가 3개일 때, 교점의 개수는

$1+2=3$(개)

직선의 개수가 4개일 때, 교점의 개수는

$1+2+3=6$(개)

직선의 개수가 5개일 때, 교점의 개수는

$1+2+3+4=10$(개)

⋮

따라서 직선의 개수가 10개일 때, 교점의 개수는

$1+2+3+\cdots+9=45$(개)

06 Action 먼저 $\overline{\text{PA}}$의 길이를 구한다.

$\overline{\text{PA}}=\frac{1}{3}\overline{\text{PF}}=\frac{1}{3}\times15=5$ (cm)이므로

$\overline{\text{AF}}=\overline{\text{PF}}-\overline{\text{PA}}=15-5=10$ (cm)

$\overline{\text{CF}}=\frac{3}{5}\overline{\text{AF}}=\frac{3}{5}\times10=6$ (cm)이므로

$\overline{\text{MF}}=\frac{1}{2}\overline{\text{CF}}=\frac{1}{2}\times6=3$ (cm)

∴ $\overline{\text{AM}}=\overline{\text{AF}}-\overline{\text{MF}}=10-3=7$ (cm)

07 Action 주어진 조건을 만족시키도록 직선 위에 점을 나타내어 본다.

㈎에서 두 점 D, E의 위치는 다음 그림과 같다.

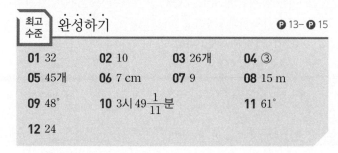

(나)에서 점 F의 위치는 다음 그림과 같다.

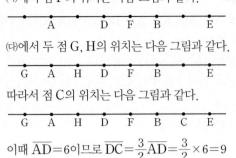

(다)에서 두 점 G, H의 위치는 다음 그림과 같다.

따라서 점 C의 위치는 다음 그림과 같다.

이때 $\overline{AD}=6$이므로 $\overline{DC}=\dfrac{3}{2}\overline{AD}=\dfrac{3}{2}\times 6=9$

08 Action 주어진 조건을 만족시키도록 그림으로 나타내어 본다.

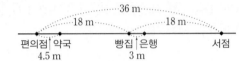

(가), (나)에서 편의점과 빵집, 빵집과 서점 사이의 거리는

$\dfrac{1}{2}\times 36=18\,(\text{m})$

(다)에서 편의점과 약국 사이의 거리는

$\dfrac{1}{4}\times 18=4.5\,(\text{m})$

(라)에서 빵집과 은행 사이의 거리는

$7.5-4.5=3\,(\text{m})$

따라서 은행과 서점 사이의 거리는

$18-3=15\,(\text{m})$

09 Action 주어진 그림에서 나타낼 수 있는 모든 각을 빠짐없이 구한다.

주어진 그림에서 나타낼 수 있는 모든 각은
$\angle A_1OA_2$, $\angle A_1OA_3$, $\angle A_1OA_4$, $\angle A_1OA_5$, $\angle A_2OA_3$, $\angle A_2OA_4$, $\angle A_2OA_5$, $\angle A_3OA_4$, $\angle A_3OA_5$, $\angle A_4OA_5$이므로 모든 각의 크기의 합은

$\angle a+(\angle a+\angle b)+(\angle a+\angle b+\angle c)$
$\qquad +(\angle a+\angle b+\angle c+\angle d)+\angle b+(\angle b+\angle c)$
$\qquad +(\angle b+\angle c+\angle d)+\angle c+(\angle c+\angle d)+\angle d$
$=4\angle a+6\angle b+6\angle c+4\angle d=600°$

이때 $\angle b=2\angle a$, $\angle c=3\angle a$, $\angle d=4\angle a$이므로

$4\angle a+12\angle a+18\angle a+16\angle a=600°$

$50\angle a=600°$ $\qquad \therefore \angle a=12°$

$\therefore \angle d=4\angle a=4\times 12°=48°$

10 Action 시침과 분침이 서로 반대 방향을 가리키며 평각을 이루는 시각을 3시 x분으로 놓고 시침과 분침이 움직인 각도를 각각 구한다.

시침과 분침이 서로 반대 방향을 가리키며 평각을 이루는 시각을 3시 x분이라 하자.

시침이 12를 가리킬 때부터 3시간 x분 동안 움직인 각도는

$30°\times 3+0.5°\times x$

분침이 12를 가리킬 때부터 x분 동안 움직인 각도는

$6°\times x$

3시와 4시 사이에서 시계의 시침과 분침이 이루는 각의 크기가 $180°$이므로

$6°\times x-(30°\times 3+0.5°\times x)=180°$

$5.5°\times x=270°$

$\therefore x=\dfrac{270}{5.5}=\dfrac{540}{11}=49\dfrac{1}{11}$

따라서 구하는 시각은 3시 $49\dfrac{1}{11}$분이다.

11 Action $\angle EOG$의 크기를 구한 후 맞꼭지각의 크기는 서로 같음을 이용한다.

$\angle COG+\angle EOB=90°+90°=180°$이고

$\angle COG+\angle EOB$
$=(\angle COE+\angle EOG)+(\angle EOG+\angle GOB)$
$=(\angle COE+\angle GOB)+2\angle EOG$
$=58°+2\angle EOG$

이므로 $180°=58°+2\angle EOG$

$\therefore \angle EOG=\dfrac{1}{2}\times(180°-58°)=61°$

$\therefore \angle HOF=\angle EOG=61°$ (맞꼭지각)

12 Action 두 점 A, B와 네 점 P, Q, R, S를 좌표평면 위에 나타내어 본다.

두 점 A, B와 네 점 P, Q, R, S를 좌표평면 위에 나타내면 오른쪽 그림과 같다.
따라서 사각형 PQRS의 넓이는 두 삼각형 SPR, PQR의 넓이의 합과 같으므로

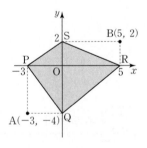

(사각형 PQRS의 넓이)
$=\dfrac{1}{2}\times 8\times 2+\dfrac{1}{2}\times 8\times 4$
$=8+16=24$

최고수준 뛰어넘기 ℗ 16~ ℗ 17

| 01 ④ | 02 ①, ④ | 03 $\dfrac{27}{2}$ | 04 3 : 4 |
| 05 18 | 06 $\dfrac{24}{5}$ | | |

01 **Action** 선분은 양 끝점 중 한 끝점을 정하여 개수를 세어 보고, 반직선은 시작점을 정하여 개수를 세어 본다.

(i) 왼쪽 끝점이 A_1인 선분의 개수 : $(n-1)$개
왼쪽 끝점이 A_2인 선분의 개수 : $(n-2)$개
왼쪽 끝점이 A_3인 선분의 개수 : $(n-3)$개
$\vdots$
왼쪽 끝점이 A_{n-1}인 선분의 개수 : 1개
$\therefore a=1+2+3+\cdots+(n-1)$

(ii) 시작점이 A_1인 반직선의 개수 : 1개
시작점이 A_2인 반직선의 개수 : 2개
시작점이 A_3인 반직선의 개수 : 2개
$\vdots$
시작점이 A_{n-1}인 반직선의 개수 : 2개
시작점이 A_n인 반직선의 개수 : 1개
$\therefore b=1+2(n-2)+1=2n-2$

(i), (ii)에서
$a+b=\{1+2+3+\cdots+(n-1)\}+2n-2$

02 **Action** $\overline{AB}$를 6등분 하는 점들을 그림으로 나타내어 확인해 본다.

다음 그림과 같이 $\overline{AB}$를 6등분 하는 점을 차례대로 C, D, E, F, G라 하자.

$$\overset{\text{A} \quad \text{C} \quad \text{D} \quad \text{E} \quad \text{F} \quad \text{G} \quad \text{B}}{\bullet \quad \bullet \quad \bullet \quad \bullet \quad \bullet \quad \bullet \quad \bullet}$$

① $(A \bigcirc B) \triangle B = E \triangle B = F$, $A \blacktriangle B = F$이므로
$(A \bigcirc B) \triangle B = A \blacktriangle B$
② $(A \blacktriangle B) \bigcirc A = F \bigcirc A = D$, $A \bigcirc B = E$이므로
$(A \blacktriangle B) \bigcirc A \neq A \bigcirc B$
③ $A \triangle (A \bigcirc B) = A \triangle E = C$, $A \blacktriangle B = F$이므로
$A \triangle (A \bigcirc B) \neq A \blacktriangle B$
④ $A \blacktriangle (B \bigcirc A) = A \blacktriangle E = D$, $A \triangle B = D$이므로
$A \blacktriangle (B \bigcirc A) = A \triangle B$
⑤ $(B \bigcirc A) \triangle B = E \triangle B = F$, $A \triangle B = D$이므로
$(B \bigcirc A) \triangle B \neq A \triangle B$

따라서 옳은 것은 ①, ④이다.

03 **Action** $R_1, R_2, R_3, \cdots, R_9$에 대응하는 수를 각각 구해 본다.

9개의 점 $R_1, R_2, R_3, \cdots, R_9$에 대응하는 수를 각각 $r_1, r_2, r_3, \cdots, r_9$라 하자.
$\overline{AB}=2-1=1$이므로
$\overline{AR_1}=\dfrac{1}{10}, \overline{AR_2}=\dfrac{2}{10}, \overline{AR_3}=\dfrac{3}{10}, \cdots, \overline{AR_9}=\dfrac{9}{10}$
따라서 $r_1=1+\dfrac{1}{10}, r_2=1+\dfrac{2}{10}, r_3=1+\dfrac{3}{10}, \cdots,$
$r_9=1+\dfrac{9}{10}$이므로

$r_1+r_2+r_3+\cdots+r_9$
$=\left(1+\dfrac{1}{10}\right)+\left(1+\dfrac{2}{10}\right)+\left(1+\dfrac{3}{10}\right)+\cdots+\left(1+\dfrac{9}{10}\right)$
$=9+\dfrac{1+2+3+\cdots+9}{10}$
$=9+\dfrac{45}{10}=\dfrac{27}{2}$

04 **Action** $\angle BOE=\angle b+\angle c+\angle d$, $\angle AOD=\angle a+\angle b+\angle c$임을 이용한다.

$\angle a : \angle b = \angle b : \angle c = \angle c : \angle d = 4 : 3$이므로
$\angle a=\dfrac{4}{3}\angle b, \angle b=\dfrac{4}{3}\angle c, \angle c=\dfrac{4}{3}\angle d$
세 식을 변끼리 더하면
$\angle a+\angle b+\angle c=\dfrac{4}{3}(\angle b+\angle c+\angle d)$
$\therefore (\angle a+\angle b+\angle c):(\angle b+\angle c+\angle d)=4:3$
이때 $\angle BOE=\angle b+\angle c+\angle d$, $\angle AOD=\angle a+\angle b+\angle c$
이므로
$\angle BOE : \angle AOD = (\angle b+\angle c+\angle d):(\angle a+\angle b+\angle c)$
$=3:4$

05 **Action** 처음으로 원래 직선과 겹쳐졌을 때 x의 값이 가장 작으려면 $180°$만큼 회전한 후이다.

원래 직선이 첫 번째 회전한 직선과 이루는 각의 크기는 $x°$
원래 직선이 두 번째 회전한 직선과 이루는 각의 크기는
$x°+2x°$
원래 직선이 세 번째 회전한 직선과 이루는 각의 크기는
$x°+2x°+3x°$
원래 직선이 네 번째 회전한 직선과 이루는 각의 크기는
$x°+2x°+3x°+4x°$
직선을 4번 회전시켰더니 처음으로 원래 직선과 겹쳐졌으므로 $x°+2x°+3x°+4x°=180°$, $10x°=180°$
$\therefore x=18$

06 **Action** 꼭짓점 A에서 $\overline{BC}$에 수선의 발을 내린 후 직각삼각형의 넓이를 이용한다.

오른쪽 그림과 같이 꼭짓점 A에서 $\overline{BC}$에 내린 수선의 발을 D라 하면

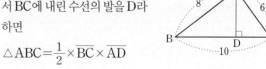

$\triangle ABC=\dfrac{1}{2}\times\overline{BC}\times\overline{AD}$
$=\dfrac{1}{2}\times\overline{AB}\times\overline{AC}$
에서
$\dfrac{1}{2}\times 10\times\overline{AD}=\dfrac{1}{2}\times 8\times 6$, $5\overline{AD}=24$ $\quad\therefore \overline{AD}=\dfrac{24}{5}$
따라서 꼭짓점 A와 $\overline{BC}$ 사이의 거리는 $\overline{AD}$의 길이와 같으므로 $\dfrac{24}{5}$이다.

2. 위치 관계

입문하기   P 20– P 23

01 ③, ⑤	**02** ㉠, ㉢, ㉣	**03** ②, ④	**04** 5
05 ⑤	**06** ④	**07** 10	**08** 15
09 ①, ⑤	**10** 7	**11** ⑤	**12** ④
13 ④	**14** 244°		
15 (1) $\angle x=75°$, $\angle y=65°$		(2) $\angle x=55°$, $\angle y=45°$	
16 35°	**17** ⑤	**18** 10°	**19** 60°
20 115°	**21** 40°	**22** 25°	**23** 60°
24 90°	**25** 64°	**26** 24°	

01 Action 점이 직선 위에 있다는 것은 직선이 그 점을 지난다는 뜻임에 주의한다.

③ 직선 l은 점 B를 지나지 않는다.
⑤ 두 점 A, C를 지나는 직선은 l이다.

02 Action 점과 직선, 점과 평면의 위치 관계를 살펴본다.

㉡ 평면 P 위에 있는 점은 A, B, C, E의 4개이다.
따라서 옳은 것은 ㉠, ㉢, ㉣이다.

03 Action 그림으로 나타내어 생각해 본다.

② 오른쪽 그림에서 $l /\!/ m$, $m \perp n$이면 $l \perp n$이다.

④ 오른쪽 그림에서 $l \perp m$, $l \perp n$이면 $m /\!/ n$이다.

04 Action 한 평면 위에 있는 두 직선이 서로 만나지 않을 때, 두 직선은 서로 평행하다고 한다.

$\overleftrightarrow{AB}$와 평행한 직선은 $\overleftrightarrow{EF}$의 1개이므로 $a=1$
$\overleftrightarrow{AB}$와 만나는 직선은 $\overleftrightarrow{BC}$, $\overleftrightarrow{CD}$, $\overleftrightarrow{DE}$, $\overleftrightarrow{FG}$, $\overleftrightarrow{GH}$, $\overleftrightarrow{HA}$의 6개이므로 $b=6$
∴ $b-a=6-1=5$

05 Action 평면이 하나로 정해질 조건을 생각해 본다.

⑤ 꼬인 위치는 공간에서의 두 직선의 위치 관계로 꼬인 위치에 있는 두 직선은 한 평면 위에 있지 않다.

06 Action 각 경우의 모서리를 그림에서 찾아 위치 관계를 확인한다.

④ 모서리 CD와 수직으로 만나는 모서리는 모서리 CH, 모서리 DI의 2개이다.

07 Action 주어진 조건을 만족시키는 모서리의 개수를 각각 구해 본다.

$\overline{DG}$와 꼬인 위치에 있는 모서리는 모서리 AB, 모서리 AE, 모서리 BC, 모서리 BF, 모서리 EF, 모서리 EH의 6개이므로
$a=6$ …… **40%**
모서리 EF와 수직으로 만나는 모서리는 모서리 AE, 모서리 BF, 모서리 EH, 모서리 FG의 4개이므로
$b=4$ …… **40%**
∴ $a+b=6+4=10$ …… **20%**

> 🔊 **Lecture**
>
> **꼬인 위치에 있는 모서리를 찾는 방법**
> 입체도형에서 한 모서리와 꼬인 위치에 있는 모서리를 찾을 때에는 '한 점에서 만나는 모서리'와 '평행한 모서리'를 찾아서 제외시키면 된다.

08 Action 점과 평면 사이의 거리는 점에서 평면에 내린 수선의 발까지의 거리와 같다.

꼭짓점 A와 면 DEF 사이의 거리는 $\overline{AD}$의 길이와 같고 $\overline{AD}=\overline{CF}=8$ cm이므로
$a=8$
꼭짓점 B와 면 ADFC 사이의 거리는 $\overline{AB}$의 길이와 같고 $\overline{AB}=12$ cm이므로
$b=12$
꼭짓점 C와 면 ABED 사이의 거리는 $\overline{AC}$의 길이와 같고 $\overline{AC}=5$ cm이므로
$c=5$
∴ $a+b-c=8+12-5=15$

09 Action 각 경우의 모서리와 면을 그림에서 찾아 위치 관계를 확인한다.

① 모서리 AB와 꼬인 위치에 있는 모서리는 모서리 CF, 모서리 CG, 모서리 DG, 모서리 EF의 4개이다.
② 모서리 BF와 평행한 모서리는 없다.
③ 면 CFG와 수직인 모서리는 모서리 AC, 모서리 DG, 모서리 EF의 3개이다.
④ 면 ADGC와 평행한 모서리는 모서리 BE, 모서리 EF, 모서리 BF의 3개이다.
⑤ 모서리 BC를 포함하는 면은 면 ABC, 면 BFC의 2개이다.
따라서 옳은 것은 ①, ⑤이다.

10 `Action` 주어진 조건을 만족시키는 면과 모서리의 개수를 각각 구해 본다.

면 ABE와 수직인 면은 면 AEFD, 면 ABCD, 면 EBCF 의 3개이므로

$a=3$

면 ABCD와 평행한 모서리는 모서리 EF의 1개이므로

$b=1$

모서리 AB와 꼬인 위치에 있는 모서리는 모서리 CF, 모서리 DF, 모서리 EF의 3개이므로

$c=3$

$\therefore a+b+c=3+1+3=7$

11 `Action` 공간에서 직선의 위치를 생각해 본다.

①, ② l,n은 한 점에서 만나거나 평행하거나 꼬인 위치에 있다.

③ l,n은 수직으로 만나거나 꼬인 위치에 있다.

④ m,n은 수직으로 만나거나 꼬인 위치에 있다.

📢 *Lecture*

만나지 않는 두 직선의 위치 관계

(1) 평면에서 두 직선이 만나지 않으면 두 직선은 평행하다.

(2) 공간에서 두 직선이 만나지 않으면 두 직선은 평행하거나 꼬인 위치에 있다.

12 `Action` 공간에서 직선과 평면의 위치 관계를 생각해 본다.

① l,m은 한 점에서 만나거나 평행하거나 꼬인 위치에 있다.

② l,m은 한 점에서 만나거나 꼬인 위치에 있다.

③ P,Q는 한 직선에서 만나거나 평행하다.

⑤ P,R는 한 직선에서 만나거나 평행하다.

13 `Action` 서로 다른 두 직선이 한 직선과 만나서 생기는 각 중에서 동위각은 같은 위치에 있는 각이고, 엇각은 엇갈린 위치에 있는 각이다.

① $\angle a$의 동위각은 $\angle e$, $\angle l$이다.

② $\angle b$와 $\angle h$는 엇각이다.

③ $\angle d$의 엇각은 $\angle i$이다.

⑤ $\angle h$의 엇각은 $\angle b$, $\angle j$이다.

14 `Action` 먼저 주어진 그림에서 $\angle x$의 동위각을 모두 찾아본다.

오른쪽 그림에서 $\angle x$의 동위각은 $\angle a$와 $\angle b$이다.

$\angle a+52°=180°$에서

$\angle a=128°$

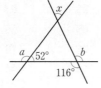

$\angle b=116°$ (맞꼭지각)

$\therefore \angle a+\angle b=128°+116°=244°$

📢 *Lecture*

문제와 같이 세 직선이 세 점에서 만나는 경우에는 한 교점을 가린 후 동위각, 엇각을 찾는다.

15 `Action` 서로 평행한 두 직선이 다른 한 직선과 만날 때, 동위각(또는 엇각)의 크기는 서로 같다.

(1) 오른쪽 그림에서

$105°+\angle x=180°$

$\therefore \angle x=75°$

$40°+\angle y=105°$

$\therefore \angle y=65°$

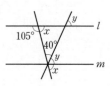

(2) 오른쪽 그림에서

$125°+\angle x=180°$

$\therefore \angle x=55°$

$80°+\angle x+\angle y=180°$에서

$80°+55°+\angle y=180°$

$\therefore \angle y=45°$

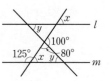

16 `Action` 삼각형의 각의 크기의 합은 $180°$임을 이용한다.

오른쪽 그림에서

$40°+(2\angle x+10°)+(\angle x+25°)$
$\qquad\qquad\qquad =180°$

$3\angle x=105°$

$\therefore \angle x=35°$

17 `Action` 서로 다른 두 직선이 다른 한 직선과 만날 때 생기는 동위각(또는 엇각)의 크기가 같으면 두 직선은 서로 평행하다.

① $l /\!/ m$이면 $\angle c=\angle e$ (엇각)

② $\angle a=\angle c$ (맞꼭지각)이므로 $\angle a=\angle g$이면

$\angle c=\angle g$

따라서 동위각의 크기가 같으므로 $l /\!/ m$

③ $\angle b=\angle h$이면 엇각의 크기가 같으므로 $l /\!/ m$

④ $l /\!/ m$이면 $\angle c=\angle e$ (엇각)

이때 $\angle e+\angle f=180°$이므로

$\angle c+\angle f=180°$

⑤ $l /\!/ m$이면 $\angle d=\angle h$ (동위각), $\angle h=\angle f$ (맞꼭지각)이므로 $\angle d=\angle f$

따라서 $\angle d \neq 90°$이면

$\angle d+\angle f \neq 180°$

따라서 옳지 않은 것은 ⑤이다.

18 Action 정삼각형의 한 각의 크기는 $60°$임을 이용한다.

$\angle AEG = \angle EGD$ (엇각)이므로

$\angle x + 60° = 7\angle x$, $6\angle x = 60°$ $\quad \therefore \angle x = 10°$

19 Action 꺾인 점을 지나고 주어진 직선에 평행한 직선을 그어 평행선에서 동위각과 엇각의 크기는 각각 같음을 이용한다.

오른쪽 그림과 같이 두 직선 l, m에 평행한 직선 n을 그으면

$65° + 55° + \angle x = 180°$

$\therefore \angle x = 60°$

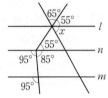

20 Action 꺾인 점을 각각 지나고 주어진 직선에 평행한 두 직선을 그어 평각의 크기는 $180°$임을 이용한다.

오른쪽 그림과 같이 두 직선 l, m에 평행한 두 직선 p, q를 그으면 30%

$(\angle x - 20°) + 85° = 180°$

...... 40%

$\therefore \angle x = 115°$

...... 30%

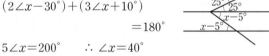

21 Action 꺾인 점을 각각 지나고 주어진 직선에 평행한 두 직선을 그어 평행선에서 동위각과 엇각의 크기는 각각 같음을 이용한다.

오른쪽 그림과 같이 두 직선 l, m에 평행한 두 직선 p, q를 그으면

$(2\angle x - 30°) + (3\angle x + 10°)$

$= 180°$

$5\angle x = 200°$ $\quad \therefore \angle x = 40°$

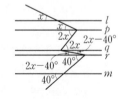

22 Action 꺾인 점을 각각 지나고 주어진 직선에 평행한 세 직선을 그어 평행선에서 동위각과 엇각의 크기는 각각 같음을 이용한다.

오른쪽 그림과 같이 두 직선 l, m에 평행한 세 직선 p, q, r를 그으면

$2\angle x + (2\angle x - 40°) = 60°$

$4\angle x = 100°$ $\quad \therefore \angle x = 25°$

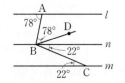

23 Action 먼저 $\angle ABC$의 크기를 구한다.

오른쪽 그림과 같이 두 직선 l, m에 평행한 직선 n을 그으면

$\angle ABC = 78° + 22°$

$= 100°$

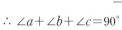

$\angle ABD : \angle DBC = 3 : 2$이므로

$\angle ABD = \angle ABC \times \dfrac{3}{3+2}$

$= 100° \times \dfrac{3}{5} = 60°$

24 Action 꺾인 점을 각각 지나고 주어진 직선에 평행한 네 직선을 그어 평행선에서 동위각과 엇각의 크기는 각각 같음을 이용한다.

오른쪽 그림과 같이 두 직선 l, m에 평행한 네 직선을 그으면

$30° + \angle c + (\angle a + \angle b + 60°)$

$= 180°$

$\therefore \angle a + \angle b + \angle c = 90°$

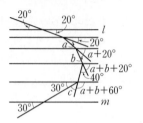

25 Action 접은 각의 크기는 같고 평행선에서 엇각의 크기는 같음을 이용한다.

오른쪽 그림에서

$\angle FEG = \angle DEG = 58°$

(접은 각)

$\angle EGF = \angle DEG = 58°$ (엇각)

이때 삼각형 EFG에서

$58° + \angle x + 58° = 180°$

$\therefore \angle x = 64°$

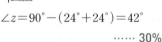

26 Action 접은 각의 크기는 같고 평행선에서 엇각의 크기는 같음을 이용한다.

오른쪽 그림에서

$\angle ECD = \angle ECF = 24°$ (접은 각)

이므로

$\angle z = 90° - (24° + 24°) = 42°$

...... 30%

$\angle y = \angle ECB = 24° + \angle z$

$= 24° + 42° = 66°$ (엇각)

...... 30%

$\angle FEC = \angle DEC = 66°$ (접은 각)이므로

$\angle x = 180° - (66° + 66°) = 48°$

...... 30%

$\therefore \angle x - \angle y + \angle z = 48° - 66° + 42° = 24°$

...... 10%

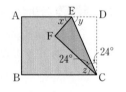

최고
수준 완성하기
 ℗ 24- ℗ 27

01 7개	**02** 13	**03** ⑤	**04** ②
05 ㉡, ㉢	**06** 12	**07** 3	**08** ③, ④
09 ㉠, ㉣	**10** 15°	**11** 30°	**12** 27°
13 115°	**14** 190°	**15** 135°	**16** ④

01 **Action** 한 직선 위에 있지 않은 서로 다른 세 점은 하나의 평면을 결정한다.

네 점 A, B, C, D 중 세 점으로 정해지는 평면은 모두 같은 평면이므로 1개

네 점 A, B, C, D 중 두 점과 점 O로 정해지는 평면은 면 ABO, 면 ACO, 면 ADO, 면 BCO, 면 BDO, 면 CDO의 6개

따라서 세 점으로 정해지는 서로 다른 평면의 개수는
$1+6=7$(개)

02 **Action** 주어진 조건을 만족시키는 모서리의 개수를 각각 구해 본다.

모서리 BC와 평행한 모서리는 모서리 ED, 모서리 FG, 모서리 IH의 3개이므로 $a=3$ ······ 30%

모서리 DE와 꼬인 위치에 있는 모서리는 모서리 AB, 모서리 AC, 모서리 BF, 모서리 CG, 모서리 GH, 모서리 FI의 6개이므로 $b=6$ ······ 30%

모서리 DH와 수직으로 만나는 모서리는 모서리 CD, 모서리 DE, 모서리 GH, 모서리 HI의 4개이므로 $c=4$ ······ 30%

$\therefore a+b+c=3+6+4=13$ ······ 10%

03 **Action** 각 경우의 모서리와 면을 그림에서 찾아 위치 관계를 확인한다.

① 면 ABFE와 모서리 MD는 평행하지 않다.
② 모서리 NH와 모서리 AB는 꼬인 위치에 있다.
③ 면 BFNM과 모서리 DH는 평행하다.
④ 모서리 DH와 평행한 면은 면 ABFE, 면 BFNM의 2개이다.

04 **Action** 주어진 전개도로 정육면체를 만들어 본다.

주어진 전개도로 만든 정육면체는 오른쪽 그림과 같다.

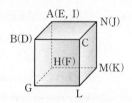

모서리 BC와 꼬인 위치에 있는 모서리는 모서리 EF($=$IH), 모서리 GH($=$GF), 모서리 LM ($=$LK), 모서리 NM($=$JK)이고, 면 ABCN과 평행한 모서리는 모서리 GH($=$GF), 모서리 HK, 모서리 LM ($=$LK), 모서리 GL이다.

따라서 모서리 BC와 꼬인 위치에 있고, 동시에 면 ABCN과 평행한 모서리는 모서리 GH($=$GF), 모서리 LM ($=$LK)이다.

05 **Action** 직선 l과 평면 P의 교점을 지나는 평면 P 위의 두 직선이 직선 l과 수직이면 $l \perp P$임을 이용한다.

직선과 평면이 수직임을 보이려면 주어진 직선과 평면은 한 점에서 만나고, 그 점을 지나는 평면 위의 2개 이상의 직선과 주어진 직선이 수직이어야 한다.

즉 $\overline{AB}$가 평면 P와 점 B에서 만나므로 점 B를 지나는 평면 P 위의 두 선분 BD, BF가 $\overline{AB}$와 수직이어야 한다.

따라서 필요한 조건은 ㉡, ㉢이다.

06 **Action** 주어진 조건을 만족시키는 면과 모서리의 개수를 각각 구해 본다.

면 EFPQH와 수직인 면은 면 ABFE, 면 AEHD, 면 BFP, 면 DQH의 4개이므로 $a=4$

모서리 AB와 평행한 면은 면 EFPQH, 면 DQH의 2개이므로 $b=2$

모서리 BP와 꼬인 위치에 있는 모서리는 모서리 AD, 모서리 AE, 모서리 DH, 모서리 EF, 모서리 EH, 모서리 HQ의 6개이므로 $c=6$

$\therefore a+b+c=4+2+6=12$

07 **Action** 주어진 전개도로 입체도형을 만들어 본다.

주어진 전개도로 만든 입체도형은 오른쪽 그림과 같다.

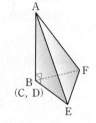

면 CEF와 수직인 면은 면 ABE, 면 ADF의 2개이므로 $a=2$

$\overline{AF}$와 꼬인 위치에 있는 모서리는 $\overline{BE}$ ($=\overline{CE}$)의 1개이므로 $b=1$

$\therefore a+b=2+1=3$

08 **Action** 공간에서 직선과 평면의 위치 관계를 생각해 본다.

① m, n은 한 점에서 만나거나 꼬인 위치에 있다.
② P, R는 한 직선에서 만나거나 평행하다.
⑤ l, m은 한 점에서 만나거나 평행하거나 꼬인 위치에 있다.

📢 **Lecture**

공간에서의 특수한 위치 관계
(1) 항상 평행한 위치 관계
　① 한 직선에 평행한 서로 다른 두 직선
　　➡ $l \parallel m$, $l \parallel n$이면 $m \parallel n$
　② 한 평면에 평행한 서로 다른 두 평면
　　➡ $P \parallel Q$, $P \parallel R$이면 $Q \parallel R$
　③ 한 직선에 수직인 서로 다른 두 평면
　　➡ $l \perp P$, $l \perp Q$이면 $P \parallel Q$
　④ 한 평면에 수직인 서로 다른 두 직선
　　➡ $P \perp l$, $P \perp m$이면 $l \parallel m$
(2) 항상 수직인 위치 관계
　① 한 평면에 평행한 평면과 수직인 평면
　　➡ $P \parallel Q$, $P \perp R$이면 $Q \perp R$
　② 한 평면에 평행한 평면과 수직인 직선
　　➡ $P \parallel Q$, $P \perp l$이면 $Q \perp l$

09 Action 서로 다른 두 직선이 한 직선과 만나면 동위각과 엇각이 생긴다.

ⓒ ∠g의 엇각은 ∠i, ∠m이다.

ⓒ ∠k와 ∠t의 크기가 같은지는 알 수 없다.

따라서 옳은 것은 ㉠, ㉢이다.

10 Action 꺾인 점을 지나고 주어진 직선에 평행한 직선을 그어 평행선에서 동위각의 크기는 같음을 이용한다.

오른쪽 그림과 같이 두 직선 l, m에 평행한 직선 n을 그으면

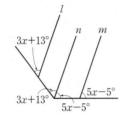

$(3∠x+13°)+(5∠x-5°)$
$\qquad =128°$

$8∠x=120°$ ∴ $∠x=15°$

11 Action 꺾인 점을 지나고 주어진 직선에 평행한 직선을 그어 삼각형의 각의 크기의 합은 $180°$임을 이용한다.

오른쪽 그림과 같이 두 직선 l, m에 평행한 직선 n을 그으면

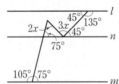

$2∠x+75°$
$\quad +(180°-3∠x-45°)=180°$
∴ $∠x=30°$

12 Action $l \parallel m$이고 ∠ABC$=90°$이므로 $∠a+∠b=90°$이다.

오른쪽 그림과 같이 점 B를 지나고 두 직선 l, m에 평행한 직선 BF를 그으면

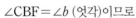

∠ABF$=∠a$ (엇각),

∠CBF$=∠b$ (엇각)이므로

$∠a+∠b=90°$

이때 $∠a=4∠b$이므로 $4∠b+∠b=90°$

$5∠b=90°$ ∴ $∠b=18°$

또 ∠EBF$=∠x$ (엇각)이므로 $∠x+∠b=45°$

$∠x+18°=45°$ ∴ $∠x=27°$

13 Action 정삼각형의 한 각의 크기는 $60°$임을 이용한다.

오른쪽 그림과 같이 두 직선 l, m에 평행한 두 직선 p, q를 그으면 정삼각형의 한 각의 크기는 $60°$이므로

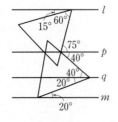

$∠x=75°+40°=115°$

14 Action 세 점 E, F, G를 각각 지나고 두 직선 l, m에 평행한 세 직선을 그어 평행선에서 엇각의 크기는 같음을 이용한다.

오른쪽 그림과 같이 ∠ABE$=∠a$, ∠EDC$=∠b$라 하고 세 점 E, F, G를 각각 지나고 두 직선 l, m에 평행한 세 직선을 그으면

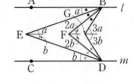

$∠a+∠b=38°$

∠ABF$=2∠a$, ∠FDC$=2∠b$이므로

$∠x=2∠a+2∠b=2(∠a+∠b)$
$\qquad =2×38°=76°$

∠ABG$=3∠a$, ∠GDC$=3∠b$이므로

$∠y=3∠a+3∠b=3(∠a+∠b)$
$\qquad =3×38°=114°$

∴ $∠x+∠y=76°+114°=190°$

15 Action 꺾인 점을 지나고 주어진 직선에 평행한 직선을 그어 평행선에서 동위각과 엇각의 크기는 각각 같음을 이용한다.

오른쪽 그림과 같이 두 직선 m, n에 평행한 세 직선 p, q, r를 그으면

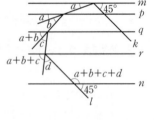

$∠a+∠b+∠c+∠d$
$\qquad +45°=180°$

∴ $∠a+∠b+∠c+∠d$
$\qquad =135°$

16 Action 접은 각의 크기는 서로 같음을 이용한다.

① ∠BCF$=∠a$ (접은 각)

이므로

$2∠a=$∠AFB$=64°$
$\qquad$ (동위각)

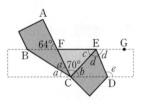

∴ $∠a=32°$

② $∠b=180°-(64°+70°)=46°$

③ $∠c=∠b=46°$ (엇각)

④ ∠GED$=∠d$ (접은 각)이므로

$2∠d=180°-∠c=180°-46°=134°$

∴ $∠d=67°$

⑤ $∠e=∠c+∠d=46°+67°=113°$ (엇각)

따라서 옳은 것은 ④이다.

최고
수준 **뛰어넘기** Ⓟ 28-Ⓟ 29

01 (1) 모서리 CG (2) 8 (3) 15° **02** 8개

03 8번째 **04** 48° **05** 360° **06** 60°

01 `Action` 삼각형 AEB는 정삼각형이고 삼각형 ABC는 직각이등변삼각형이다.

(1) 모서리 AB와 꼬인 위치에 있는 모서리는 모서리 CG, 모서리 DE, 모서리 EF, 모서리 FG, 모서리 GD이다.
모서리 EF와 꼬인 위치에 있는 모서리는 모서리 AB, 모서리 AD, 모서리 BC, 모서리 CG이다.
따라서 모서리 AB, 모서리 EF와 동시에 꼬인 위치에 있는 모서리는 모서리 CG이다.

(2) 면 ABC와 평행한 모서리는 모서리 DE, 모서리 EF, 모서리 FG, 모서리 GD의 4개이므로
$a=4$
면 BEF와 수직인 면은 면 ABC, 면 AED, 면 BFGC, 면 DEFG의 4개이므로
$b=4$
$\therefore a+b=4+4=8$

(3) $\overline{AE}=\overline{AB}=\overline{EB}$이므로 삼각형 AEB는 정삼각형이다.
$\therefore \angle ABE=60°$
삼각형 ABC는 $\overline{AC}=\overline{BC}$, $\angle ACB=90°$인 직각이등변삼각형이므로
$\angle ABC=\dfrac{1}{2}\times(180°-90°)=45°$
사각형 ADFB는 직사각형이므로
$\angle BAD=90°$
$\therefore \angle ABE+\angle ABC-\angle BAD=60°+45°-90°$
$\qquad\qquad\qquad\qquad\qquad\quad =15°$

02 `Action` 주어진 전개도로 입체도형을 만들어 본다.

주어진 전개도로 만든 입체도형은 오른쪽 그림과 같다.

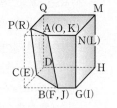

따라서 모서리 AB와 꼬인 위치에 있는 모서리는 모서리 PQ(=RQ), 모서리 QM, 모서리 MN(=ML), 모서리 QD, 모서리 MH, 모서리 CD(=ED), 모서리 DH, 모서리 GH(=IH)의 8개이다.

03 `Action` 점 P를 지나고 반직선 l_2, l_3, …과 평행한 반직선을 그어 본다.

오른쪽 그림과 같이 점 P를 지나고 $l_2/\!/l_2{}'$, $l_3/\!/l_3{}'$, … 이 되도록 반직선 $l_2{}'$, $l_3{}'$, … 을 긋자.

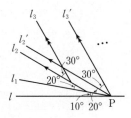

x번째 반직선까지의 각의 크기의 합이 180°, 360°, 540°, 720°, …, 즉 $180°\times n$ (n은 자연수) 일 때 x번째 반직선은 직선 l과 평행하게 된다.

$10°+20°+30°+40°+50°+60°+70°+80°=360°$이므로 8번째 반직선이 처음으로 직선 l과 평행하게 된다.

04 `Action` 삼각형의 세 각의 크기의 합은 180°임을 이용한다.

오른쪽 그림에서 $p/\!/q$이므로

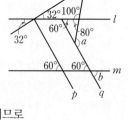

$\angle b=60°$ (맞꼭지각)
$\angle a : \angle b=7 : 3$이므로
$\angle a : 60°=7 : 3$
$3\angle a=420°$
$\therefore \angle a=140°$
따라서 $32°+100°+\angle x=180°$이므로
$\angle x=48°$

05 `Action` 두 점 C, D를 각각 지나고 주어진 직선에 평행한 직선을 그어 평행선에서 동위각과 엇각의 크기는 각각 같음을 이용한다.

오른쪽 그림과 같이 두 점 C, D를 각각 지나고 두 직선 l, m에 평행한 두 직선 p, q를 긋자.

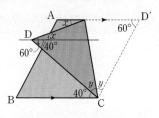

$\angle HCJ=\angle f$라 하면
삼각형 BID에서
$\angle b+\angle a+(\angle c-\angle f)+\angle d$
$=180°$
이므로
$\angle a+\angle b+\angle c+\angle d=180°+\angle f$
이때 직선 p에서 $\angle e+\angle f=180°$이므로
$\angle a+\angle b+\angle c+\angle d+\angle e=(180°+\angle f)+\angle e$
$\qquad\qquad\qquad\qquad\qquad =180°+(\angle f+\angle e)$
$\qquad\qquad\qquad\qquad\qquad =180°+180°$
$\qquad\qquad\qquad\qquad\qquad =360°$

06 `Action` 평행사변형 모양의 종이의 접은 부분을 펼쳐서 생각한다.

오른쪽 그림과 같이 종이를 접기 전의 평행사변형 모양에서 점 D를 지나고 $\overline{AD'}$와 $\overline{BC}$에 평행한 직선을 그으면

$\angle x+40°=60°$
$\therefore \angle x=20°$
또 $(40°+2\angle y)+60°=180°$이므로
$2\angle y=80°$ $\therefore \angle y=40°$
$\therefore \angle x+\angle y=20°+40°=60°$

3. 작도와 합동

최고 수준 입문하기 **ⓟ** 32– **ⓟ** 35

01 ㉡, ㉤	**02** ③
03 ㉠ → ㉢ → ㉡ → ㉣ → ㉤ → ㉢	**04** ①, ⑤
05 4개	**06** 7개 **07** ① **08** ㉠, ㉡, ㉣
09 $\overline{BC}$의 길이 또는 ∠A의 크기 또는 ∠C의 크기	
10 ④, ⑤	**11** (1) 2개 (2) 1개 (3) 0개 (4) 무수히 많다.
12 ③	**13** ㉡, ㉢, ㉣
14 ㈎ $\overline{OC}$ ㈏ $\overline{AB}$ ㈐ $\overline{OB}$ ㈑ SAS	**15** ④
16 ② **17** ③	**18** 88° **19** 60°
20 10 cm **21** 15 cm	**22** 34° **23** 90°
24 16 cm²	

01 **Action** 작도는 눈금 없는 자와 컴퍼스만을 사용하여 도형을 그리는 것이다.

㉠ 눈금 없는 자와 컴퍼스만을 사용하여 도형을 그리는 것을 작도라 한다.

㉢ 두 점을 지나는 직선을 그릴 때에는 눈금 없는 자를 사용한다.

㉣ 크기가 같은 각을 작도할 때에는 눈금 없는 자와 컴퍼스를 사용한다.

따라서 옳은 것은 ㉡, ㉤이다.

02 **Action** 크기가 같은 각의 작도 방법을 생각해 본다.

$\overline{OA}=\overline{OB}=\overline{PC}=\overline{PD}$, $\overline{AB}=\overline{CD}$, ∠AOB=∠CPD

③ $\overline{PD}=\overline{CD}$인지는 알 수 없다.

03 **Action** 엇각의 크기가 같으면 두 직선이 평행함을 이용한다.

작도 순서는

㉠ → ㉢ → ㉡ → ㉣ → ㉤ → ㉢

◁)) Lecture

평행선의 작도

평행선의 작도는 서로 다른 두 직선이 다른 한 직선과 만날 때, 동위각(또는 엇각)의 크기가 같으면 두 직선은 서로 평행하다는 성질을 이용한 것이다.

04 **Action** 가장 긴 변의 길이는 나머지 두 변의 길이의 합보다 작아야 한다.

① 3+3>5 ② 3+5<9 ③ 4+6<12

④ 5+5=10 ⑤ 5+7>10

따라서 삼각형의 세 변의 길이가 될 수 있는 것은 ①, ⑤이다.

05 **Action** 먼저 가장 긴 변의 길이를 찾아본다.

가장 긴 변의 길이가 $x+3$이므로

$x+3<(x-2)+x$

∴ $x>5$

따라서 x의 값이 될 수 있는 한 자리의 자연수는 6, 7, 8, 9의 4개이다.

06 **Action** 가장 긴 변의 길이를 정한 후 가장 긴 변의 길이가 나머지 두 변의 길이의 합보다 작아야 함을 이용한다.

(ⅰ) 가장 긴 변의 길이가 6일 때

$(2, 5, 6), (3, 4, 6), (3, 5, 6), (4, 5, 6)$의 4개 …… 30%

(ⅱ) 가장 긴 변의 길이가 5일 때

$(2, 4, 5), (3, 4, 5)$의 2개 …… 30%

(ⅲ) 가장 긴 변의 길이가 4일 때

$(2, 3, 4)$의 1개 …… 30%

(ⅰ)~(ⅲ)에서 만들 수 있는 삼각형의 개수는

$4+2+1=7$(개) …… 10%

◁)) Lecture

길이가 6인 막대를 포함하여 세 개의 막대를 뽑는 경우는

$(1, 2, 6), (1, 3, 6), (1, 4, 6), (1, 5, 6), (2, 3, 6), (2, 4, 6),$
$(2, 5, 6), (3, 4, 6), (3, 5, 6), (4, 5, 6)$

그런데 (가장 긴 변의 길이)<(나머지 두 변의 길이의 합)을 만족시키는 경우는 $(2, 5, 6), (3, 4, 6), (3, 5, 6), (4, 5, 6)$뿐이다.

07 **Action** 한 변의 길이와 그 양 끝 각의 크기가 주어졌을 때에는 선분을 작도한 후 두 각을 작도하거나 한 각을 작도한 후 선분을 작도하고 다른 한 각을 작도하면 된다.

(ⅰ) 한 변의 길이 작도 → 한 각의 크기 작도 → 다른 한 각의 크기 작도 (③, ④)

(ⅱ) 한 각의 크기 작도 → 한 변의 길이 작도 → 다른 한 각의 크기 작도 (②, ⑤)

08 **Action** 삼각형이 하나로 정해지는 조건을 생각해 본다.

㉢ ∠B가 $\overline{AB}$와 $\overline{AC}$의 끼인각이 아니므로 삼각형이 하나로 정해지지 않는다.

㉣ ∠B=180°−(60°+45°)=75°

즉 한 변의 길이와 그 양 끝 각의 크기가 주어졌으므로 삼각형이 하나로 정해진다.

㉤ 모양은 같지만 크기가 다른 삼각형이 무수히 많이 만들어진다.

㉥ ∠B+∠C=180°이므로 삼각형이 만들어지지 않는다.

따라서 △ABC가 하나로 정해지는 것은 ㉠, ㉡, ㉣이다.

09 Action ∠B가 끼인각이 되는 경우와 양 끝 각 중의 하나가 되는 경우로 나누어 생각한다.

(i) ∠B가 끼인각이 되는 경우
$\overline{BC}$의 길이가 주어지면 삼각형이 하나로 정해진다.

(ii) ∠B가 양 끝 각 중의 하나가 되는 경우
∠A의 크기가 주어지면 삼각형이 하나로 정해지고, ∠C의 크기가 주어지면 ∠A의 크기를 구할 수 있으므로 삼각형이 하나로 정해진다.

10 Action 삼각형이 하나로 정해지는 조건을 생각해 본다.

① ∠B=80°, ∠C=180°−(30°+80°)=70°로 한 변의 길이와 그 양 끝 각의 크기가 주어진 것이므로 삼각형이 하나로 정해진다.

② 두 변의 길이와 그 끼인각의 크기가 주어진 것이므로 삼각형이 하나로 정해진다.

③ 세 변의 길이가 주어진 것이므로 삼각형이 하나로 정해진다.

④ ∠B의 크기 또는 ∠C의 크기 중 하나가 더 주어져야 한다.

⑤ $\overline{BC}$를 밑변으로 하는 이등변삼각형은 무수히 많이 만들어진다.

따라서 △ABC가 하나로 정해지지 않는 것은 ④, ⑤이다.

11 Action 각 경우에 그릴 수 있는 삼각형을 생각해 본다.

(1) 두 변의 길이와 그 끼인각이 아닌 다른 한 각의 크기가 주어졌으므로 다음 그림과 같이 그릴 수 있는 삼각형은 2개이다.

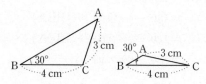

(2) ∠B=180°−(80°+70°)=30°, 즉 한 변의 길이와 그 양 끝 각의 크기가 주어졌으므로 그릴 수 있는 삼각형은 1개이다.

(3) ∠A+∠B=180°이므로 삼각형을 그릴 수 없다.

(4) 세 각의 크기가 주어졌으므로 무수히 많은 삼각형이 그려진다.

12 Action 삼각형의 합동 조건을 알고 합동인 경우를 찾아본다.

① SSS 합동

② SAS 합동

④ ASA 합동

⑤ ∠A=∠D, ∠B=∠E이면 ∠C=∠F이므로 ASA 합동

13 Action 삼각형의 합동 조건에 맞게 추가되어야 할 조건을 찾아본다.

㉡ SAS 합동

㉢ ∠A=∠D, ∠C=∠E이면 ∠B=∠F이므로 ASA 합동

㉣ ASA 합동

따라서 필요한 조건은 ㉡, ㉢, ㉣이다.

14 Action △OAD와 △OCB가 합동임을 보인다.

△OAD와 △OCB에서
$\overline{OA}=\overline{OC}$
$\overline{OD}=\overline{OC}+\overline{CD}=\overline{OA}+\overline{AB}=\overline{OB}$
∠O는 공통
∴ △OAD≡△OCB (SAS 합동)
∴ (가) $\overline{OC}$ (나) $\overline{AB}$ (다) $\overline{OB}$ (라) SAS

15 Action $\overline{AB}=\overline{AC}$이므로 ∠ABC=∠ACB임을 이용한다.

①, ②, ⑤ $\overline{AB}=\overline{AC}$이므로 ∠ABC=∠ACB
△BCD와 △CBE에서
$\overline{BC}$는 공통
∠DBC=∠ECB
∠DCB=90°−∠DBC=90°−∠ECB=∠EBC
∴ △BCD≡△CBE (ASA 합동)
∴ $\overline{BD}=\overline{CE}$, $\overline{AD}=\overline{AB}-\overline{DB}=\overline{AC}-\overline{EC}=\overline{AE}$

③ △PBC에서 ∠PBC=∠PCB이므로 $\overline{PB}=\overline{PC}$

④ $\overline{AE}=\overline{BE}$인지는 알 수 없다.

따라서 옳지 않은 것은 ④이다.

16 Action 먼저 합동인 두 삼각형을 찾는다.

①, ③, ⑤ △ACE와 △DCB에서
$\overline{AC}=\overline{DC}$
$\overline{CE}=\overline{CB}$
∠ACE=60°+∠DCE=∠DCB
∴ △ACE≡△DCB (SAS 합동)
∴ $\overline{AE}=\overline{DB}$

② $\overline{AP}=\overline{PE}$인지는 알 수 없다.

④ ∠DCB=180°−∠DCA=180°−60°=120°

따라서 옳지 않은 것은 ②이다.

17 Action 먼저 합동인 두 삼각형을 찾는다.

①, ②, ⑤ △ABP와 △AER에서
$\overline{AB}=\overline{AE}$
∠ABP=∠AER=60°
∠BAP=60°−∠PAR=∠EAR
∴ △ABP≡△AER (ASA 합동)
∴ $\overline{AP}=\overline{AR}$

③ ∠APB=∠ARD인지는 알 수 없다.

④ △ABC와 △ADE가 정삼각형이므로

∠ABC=∠AED=60°

따라서 옳지 않은 것은 ③이다.

18 Action △AEC와 △BDC가 합동임을 이용한다.

△AEC와 △BDC에서

$\overline{AC}=\overline{BC}$

$\overline{EC}=\overline{DC}$

∠ACE=∠BCD=60°

∴ △AEC≡△BDC (SAS 합동)

따라서 ∠AEC=∠BDC=32°+60°=92°이므로

∠BEA=180°-92°=88°

19 Action △ADF, △BED, △CFE가 합동임을 이용한다.

△ADF와 △BED와 △CFE에서

∠A=∠B=∠C=60°

$\overline{AD}=\overline{BE}=\overline{CF}$

$\overline{AF}=\overline{BD}=\overline{CE}$

∴ △ADF≡△BED≡△CFE (SAS 합동)

따라서 $\overline{DF}=\overline{ED}=\overline{FE}$이므로 △DEF는 정삼각형이다.

∴ ∠x=60°

🔊 *Lecture*

$\overline{AC}-\overline{FC}=\overline{BA}-\overline{DA}=\overline{CB}-\overline{EB}$이므로

$\overline{AF}=\overline{BD}=\overline{CE}$이다.

20 Action △APC와 △AQB가 합동임을 이용한다.

△APC와 △AQB에서

$\overline{AP}=\overline{AQ}$

$\overline{AC}=\overline{AB}$

∠PAC=∠PAB+60°=∠QAB

∴ △APC≡△AQB (SAS 합동)

∴ $\overline{QB}=\overline{PC}=\overline{PB}+\overline{BC}$

$=7+3=10$ (cm)

21 Action △BDA와 △AEC가 합동임을 이용한다.

△BDA와 △AEC에서

$\overline{BA}=\overline{AC}$

∠DBA=90°-∠DAB=∠EAC

∠DAB=90°-∠EAC=∠ECA

∴ △BDA≡△AEC (ASA 합동)

따라서 $\overline{BD}=\overline{AE}$, $\overline{AD}=\overline{CE}$이므로

$\overline{DE}=\overline{DA}+\overline{AE}=\overline{EC}+\overline{BD}$에서

$20=5+\overline{BD}$

∴ $\overline{BD}=15$ (cm)

22 Action △AED와 △CED가 합동임을 이용한다.

△AED와 △CED에서

$\overline{DE}$는 공통

$\overline{AD}=\overline{CD}$

∠ADE=∠CDE=45°

∴ △AED≡△CED (SAS 합동) ····· 40%

한편, $\overline{AD}$ ∥ $\overline{BF}$이므로

∠DAF=∠AFC=28° (엇각) ····· 30%

∴ ∠DCE=∠DAE=28° ····· 10%

따라서 △ECF에서

∠CEF=180°-(28°+90°+28°)

$=34°$ ····· 20%

23 Action △ABE와 △DAF가 합동임을 이용한다.

△ABE와 △DAF에서

$\overline{AE}=\overline{DF}$

$\overline{AB}=\overline{DA}$

∠BAE=∠ADF=90°

∴ △ABE≡△DAF (SAS 합동)

따라서 ∠ABE=∠DAF이므로

∠BGF=∠AGE (맞꼭지각)

$=180°-(∠DAF+∠BEA)$

$=180°-(∠ABE+∠BEA)$

$=180°-90°=90°$

24 Action △OHB와 △OIC가 합동임을 이용한다.

△OHB와 △OIC에서

$\overline{OB}=\overline{OC}$

∠OBH=∠OCI=45°

∠HOB=90°-∠BOI=∠IOC

∴ △OHB≡△OIC (ASA 합동)

∴ (겹쳐진 부분의 넓이)=△OHB+△OBI

$=△OIC+△OBI$

$=△OBC$

$=\frac{1}{4}×$ (정사각형 ABCD의 넓이)

$=\frac{1}{4}×8×8=16$ (cm²)

📄36– 📄38

최고수준 완성하기			
01 ㉡, ㉢	**02** 8	**03** ④	**04** 3개
05 7개	**06** 60°	**07** 8 cm	**08** 23 cm
09 20 cm	**10** 47°	**11** 45°	**12** 64 cm²

01 `Action` 길이가 같은 선분의 작도와 크기가 같은 각의 작도를 이용한다.

㉠ 선분의 길이를 옮길 때 컴퍼스를 사용한다.

㉣ 주어진 선분의 길이의 3배가 되는 선분은 길이가 같은 선분을 3번 연달아 작도하면 작도할 수 있다.

따라서 옳은 것은 ㉡, ㉢이다.

02 `Action` 작도 과정을 생각하여 컴퍼스 사용 횟수를 구한다.

동위각을 이용하여 한 직선과 평행한 직선을 작도하면 오른쪽 그림과 같다.

이때 컴퍼스의 최소 사용 횟수는 4회이므로 $a=4$

한 둔각과 크기가 같은 각을 작도하면 오른쪽 그림과 같다.

이때 컴퍼스의 최소 사용 횟수는 4회이므로 $b=4$

$\therefore a+b=4+4=8$

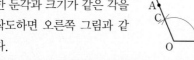
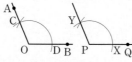

03 `Action` 직각의 삼등분선의 작도이므로

$\angle \text{AOC}=\angle \text{COD}=\angle \text{DOB}=30°$이다.

④ 작도 순서는 ㉢ → ㉠ → ㉡이다.

📢》 *Lecture*

직각의 삼등분선의 작도

직각인 ∠XOY의 삼등분선은 다음과 같이 작도할 수 있다.

❶ 점 O를 중심으로 하여 임의의 원을 그려 $\overrightarrow{\text{OX}}$, $\overrightarrow{\text{OY}}$와 만나는 점을 각각 A, B라 한다.

❷ 두 점 A, B를 중심으로 하고, 반지름의 길이가 $\overline{\text{OA}}$인 원을 각각 그려 ❶에서 그린 원과의 교점을 각각 P, Q라 한다.

❸ 점 O와 점 P, 점 O와 점 Q를 각각 연결하면 $\overrightarrow{\text{OP}}$, $\overrightarrow{\text{OQ}}$가 직각의 삼등분선이다.

04 `Action` 삼각형의 가장 긴 변의 길이는 나머지 두 변의 길이의 합보다 작아야 함을 이용한다.

삼각형이 만들어지려면 가장 긴 변의 길이는 나머지 두 변의 길이의 합보다 작아야 한다.

따라서 삼각형을 만들 수 있는 변의 길이를 순서쌍으로 나타내면 $(2 \text{ m}, 3 \text{ m}, 4 \text{ m})$, $((1+2) \text{ m}, 3 \text{ m}, 4 \text{ m})$, $(2 \text{ m}, (1+3) \text{ m}, 4 \text{ m})$의 3개이다.

05 `Action` 가장 긴 변의 길이는 나머지 두 변의 길이의 합보다 작으면서 이등변삼각형인 경우를 찾는다.

세 변의 길이를 각각 a, a, b라 하면 $2a+b=27$

이를 만족하는 순서쌍 (a, a, b)는 $(13, 13, 1)$, $(12, 12, 3)$, $(11, 11, 5)$, $(10, 10, 7)$, $(9, 9, 9)$, $(8, 8, 11)$, $(7, 7, 13)$의 7개이다.

06 `Action` △AEC와 △CDB가 합동임을 이용한다.

△AEC와 △CDB에서

$\overline{\text{AC}}=\overline{\text{CB}}$

$\overline{\text{EC}}=\overline{\text{DB}}$

$\angle \text{ACE}=\angle \text{CBD}=60°$

$\therefore \triangle \text{AEC} \equiv \triangle \text{CDB}$ (SAS 합동) ······ 40%

따라서 $\angle \text{BCD}=\angle \text{CAE}=28°$이므로

$\angle \text{ACF}=60°-28°=32°$ ······ 20%

△AFC에서

$\angle \text{AFC}=180°-(28°+32°)=120°$ ······ 20%

$\therefore \angle x=180°-120°=60°$ ······ 20%

07 `Action` 꼭짓점 B에서 대각선 AC에 내린 수선의 발을 F라 하고 합동인 두 삼각형을 찾는다.

오른쪽 그림과 같이 꼭짓점 B에서 대각선 AC에 내린 수선의 발을 F라 하자.

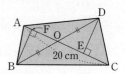

△BOF와 △DOE에서

$\overline{\text{BO}}=\overline{\text{DO}}$

$\angle \text{BOF}=\angle \text{DOE}$ (맞꼭지각)

$\angle \text{FBO}=90°-\angle \text{BOF}$
$=90°-\angle \text{DOE}=\angle \text{EDO}$

$\therefore \triangle \text{BOF} \equiv \triangle \text{DOE}$ (ASA 합동)

$\therefore \overline{\text{BF}}=\overline{\text{DE}}$

따라서 △ABC와 △ACD는 밑변의 길이와 높이가 각각 같으므로 넓이가 같다.

즉 $\triangle \text{ABC}=\triangle \text{ACD}=\dfrac{1}{2}\times 160=80 \text{ (cm}^2)$이므로

$\triangle \text{ACD}=\dfrac{1}{2}\times 20\times \overline{\text{DE}}=80$

$10\overline{\text{DE}}=80$

$\therefore \overline{\text{DE}}=8 \text{ (cm)}$

08 `Action` △ABC와 △DBE와 △FEC가 합동임을 이용한다.

△ABC와 △DBE에서

$\overline{AB}=\overline{DB}$

$\overline{BC}=\overline{BE}$

$\angle ABC=60°-\angle ABE=\angle DBE$

∴ △ABC≡△DBE (SAS 합동) ······ ㉠

또 △ABC와 △FEC에서

$\overline{AC}=\overline{FC}$

$\overline{BC}=\overline{EC}$

$\angle ACB=60°-\angle ACE=\angle FCE$

∴ △ABC≡△FEC (SAS 합동) ······ ㉡

㉠, ㉡에서

△ABC≡△DBE≡△FEC (SAS 합동)

∴ (오각형 EDBCF의 둘레의 길이)

$=\overline{ED}+\overline{DB}+\overline{BC}+\overline{CF}+\overline{FE}$

$=\overline{CA}+\overline{AB}+\overline{BC}+\overline{CA}+\overline{AB}$

$=3+5+7+3+5=23\,(cm)$

09 `Action` $\overline{BG}$를 그어 △BCG와 △DCE가 합동임을 이용한다.

오른쪽 그림과 같이 $\overline{BG}$를 그으면 △BCG와 △DCE에서

$\overline{BC}=\overline{DC}$

$\overline{CG}=\overline{CE}$

$\angle BCG=90°-\angle GCD$

$=\angle DCE$

∴ △BCG≡△DCE (SAS 합동)

따라서 △BCG의 넓이는 △DCE의 넓이와 같으므로

$\overline{AB}=x\,cm$라 하면

$\frac{1}{2}x^2=200,\ x^2=400$

∴ $x=20\ (∵ x>0)$

따라서 $\overline{AB}$의 길이는 20 cm이다.

10 `Action` △GBC와 △EDC가 합동임을 이용한다.

△GBC와 △EDC에서

$\overline{BC}=\overline{DC}$

$\overline{GC}=\overline{EC}$

$\angle BCG=90°-\angle GCD=\angle DCE$

∴ △GBC≡△EDC (SAS 합동)

$\angle EDC=\angle GBC=90°-72°=18°$

$\angle DHE=180°-65°=115°$

따라서 △DHE에서

$\angle DEH=180°-(18°+115°)$

$=47°$

11 `Action` $\overline{EF}=\overline{BE}+\overline{DF}$임을 이용하여 합동인 두 삼각형을 찾는다.

△CFE의 둘레의 길이가 정사각형 ABCD의 둘레의 길이의 $\frac{1}{2}$이므로

$\overline{EF}+\overline{CE}+\overline{CF}=\overline{BC}+\overline{CD}$

∴ $\overline{EF}=(\overline{BC}-\overline{CE})+(\overline{CD}-\overline{CF})$

$=\overline{BE}+\overline{DF}$

△AEF와 △AGF에서

$\overline{AF}$는 공통

$\overline{AE}=\overline{AG}$

$\overline{EF}=\overline{BE}+\overline{DF}=\overline{DG}+\overline{DF}=\overline{GF}$

∴ △AEF≡△AGF (SSS 합동)

∴ $\angle EAF=\angle GAF$

이때

$\angle EAG=\angle EAD+\angle DAG$

$=\angle EAD+\angle BAE$

$=\angle BAD$

$=90°$

∴ $\angle EAF=\frac{1}{2}\angle EAG$

$=\frac{1}{2}\times90°=45°$

12 `Action` △ABF와 △CEF가 합동임을 이용한다.

△ABF와 △CEF에서

$\overline{AB}=\overline{CE}$

$\angle B=\angle E=90°$

$\angle BAF=90°-\angle AFB$

$=90°-\angle CFE=\angle ECF$

∴ △ABF≡△CEF (ASA 합동)

따라서 $\overline{AB}=\overline{CE}=8\,cm$이고

$\overline{BC}=\overline{BF}+\overline{FC}=\overline{EF}+\overline{FC}=6+10=16\,(cm)$이므로

$△ABC=\frac{1}{2}\times16\times8=64\,(cm^2)$

최고수준 뛰어넘기 ⓟ 39- ⓟ 40

| **01** 39° | **02** 7개 | **03** 45° | **04** 108° |
| **05** 22° | **06** 65° | | |

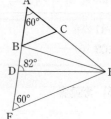

01 Action 주어진 그림은 각의 이등분선을 작도한 것이다.

주어진 그림은 $\angle ABC$의 이등분선인 $\overline{BD}$와 $\angle ACE$의 이등분선인 $\overline{CD}$를 작도한 것이다.

$\angle ABD = \angle DBC = \angle x$, $\angle ACD = \angle DCE = \angle y$라 하면

$\angle ACB = 180° - (2\angle x + 78°) = 102° - 2\angle x$

$\angle ACB + \angle ACE = 180°$이므로

$(102° - 2\angle x) + 2\angle y = 180°$

$2(\angle y - \angle x) = 78°$

$\therefore \angle y - \angle x = 39°$

$\triangle BCD$에서 $\angle x + (180° - \angle y) + \angle BDC = 180°$이므로

$\angle BDC = \angle y - \angle x = 39°$

02 Action $a \le b \le c$, $c < a+b$이고 $a+b+c = 18$이 되는 자연수 a, b, c의 쌍을 모두 찾는다.

$a \le b \le c$, $c < a+b$이고 $a+b+c = 18$이므로

$2c < a+b+c$에서 $2c < 18$ $\therefore c < 9$

이때 c는 자연수이므로

$c = 1, 2, 3, 4, 5, 6, 7, 8$

또 $a \le c$, $b \le c$이므로 $a+b+c \le c+c+c = 3c$

즉 $18 \le 3c$이므로 $6 \le c$

$\therefore c = 6, 7, 8$

(ⅰ) $c = 6$이면 $a+b = 12$에서

(a, b)는 $(6, 6)$의 1개

(ⅱ) $c = 7$이면 $a+b = 11$에서

(a, b)는 $(4, 7), (5, 6)$의 2개

(ⅲ) $c = 8$이면 $a+b = 10$에서

(a, b)는 $(2, 8), (3, 7), (4, 6), (5, 5)$의 4개

(ⅰ)~(ⅲ)에서 구하는 삼각형의 개수는

$1 + 2 + 4 = 7$(개)

03 Action $\overline{AB} = 4k$ $(k > 0)$로 놓고 주어진 선분의 길이를 k를 사용하여 나타내어 본다.

$\overline{AB} = 4k$ $(k > 0)$라 하면 $\overline{BC} = 7k$

$\overline{BE} : \overline{EC} = 3 : 4$이므로

$\overline{BE} = 3k$, $\overline{EC} = 4k$

또 $\overline{CF} : \overline{FD} = 3 : 1$이므로

$\overline{CF} = 3k$, $\overline{FD} = k$

$\triangle ABE$와 $\triangle ECF$에서

$\overline{AB} = \overline{EC}$

$\overline{BE} = \overline{CF}$

$\angle B = \angle C = 90°$

$\therefore \triangle ABE \equiv \triangle ECF$ (SAS 합동)

따라서 $\overline{AE} = \overline{EF}$이고

$\angle AEF = 180° - (\angle AEB + \angle FEC)$

$= 180° - (\angle EFC + \angle FEC)$

$= 180° - 90° = 90°$

이므로 $\triangle AEF$는 직각이등변삼각형이다.

$\therefore \angle AFE = 45°$

04 Action $\triangle ABD$와 $\triangle EBC$가 합동임을 이용한다.

$\angle ABE = \angle EBC = \angle a$라 하면

$\angle ACB = \angle ABC = 2\angle a$

$\triangle BCD$에서 $\overline{BC} = \overline{BD}$이므로

$\angle BDC = \angle BCD = 2\angle a$

$\angle a + 2\angle a + 2\angle a = 180°$이므로

$5\angle a = 180°$ $\therefore \angle a = 36°$

$\triangle ABC$에서

$\angle BAC = 180° - (2\angle a + 2\angle a)$

$= 180° - 4\angle a$

$= 180° - 4 \times 36° = 36°$

$\triangle ABD$와 $\triangle EBC$에서

$\overline{AB} = \overline{EB}$

$\overline{BD} = \overline{BC}$

$\angle ABD = \angle EBC$

$\therefore \triangle ABD \equiv \triangle EBC$ (SAS 합동)

$\therefore \angle BEC = \angle BAD = 36°$

$\triangle ABE$에서 $\overline{BA} = \overline{BE}$이므로

$\angle AEB = \dfrac{1}{2} \times (180° - 36°) = 72°$

$\therefore \angle AEC = \angle AEB + \angle BEC$

$= 72° + 36° = 108°$

05 Action $\overline{AD}$의 연장선 위에 $\overline{AC} = \overline{DF}$인 점 F를 잡고 합동인 두 삼각형을 찾는다.

오른쪽 그림과 같이 $\overline{AD}$의 연장선 위에 $\overline{AC} = \overline{DF}$인 점 F를 잡으면

$\overline{AE} = \overline{AC} + \overline{CE}$

$= \overline{DF} + \overline{AD} = \overline{AF}$

$\triangle AFE$에서

$\angle AFE = \angle AEF = \dfrac{1}{2} \times (180° - 60°) = 60°$

즉 $\triangle AFE$는 정삼각형이므로 $\overline{AF} = \overline{FE} = \overline{AE}$

$\triangle ABE$와 $\triangle FDE$에서

$\overline{AB} = \overline{FD}$

$\overline{AE} = \overline{FE}$

$\angle EAB = \angle EFD = 60°$

$\therefore \triangle ABE \equiv \triangle FDE$ (SAS 합동)

∴ ∠ABE＝∠FDE＝$180°-82°＝98°$
따라서 △ABE에서
∠AEB＝$180°-(60°+98°)＝22°$

06 Action $\overline{AD}$의 연장선과 $\overline{FE}$의 연장선의 교점을 G로 놓고 합동인 두 삼각형을 찾는다.

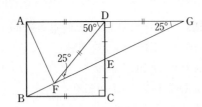

위 그림과 같이 $\overline{AD}$의 연장선과 $\overline{FE}$의 연장선의 교점을 G 라 하자.
△GDE와 △BCE에서
$\overline{DE}＝\overline{CE}$
∠GDE＝∠BCE＝90°
∠DEG＝∠CEB (맞꼭지각)
∴ △GDE≡△BCE (ASA 합동)
∴ $\overline{DG}＝\overline{CB}$
즉 △DFG는 $\overline{DF}＝\overline{DG}$인 이등변삼각형이므로
∠DGE＝∠DFE＝25°
△DFG에서
∠FDG＝$180°-(25°+25°)＝130°$
∴ ∠ADF＝$180°-∠FDG＝180°-130°＝50°$
이때 △DAF는 $\overline{DA}＝\overline{DF}$인 이등변삼각형이므로
∠DAF＝$\frac{1}{2}×(180°-50°)＝65°$

교과서 속 창의 사고력

📄41 ~ 📄42

01 $280°$	**02** $a/\!/r, c/\!/q$
03 $104°$	**04** 90 cm^2

01 Action ∠x : ∠y : ∠z＝2 : 2 : 3이므로
∠x＝2m, ∠y＝2m, ∠z＝3m (m>0)으로 놓는다.

∠x : ∠y : ∠z＝2 : 2 : 3이므로
∠x＝2m, ∠y＝2m, ∠z＝3m (m>0)이라 하면
∠x+2∠y+∠z＝360°에서
$2m+4m+3m＝360°, 9m＝360°$
∴ $m＝40°$
따라서 ∠x＝80°, ∠y＝80°, ∠z＝120°이므로
∠x+∠y+∠z＝$80°+80°+120°＝280°$

02 Action 서로 다른 두 직선이 다른 한 직선과 만날 때 생기는 엇각의 크기가 같으면 두 직선은 서로 평행함을 이용한다.

서로 다른 두 직선이 다른 한 직선과 만날 때 생기는 엇각의 크기가 같으면 두 직선은 서로 평행하므로 오른쪽 그림에서 $a/\!/r, c/\!/q$이다.

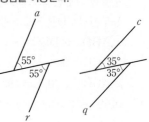

03 Action 입사각과 반사각의 크기는 서로 같음을 이용한다.

오른쪽 그림에서 두 평면거울이 서로 평행하므로
∠a＝38° (엇각)
이때 입사각과 반사각의 크기는 서로 같으므로
∠b＝∠a＝38°
따라서 ∠a+∠x+∠b＝180°이므로
$38°+∠x+38°＝180°$ ∴ ∠x＝104°

04 Action 두 점 D, E에서 $\overline{AI}, \overline{BF}$의 연장선에 각각 수선의 발을 내린 후 합동인 삼각형을 찾는다.

오른쪽 그림과 같이 점 D에서 $\overline{AI}$의 연장선에 내린 수선의 발을 J라 하고, 점 E에서 $\overline{BF}$의 연장선에 내린 수선의 발을 K라 하면
△ADJ와 △ABC에서
$\overline{AD}＝\overline{AB}$
∠DAJ＝90°-∠JAB＝∠BAC
∠ADJ＝90°-∠DAJ＝90°-∠BAC＝∠ABC
∴ △ADJ≡△ABC (ASA 합동)
따라서 $\overline{DJ}＝\overline{BC}＝12 \text{ cm}$이므로
$△AID＝\frac{1}{2}×\overline{AI}×\overline{DJ}＝\frac{1}{2}×5×12＝30 \text{ (cm}^2)$
같은 방법으로
△EBK≡△ABC (ASA 합동)
∴ $\overline{EK}＝\overline{AC}＝5 \text{ cm}$
$△BEF＝\frac{1}{2}×\overline{BF}×\overline{EK}＝\frac{1}{2}×12×5＝30 \text{ (cm}^2)$
$△CGH＝\frac{1}{2}×\overline{CG}×\overline{HC}＝\frac{1}{2}×12×5＝30 \text{ (cm}^2)$
∴ (색칠한 부분의 넓이)＝△AID+△BEF+△CGH
$＝30+30+30$
$＝90 \text{ (cm}^2)$

Ⅱ. 평면도형

1. 다각형

최고
수준 **입문하기** ❿ 45– ❿ 49

01 $62°$	**02** ①, ⑤	**03** $41°$	**04** $36°$
05 $120°$	**06** $125°$	**07** $163°$	**08** $95°$
09 $12°$	**10** $25°$	**11** $27°$	**12** $71°$
13 11	**14** ④	**15** 9개	**16** 90개
17 정십각형	**18** ⑤	**19** 12	**20** $25°$
21 54개	**22** ②	**23** $60°$	**24** ②
25 $310°$	**26** $144°$	**27** $45°$	**28** ④
29 $150°$	**30** (1) $72°$ (2) $30°$		**31** $14°$
32 $96°$			

01 Action 다각형의 한 꼭짓점에서의 내각과 외각의 크기의 합은 $180°$이다.

$\angle x = 180° - 52° = 128°$

$\angle y = 180° - 114° = 66°$

$\therefore \angle x - \angle y = 128° - 66° = 62°$

02 Action 다각형과 정다각형에 대하여 생각해 본다.

② 변의 길이가 모두 같고, 내각의 크기가 모두 같은 다각형이 정다각형이다.

③ 다각형의 한 꼭짓점에 대하여 외각은 2개가 있다.

④ 정삼각형의 한 내각의 크기는 $60°$, 한 외각의 크기는 $120°$이므로 한 내각의 크기와 한 외각의 크기는 같지 않다.

03 Action 삼각형의 세 내각의 크기의 합은 $180°$임을 이용한다.

$\triangle ABC$에서

$\angle ACB = 180° - (50° + 46°) = 84°$

$\angle DCE = \angle ACB = 84°$ (맞꼭지각)이므로

$\triangle DCE$에서

$\angle x = 180° - (55° + 84°) = 41°$

🔊 *Lecture*

삼각형의 세 내각의 크기의 합은 $180°$이므로

$\angle a + \angle b = 180° - \angle x$

$\angle c + \angle d = 180° - \angle x$

$\therefore \angle a + \angle b = \angle c + \angle d$

04 Action 삼각형의 세 내각의 크기의 합은 $180°$임을 이용한다.

삼각형의 세 내각의 크기의 합은 $180°$이므로 가장 작은 각의 크기는

$180° \times \dfrac{2}{2+3+5} = 180° \times \dfrac{1}{5} = 36°$

🔊 *Lecture*

삼각형 ABC에서 $\angle A : \angle B : \angle C = x : y : z$일 때,

$\angle A = 180° \times \dfrac{x}{x+y+z}$

$\angle B = 180° \times \dfrac{y}{x+y+z}$

$\angle C = 180° \times \dfrac{z}{x+y+z}$

05 Action $\overline{BD}$를 긋고 삼각형의 세 내각의 크기의 합은 $180°$임을 이용한다.

오른쪽 그림과 같이 $\overline{BD}$를 그으면

$\triangle ABD$에서

$\angle CBD + \angle CDB$

$= 180° - (60° + 25° + 35°)$

$= 60°$

따라서 $\triangle CBD$에서

$\angle x = 180° - (\angle CBD + \angle CDB)$

$= 180° - 60°$

$= 120°$

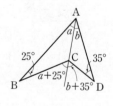

다른 풀이

오른쪽 그림과 같이 직선 AC를 그으면

$\triangle ABC$와 $\triangle ACD$에서

$\angle x = (\angle a + 25°) + (\angle b + 35°)$

$= \angle a + \angle b + 60°$

$= 60° + 60°$

$= 120°$

06 Action $\angle IBC + \angle ICB = \dfrac{1}{2} \times (\angle ABC + \angle ACB)$임을 이용한다.

$\triangle ABC$에서

$\angle ABC + \angle ACB = 180° - 70° = 110°$ ······ 30%

$\therefore \angle IBC + \angle ICB = \dfrac{1}{2} \times (\angle ABC + \angle ACB)$

$= \dfrac{1}{2} \times 110° = 55°$ ······ 40%

따라서 $\triangle IBC$에서

$\angle x = 180° - (\angle IBC + \angle ICB)$

$= 180° - 55°$

$= 125°$ ······ 30%

07 [Action] 삼각형의 한 외각의 크기는 그와 이웃하지 않은 두 내각의 크기의 합과 같음을 이용한다.

$\triangle$ABD에서

$\angle x = 85° - 40° = 45°$

$\triangle$ADC에서

$\angle y = 33° + 85° = 118°$

$\therefore \angle x + \angle y = 45° + 118° = 163°$

08 [Action] 먼저 $\angle$ACB의 크기를 구한다.

$\triangle$ABC에서

$75° + 65° + \angle$ACB$= 180°$

$\therefore \angle$ACB$= 40°$ ⋯⋯ 40%

$\angle$ACD$= \dfrac{1}{2} \angle$ACB$= \dfrac{1}{2} \times 40° = 20°$ ⋯⋯ 20%

따라서 $\triangle$ADC에서

$\angle x = 75° + 20° = 95°$ ⋯⋯ 40%

09 [Action] $\triangle$ABC에서 $\overline{AB} = \overline{AC}$이므로 $\angle$B$= \angle$ACB이다.

$\triangle$ABC는 $\overline{AB} = \overline{AC}$인 이등변삼각형이므로

$\angle$B$= \dfrac{1}{2} \times (180° - 52°) = 64°$

$\triangle$DBC는 $\overline{CB} = \overline{CD}$인 이등변삼각형이므로

$\angle$BDC$= \angle$B$= 64°$

따라서 $\triangle$ADC에서

$\angle x = 64° - 52° = 12°$

[다른 풀이]

$\triangle$ABC는 $\overline{AB} = \overline{AC}$인 이등변삼각형이므로

$\angle$B$= \angle$ACB

$= \dfrac{1}{2} \times (180° - 52°) = 64°$

$\triangle$DBC는 $\overline{CB} = \overline{CD}$인 이등변삼각형이므로

$\angle$BDC$= \angle$B$= 64°$

$\therefore \angle$DCB$= 180° - (64° + 64°) = 52°$

$\therefore \angle x = \angle$ACB$- \angle$DCB

$= 64° - 52° = 12°$

10 [Action] 이등변삼각형의 두 내각의 크기는 서로 같음을 이용한다.

$\triangle$ABC에서 $\angle$ACB$= \angle$ABC$= \angle x$

$\therefore \angle$CAD$= \angle x + \angle x = 2 \angle x$

$\triangle$ACD에서 $\angle$CDA$= \angle$CAD$= 2 \angle x$

$\triangle$DBC에서 $\angle$DCE$= \angle x + 2 \angle x = 3 \angle x$

$\triangle$DCE에서 $\angle$DEC$= \angle$DCE$= 3 \angle x$

$\triangle$DBE에서 $\angle$EDF$= \angle x + 3 \angle x = 4 \angle x$

즉 $4 \angle x = 100°$이므로 $\angle x = 25°$

11 [Action] 삼각형의 한 외각의 크기는 그와 이웃하지 않은 두 내각의 크기의 합과 같음을 이용한다.

$\triangle$ABC에서 $\angle$ACE$= 54° + \angle$ABC

$\therefore \angle$DCE$= \dfrac{1}{2} \angle$ACE$= \dfrac{1}{2} \times (54° + \angle$ABC$)$

$= 27° + \dfrac{1}{2} \angle$ABC ⋯⋯ ㉠

$\triangle$DBC에서 $\angle$DCE$= \angle x + \dfrac{1}{2} \angle$ABC ⋯⋯ ㉡

이때 ㉠, ㉡에서

$27° + \dfrac{1}{2} \angle$ABC$= \angle x + \dfrac{1}{2} \angle$ABC

$\therefore \angle x = 27°$

12 [Action] 크기가 주어진 각을 내각으로 갖는 삼각형을 찾는다.

오른쪽 그림에서

$(\angle x + \angle y) + 45° + 64° = 180°$

$(\angle x + \angle y) + 109° = 180°$

$\therefore \angle x + \angle y = 180° - 109°$

$= 71°$

13 [Action] n각형의 한 꼭짓점에서 그을 수 있는 대각선의 개수는 $(n-3)$개이다.

팔각형의 한 꼭짓점에서 그을 수 있는 대각선의 개수는

$8 - 3 = 5$(개)

$\therefore a = 5$

이때 생기는 삼각형의 개수는

$8 - 2 = 6$(개)

$\therefore b = 6$

$\therefore a + b = 5 + 6 = 11$

14 [Action] 주어진 다각형이 어떤 다각형인지 구한다.

주어진 다각형을 n각형이라 하면

$n - 3 = 8$ $\therefore n = 11$

따라서 십일각형의 대각선의 개수는

$\dfrac{11 \times (11-3)}{2} = 44$(개)

15 [Action] n각형의 대각선의 개수는 $\dfrac{n(n-3)}{2}$개임을 이용하여 주어진 다각형이 어떤 다각형인지 구한다.

주어진 다각형을 n각형이라 하면

$\dfrac{n(n-3)}{2} = 27$

$n(n-3) = 54 = 9 \times 6$ $\therefore n = 9$

따라서 구각형의 꼭짓점의 개수는 9개이다.

16 Action n각형의 한 꼭짓점에서 대각선을 모두 그었을 때 생기는 삼각형의 개수는 $(n-2)$개이다.

주어진 다각형을 n각형이라 하면

$n-2=13$ ∴ $n=15$

따라서 십오각형의 대각선의 개수는

$$\frac{15\times(15-3)}{2}=90\text{(개)}$$

17 Action 변의 길이가 모두 같고, 내각의 크기가 모두 같은 다각형은 정다각형이다.

㈎에서 구하는 다각형은 정다각형이다. …… 30%

구하는 다각형을 정n각형이라 하면 ㈏에서

$$\frac{n(n-3)}{2}=35$$ …… 20%

$n(n-3)=70=10\times7$ ∴ $n=10$ …… 30%

따라서 구하는 다각형은 정십각형이다. …… 20%

18 Action n각형의 내부의 한 점에서 각 꼭짓점에 선분을 그으면 n개의 삼각형이 생긴다.

주어진 다각형을 n각형이라 하면 n각형의 내부의 한 점에서 각 꼭짓점에 선분을 그었을 때 생기는 삼각형의 개수는 n개이므로 $n=13$

따라서 십삼각형의 한 꼭짓점에서 그을 수 있는 대각선의 개수는 $13-3=10$(개)

19 Action 버스 노선의 개수는 팔각형의 변의 개수와 같고, 철도 노선의 개수는 팔각형의 대각선의 개수와 같다.

버스 노선의 개수는 팔각형의 변의 개수와 같으므로 $a=8$

철도 노선의 개수는 팔각형의 대각선의 개수와 같으므로

$$b=\frac{8\times(8-5)}{2}=20$$

∴ $b-a=20-8=12$

🔊 *Lecture*

원 위의 n개의 점에서
(1) 이웃하는 점을 연결하면 ➡ n각형의 변의 개수
(2) 이웃하지 않은 점을 연결하면 ➡ n각형의 대각선의 개수

20 Action n각형의 내각의 크기의 합은 $180°\times(n-2)$임을 이용한다.

오각형의 내각의 크기의 합은 $180°\times(5-2)=540°$이므로

$(3\angle x-10°)+130°+110°+(5\angle x+5°)+105°=540°$

$8\angle x+340°=540°$, $8\angle x=200°$

∴ $\angle x=25°$

21 Action 주어진 다각형이 어떤 다각형인지 구한다.

주어진 다각형을 n각형이라 하면

$180°\times(n-2)=1800°$

$n-2=10$ ∴ $n=12$

따라서 십이각형의 대각선의 개수는

$$\frac{12\times(12-3)}{2}=54\text{(개)}$$

22 Action 다각형의 외각의 크기의 합은 $360°$임을 이용한다.

다각형의 외각의 크기의 합은 $360°$이므로

$\angle x+(180°-115°)+\angle y+(180°-120°)+(180°-78°)$
$=360°$

$\angle x+\angle y+227°=360°$ ∴ $\angle x+\angle y=133°$

23 Action 보조선을 그어 내각의 크기의 합을 구할 수 있는 다각형을 이용한다.

오른쪽 그림에서

$\angle a+\angle b=60°+40°=100°$ …… 40%

사각형의 내각의 크기의 합은 $360°$이므로

$(\angle a+\angle x)+105°+95°+(\angle b+\angle y)$
$=360°$ …… 40%

$\angle x+\angle y+300°=360°$ ∴ $\angle x+\angle y=60°$ …… 20%

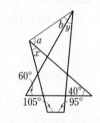

24 Action 보조선을 그어 내각의 크기의 합을 구할 수 있는 다각형을 이용한다.

오른쪽 그림에서

$\angle a+\angle b=\angle x+\angle y$

육각형의 내각의 크기의 합은
$180°\times(6-2)=720°$이므로

$(\angle a+85°)+115°+123°+100°$
$\qquad+140°+(\angle b+75°)=720°$

$\angle a+\angle b+638°=720°$ ∴ $\angle a+\angle b=82°$

∴ $\angle x+\angle y=\angle a+\angle b=82°$

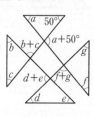

25 Action 삼각형의 한 외각의 크기는 그와 이웃하지 않은 두 내각의 크기의 합과 같음을 이용하여 크기가 같은 각을 찾는다.

오른쪽 그림에서 다각형의 외각의 크기의 합은 $360°$이므로

$(\angle a+50°)+(\angle b+\angle c)$
$\quad+(\angle d+\angle e)+(\angle f+\angle g)=360°$

∴ $\angle a+\angle b+\angle c+\angle d+\angle e+\angle f$
$\qquad\qquad+\angle g=310°$

26 [Action] 정n각형의 한 내각의 크기는 $\dfrac{180°\times(n-2)}{n}$임을 이용한다.

주어진 정다각형을 정n각형이라 하면

$n-3=7$ $\therefore n=10$

따라서 정십각형의 한 내각의 크기는

$\dfrac{180°\times(10-2)}{10}=144°$

27 [Action] 정n각형의 한 외각의 크기는 $\dfrac{360°}{n}$임을 이용한다.

주어진 정다각형을 정n각형이라 하면

$180°\times(n-2)=1080°$

$n-2=6$ $\therefore n=8$

따라서 정팔각형의 한 외각의 크기는

$\dfrac{360°}{8}=45°$

28 [Action] 주어진 정다각형이 어떤 정다각형인지 구한다.

한 내각과 그와 이웃하는 외각의 크기의 합은 $180°$이므로

(한 외각의 크기)$=180°\times\dfrac{2}{7+2}=40°$ (③)

구하는 정다각형을 정n각형이라고 하면 다각형의 외각의 크기의 합은 항상 $360°$이므로

$\dfrac{360°}{n}=40°$ $\therefore n=9$

따라서 구하는 정다각형은 정구각형이다. (①)

② 내각의 크기의 합은 $180°\times(9-2)=1260°$

④ 대각선의 개수는 $\dfrac{9\times(9-3)}{2}=27$(개)

⑤ 한 꼭짓점에서 그을 수 있는 대각선의 개수는

$9-3=6$(개)

따라서 옳지 않은 것은 ④이다.

> **📢 Lecture**
>
> 정n각형에서
>
> (한 내각의 크기) : (한 외각의 크기)$=\dfrac{180°\times(n-2)}{n}:\dfrac{360°}{n}$
>
> 이므로 (한 내각의 크기) : (한 외각의 크기)$=(n-2):2$
>
> 한편 문제에서 한 내각의 크기와 한 외각의 크기의 비가 $7:2$, 즉
>
> $(9-2):2$이므로 구하는 정다각형은 정구각형이다.

29 [Action] △ABP, △PCD는 각각 이등변삼각형임을 이용하여 ∠BPA, ∠CPD의 크기를 각각 구한다.

$\overline{AB}=\overline{BC}=\overline{BP}$이므로 △ABP는 이등변삼각형이다.

$\cdots\cdots$ 20%

이때 ∠ABP$=90°-60°=30°$이므로

∠BPA$=\dfrac{1}{2}\times(180°-30°)=75°$ $\cdots\cdots$ 30%

같은 방법으로

∠CPD$=75°$ $\cdots\cdots$ 20%

$\therefore \angle x=360°-(75°+60°+75°)=150°$ $\cdots\cdots$ 30%

30 [Action] 정오각형과 정육각형의 한 내각의 크기를 각각 구한다.

(1) 정오각형의 한 내각의 크기는

$\dfrac{180°\times(5-2)}{5}=108°$

∠BAC$=\dfrac{1}{2}\times(180°-108°)=36°$

∠ABE$=\dfrac{1}{2}\times(180°-108°)=36°$

따라서 △ABF에서

∠$x=36°+36°=72°$

(2) 정육각형의 한 내각의 크기는

$\dfrac{180°\times(6-2)}{6}=120°$

∠AFC$=\dfrac{1}{2}\angle AFE=\dfrac{1}{2}\times120°=60°$

△ABF에서

∠AFB$=\dfrac{1}{2}\times(180°-120°)=30°$

$\therefore \angle x=60°-30°=30°$

31 [Action] 정오각형의 한 내각의 크기를 구한 후 평행선의 성질을 이용한다.

정오각형의 한 내각의 크기는

$\dfrac{180°\times(5-2)}{5}=108°$

오른쪽 그림과 같이 점 B를 지나고 두 직선 l, m에 평행한 직선을 그으면

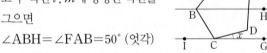

∠ABH$=$∠FAB$=50°$ (엇각)

$\therefore$ ∠HBC$=108°-50°=58°$

따라서 ∠BCI$=$∠HBC$=58°$ (엇각)이므로

∠$x=180°-(58°+108°)=14°$

32 [Action] 정육각형과 정오각형의 한 외각의 크기를 각각 구한다.

정육각형의 한 외각의 크기는 $\dfrac{360°}{6}=60°$

정오각형의 한 외각의 크기는 $\dfrac{360°}{5}=72°$

$\therefore \angle x=360°-\{60°+(60°+72°)+72°\}$

$=96°$

최고수준 완성하기

ⓟ 50~ ⓟ 53

01 30개	**02** 20°	**03** 61°	**04** 40°
05 125°	**06** 210°	**07** 19°	**08** 540°
09 13개	**10** 104개	**11** 325°	**12** 540°
13 140°	**14** 정십이각형	**15** 8장	**16** 96°

01 <kbd>Action</kbd> 점들을 연결하여 만들 수 있는 정사각형을 크기가 작은 것부터 빠짐없이 세어 본다.

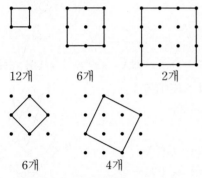

12개   6개   2개

6개   4개

따라서 구하는 정사각형의 개수는

$12+6+2+6+4=30$(개)

02 <kbd>Action</kbd> $\overline{BC}$를 긋고 삼각형의 세 내각의 크기의 합은 $180°$임을 이용한다.

오른쪽 그림과 같이 $\overline{BC}$를 그으면 △FED와 △FBC에서

$\angle FBC+\angle FCB$
$=20°+10°$
$=30°$

△ABC에서

$75°+(55°+\angle FBC)+(\angle FCB+\angle x)=180°$

$75°+55°+30°+\angle x=180°$

$\therefore \angle x=20°$

03 <kbd>Action</kbd> $\angle BED=\angle a$, $\angle CEF=\angle b$로 놓고 $\angle a+\angle b$의 크기를 구한다.

$\angle BED=\angle a$, $\angle CEF=\angle b$라 하면

△BED에서 $\overline{BD}=\overline{BE}$이므로

$\angle BDE=\angle BED=\angle a$

$\therefore \angle DBE=180°-2\angle a$ ······ 20%

△CFE에서 $\overline{CE}=\overline{CF}$이므로

$\angle CFE=\angle CEF=\angle b$

$\therefore \angle FCE=180°-2\angle b$ ······ 20%

따라서 △ABC에서

$58°+(180°-2\angle a)+(180°-2\angle b)=180°$

$2(\angle a+\angle b)=238°$

$\therefore \angle a+\angle b=119°$ ······ 40%

$\therefore \angle x=180°-(\angle a+\angle b)$

$\quad =180°-119°=61°$ ······ 20%

04 <kbd>Action</kbd> $\angle BAC+\angle BCA$의 크기를 구한다.

△ACD에서

$\angle DAC+\angle DCA=180°-70°=110°$이므로

$\angle EAC+\angle ACF=2(\angle DAC+\angle DCA)$

$\quad =2\times110°=220°$

$\therefore \angle BAC+\angle BCA$

$=(180°-\angle EAC)+(180°-\angle ACF)$

$=360°-220°=140°$

따라서 △ABC에서

$\angle B=180°-(\angle BAC+\angle BCA)$

$\quad =180°-140°=40°$

05 <kbd>Action</kbd> 삼각형의 한 외각의 크기는 그와 이웃하지 않은 두 내각의 크기의 합과 같음을 이용한다.

$\angle a=180°-(90°+20°+10°+35°)$

$\quad =25°$ ······ 30%

$\angle b=\angle a+20°$

$\quad =25°+20°=45°$ ······ 30%

$\angle c=180°-(90°+35°)=55°$ ······ 30%

$\therefore \angle a+\angle b+\angle c=25°+45°+55°$

$\quad =125°$ ······ 10%

06 <kbd>Action</kbd> $\angle BAD=\angle DAC=\angle a$, $\angle ABE=\angle EBC=\angle b$로 놓고 $\angle a+\angle b$의 크기를 구한다.

$\angle BAD=\angle DAC=\angle a$, $\angle ABE=\angle EBC=\angle b$라 하면

△ABC에서

$2\angle a+2\angle b+40°=180°$

$2(\angle a+\angle b)=140°$

$\therefore \angle a+\angle b=70°$

△ABD에서 $\angle x=\angle a+2\angle b$

△ABE에서 $\angle y=2\angle a+\angle b$

$\therefore \angle x+\angle y=(\angle a+2\angle b)+(2\angle a+\angle b)$

$\quad =3\angle a+3\angle b$

$\quad =3(\angle a+\angle b)$

$\quad =3\times70°=210°$

07 Action 삼각형의 한 외각의 크기는 그와 이웃하지 않은 두 내각의 크기의 합과 같음을 이용한다.

$\angle ABD = \angle DBE = \angle EBC = \angle a$,

$\angle ACD = \angle DCE = \angle ECF = \angle b$라 하면

$\triangle ABC$에서

$57° + 3\angle a = 3\angle b$

$3\angle b - 3\angle a = 57°$ $\therefore \angle b - \angle a = 19°$

$\triangle DBC$에서

$\angle x + 2\angle a = 2\angle b$

$\therefore \angle x = 2\angle b - 2\angle a$

$\qquad = 2(\angle b - \angle a)$

$\qquad = 2 \times 19° = 38°$

$\triangle EBC$에서 $\angle y + \angle a = \angle b$

$\therefore \angle y = \angle b - \angle a = 19°$

$\therefore \angle x - \angle y = 38° - 19° = 19°$

08 Action 삼각형의 한 외각의 크기는 그와 이웃하지 않은 두 내각의 크기의 합과 같음을 이용한다.

오른쪽 그림의 $\triangle ACJ$에서

$\angle a + \angle c + \angle e + \angle f = 180°$

$\triangle BHG$에서

$\angle b + \angle h + \angle g = 180°$

$\triangle IDJ$에서

$\angle i + \angle d + \angle j = 180°$

$\therefore \angle a + \angle b + \angle c + \angle d + \angle e + \angle f + \angle g + \angle h + \angle i + \angle j$

$\qquad = 180° \times 3 = 540°$

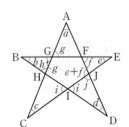

09 Action 사각형, 오각형은 한 꼭짓점에서 그은 대각선에 의하여 각각 2개, 3개의 삼각형으로 나누어짐을 이용한다.

은수에게 주어진 다각형을 m각형이라 하면

$m - 2 = 3$에서 $m = 5$

즉 은수에게 주어진 다각형은 오각형이므로 변의 개수는 5개이다.

영민이에게 주어진 다각형을 n각형이라 하면

사각형, 오각형은 한 꼭짓점에서 그은 대각선에 의하여 각각 2개, 3개의 삼각형으로 나누어지므로 n각형은

$1 + 2 + 3 = 6$(개)의 삼각형으로 나누어진다.

$n - 2 = 6$에서 $n = 8$

즉 영민이에게 주어진 다각형은 팔각형이므로 변의 개수는 8개이다.

따라서 구하는 다각형의 변의 개수의 합은

$5 + 8 = 13$(개)

10 Action 주어진 다각형이 어떤 다각형인지 구한다.

구하는 다각형을 n각형이라 하면

$a = n - 3$, $b = n - 2$ ······ 40%

$a + b = 27$이므로

$(n-3) + (n-2) = 27$

$2n = 32$ $\therefore n = 16$ ······ 30%

따라서 십육각형의 대각선의 개수는

$\dfrac{16 \times (16-3)}{2} = 104$(개)   ······ 30%

11 Action $\angle BGD = \angle a + \angle GHA = \angle a + \angle e + 35°$임을 이용한다.

오른쪽 그림의 $\triangle EFH$에서

$\angle EHA = \angle e + 35°$

$\triangle AGH$에서

$\angle BGD = \angle a + \angle GHA$

$\qquad = \angle a + \angle e + 35°$

이므로

$\angle a + \angle e = \angle BGD - 35°$

$\therefore \angle a + \angle b + \angle c + \angle d + \angle e$

$\qquad = \angle BGD - 35° + \angle b + \angle c + \angle d$

$\qquad = ($사각형 BCDG의 내각의 크기의 합$) - 35°$

$\qquad = 360° - 35°$

$\qquad = 325°$

12 Action 보조선을 긋고 삼각형 또는 사각형의 내각의 크기의 합을 이용한다.

오른쪽 그림과 같이 $\overline{BC}$와 $\overline{AD}$를 그으면

$\angle CAD + \angle BDA$

$= \angle ACB + \angle DBC$

$\therefore \angle a + \angle b + \angle c + \angle d + \angle e$

$\qquad + \angle f + \angle g$

$= ($사각형 BCEG의 내각의 크기의 합$)$

$\qquad + ($삼각형 ADF의 내각의 크기의 합$)$

$= 360° + 180° = 540°$

다른 풀이

주어진 그림을 가운데의 칠각형과 7개의 삼각형으로 나누어 생각하면

$\angle a + \angle b + \angle c + \angle d + \angle e + \angle f + \angle g$

$= 180° \times 7 - ($칠각형의 외각의 크기의 합$) \times 2$

$= 180° \times 7 - 360° \times 2$

$= 540°$

13 Action n각형의 모든 내각과 외각의 크기의 합은 $180° \times n$임을 이용한다.

주어진 정다각형을 정n각형이라 하면

모든 내각과 외각의 크기의 합은 $180° \times n$이므로

$180° \times n = 1620°$

∴ $n = 9$

따라서 정구각형의 한 내각의 크기는

$\dfrac{180° \times (9-2)}{9} = 140°$

🔊 *Lecture*

n각형의 내각과 외각의 크기의 합

(n각형의 내각의 크기의 합) + (n각형의 외각의 크기의 합)

$= 180° \times (n-2) + 360°$

$= 180° \times n - 360° + 360°$

$= 180° \times n$

14 Action 만들어지는 다각형은 한 외각의 크기가 $30°$인 정다각형이다.

만들어지는 다각형은 모든 변의 길이가 같고, 모든 외각의 크기가 $30°$로 같으므로 정다각형이다.

만들어지는 정다각형을 정n각형이라 하면

$\dfrac{360°}{n} = 30°$ ∴ $n = 12$

따라서 만들어지는 다각형은 정십이각형이다.

15 Action 원의 내부에 생기는 정다각형의 한 내각의 크기를 구해 본다.

정오각형의 한 내각의 크기는

$\dfrac{180° \times (5-2)}{5} = 108°$

즉 원의 내부에 생기는 정n각형의 한 내각의 크기는

$360° - 2 \times 108° = 144°$

이때 $\dfrac{180° \times (n-2)}{n} = 144°$에서

$180° \times n - 360° = 144° \times n$

$36° \times n = 360°$

∴ $n = 10$

따라서 원주를 빈틈없이 채우려면 정오각형 모양의 색종이가 8장 더 필요하다.

16 Action 정삼각형, 정사각형, 정오각형의 한 내각의 크기를 각각 구한다.

정삼각형, 정사각형, 정오각형의 한 내각의 크기는 각각 $60°$, $90°$, $\dfrac{180° \times (5-2)}{5} = 108°$이다.

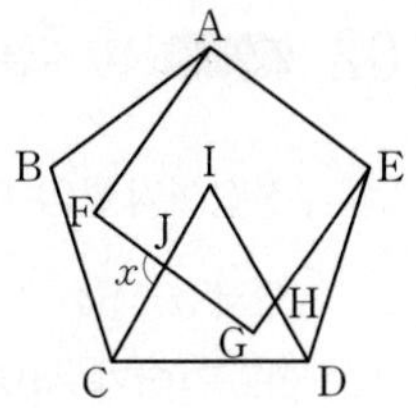

오른쪽 그림의 △ICD에서

$\angle CID = 60°$

사각형 AFGE에서

$\angle FGE = 90°$

△HDE에서

$\angle HED = 108° - 90° = 18°$,

$\angle HDE = 108° - 60° = 48°$이므로

$\angle EHD = 180° - (18° + 48°) = 114°$

∴ $\angle IHG = \angle EHD = 114°$ (맞꼭지각)

따라서 사각형 IJGH의 내각의 크기의 합은 $360°$이므로

$60° + \angle x + 90° + 114° = 360°$

$\angle x + 264° = 360°$

∴ $\angle x = 96°$

최고
수준 **뛰어넘기**   P 54 ~ P 55

01 $80°$	02 49	03 $360°$	04 5
05 20	06 22종류		

01 Action $\overline{BD}$를 긋고 삼각형의 세 내각의 크기의 합은 $180°$임을 이용한다.

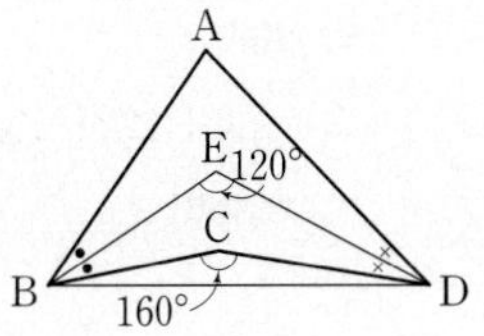

오른쪽 그림과 같이 $\overline{BD}$를 긋고

$\angle ABE = \angle EBC = \angle a$,

$\angle ADE = \angle EDC = \angle b$라 하면

△CBD에서

$\angle CBD + \angle CDB = 180° - 160°$
$\qquad\qquad\qquad\quad = 20°$

△EBD에서

$\angle EBD + \angle EDB = 180° - 120° = 60°$

이때 $\angle EBD = \angle a + \angle CBD$, $\angle EDB = \angle b + \angle CDB$이므로

$(\angle a + \angle CBD) + (\angle b + \angle CDB) = 60°$

$\angle a + \angle b + 20° = 60°$

∴ $\angle a + \angle b = 40°$

따라서 △ABD에서

$\angle A = 180° - (\angle B + \angle D)$

$\quad = 180° - \{(2\angle a + \angle CBD) + (2\angle b + \angle CDB)\}$

$\quad = 180° - \{2(\angle a + \angle b) + (\angle CBD + \angle CDB)\}$

$\quad = 180° - (80° + 20°)$

$\quad = 80°$

02 Action 정n각형의 대각선의 개수는 $\dfrac{n(n-3)}{2}$개이다.

정십이각형의 대각선의 개수는 $\dfrac{12 \times (12-3)}{2} = 54$(개)이므로 $a = 54$

또, 길이가 서로 다른 대각선의 개수는

오른쪽 그림과 같이 5개이므로 $b = 5$

$\therefore a - b = 54 - 5 = 49$

03 Action $\overline{AB}, \overline{BC}, \overline{CD}, \overline{DA}$를 그어 사각형의 내각의 합을 이용한다.

오른쪽 그림과 같이 $\overline{AB}, \overline{BC}, \overline{CD},$
$\overline{DA}$를 그으면

$\triangle ABF$에서

$\angle FAB + \angle FBA = 180° - \angle f$

$\triangle BCG$에서

$\angle GBC + \angle GCB = 180° - \angle g$

$\triangle CDH$에서

$\angle HCD + \angle HDC = 180° - \angle h$

$\triangle DAE$에서

$\angle EDA + \angle EAD = 180° - \angle e$

사각형 ABCD의 내각의 크기의 합은 $360°$이므로

$\angle a + \angle b + \angle c + \angle d + (180° - \angle f) + (180° - \angle g)$
$\qquad\qquad\qquad + (180° - \angle h) + (180° - \angle e)$

$= (\angle a + \angle b + \angle c + \angle d) - (\angle e + \angle f + \angle g + \angle h) + 720°$

$= 360°$

$\therefore (\angle e + \angle f + \angle g + \angle h) - (\angle a + \angle b + \angle c + \angle d)$
$\qquad = 360°$

04 Action 길이가 $3, x, y$인 세 변의 연장선으로 삼각형을 만들어 본다.

오른쪽 그림과 같이 길이가 $3, x, y$인 세 변의 연장선으로 삼각형 ABC를 만들면 주어진 육각형의 내각의 크기가 모두 같으므로 한 외각의 크기도 $\dfrac{360°}{6} = 60°$로 모두 같다.

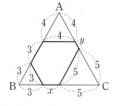

따라서 $\triangle ABC$는 정삼각형이므로 세 변의 길이가 모두 같다.

즉 $4 + 3 + 3 = 3 + x + 5 = 5 + y + 4$

$\therefore x = 2, y = 1$

$\therefore 2x + y = 2 \times 2 + 1 = 5$

05 Action 주어진 그림은 정n각형의 한 변을 밑변으로 하는 합동인 n개의 이등변삼각형을 꼭짓점끼리 붙여 놓은 것이다.

주어진 그림은 정n각형의 한 변을 밑변으로 하는 합동인 n개의 이등변삼각형을 꼭짓점끼리 붙여 놓은 것이다.

$\angle A_1B_2B_1 = \angle a$, $\angle B_3B_2B_1 = \angle b$라 하면

$\triangle A_1B_2B_1$은 이등변삼각형이므로

$\angle A_1B_1B_2 = \angle A_1B_2B_1 = \angle a$

$\triangle A_1B_2B_1$에서 $\angle A_1 + 2\angle a = 180°$

$\therefore \angle A_1 = 180° - 2\angle a$

이때 $\triangle A_2B_3B_2 \equiv \triangle A_1B_2B_1$ (SAS 합동)이므로

$\angle A_2B_2B_3 = \angle A_1B_1B_2 = \angle a$

$\therefore \angle A_2B_2A_1 = \angle A_1 + 18°$
$\qquad\qquad = (180° - 2\angle a) + 18°$
$\qquad\qquad = 198° - 2\angle a$

$\angle A_2B_2A_1 + \angle A_2B_2B_3 + \angle B_3B_2B_1 + \angle A_1B_2B_1 = 360°$에서

$(198° - 2\angle a) + \angle a + \angle b + \angle a = 360°$

$\angle b + 198° = 360° \qquad \therefore \angle b = 162°$

즉 $\angle B_3B_2B_1$은 정n각형의 한 내각이고 그 크기가 $162°$이므로

$\dfrac{180° \times (n-2)}{n} = 162°$

$180° \times n - 360° = 162° \times n$

$18° \times n = 360° \qquad \therefore n = 20$

Lecture

$\triangle A_2B_3B_2$와 $\triangle A_1B_2B_1$에서

$\overline{A_2B_3} = \overline{A_1B_2}$, $\overline{A_2B_2} = \overline{A_1B_1}$, $\angle B_3A_2B_2 = \angle B_2A_1B_1$

$\therefore \triangle A_2B_3B_2 \equiv \triangle A_1B_2B_1$ (SAS 합동)

06 Action 정다각형의 한 외각의 크기가 (정수)$°$일 조건을 생각한다.

정다각형의 한 내각의 크기가 (정수)$°$이면 한 외각의 크기도 $180° - (정수)° = (정수)°$이다.

정n각형의 한 외각의 크기, 즉 $\dfrac{360°}{n}$가 (정수)$°$가 되려면 n은 360의 약수이어야 한다.

$360 = 2^3 \times 3^2 \times 5$이므로 360의 약수의 개수는

$(3+1) \times (2+1) \times (1+1) = 24$(개)

이때 n은 3 이상이어야 하므로 조건을 만족시키는 n은 1과 2를 제외한 22개이다.

따라서 한 내각의 크기가 (정수)$°$인 정다각형은 모두 22종류이다.

Lecture

약수의 개수

자연수 A가 $A = a^m \times b^n$ (a, b는 서로 다른 소수)으로 소인수분해될 때

(A의 약수의 개수) $= (m+1) \times (n+1)$개

2. 원과 부채꼴

최고 수준 입문하기   **P** 57– **P** 61

01 ②, ④	**02** 60°	**03** $x=8, y=120$	
04 80°	**05** 30°	**06** 75 cm	**07** 24 cm
08 10 cm	**09** 4 cm	**10** 25°	**11** 45 cm²
12 26 cm	**13** ④	**14** ③	**15** 22π cm
16 $\frac{41}{2}\pi$ cm²	**17** 30π cm²	**18** 10π cm²	**19** 8π cm
20 30°	**21** 둘레의 길이 : $(4\pi+8)$ cm, 넓이 : 8π cm²		
22 8π cm	**23** $\left(\frac{9}{2}\pi+9\right)$ cm		
24 둘레의 길이 : $(6\pi+24)$ cm, 넓이 : $(72-18\pi)$ cm²			
25 18 cm²	**26** $(9\pi-18)$ cm²		
27 $\left(\frac{9}{2}\pi-9\right)$ cm²		**28** $\frac{16}{3}\pi$ cm²	**29** 30 cm²
30 2π	**31** $(6\pi+18)$ cm		
32 (1) $(4\pi+30)$ cm² (2) $(2\pi+15)$ cm		**33** 6π cm	

01 Action 원과 부채꼴에 대하여 알아본다.

① 부채꼴은 두 반지름과 호로 이루어진 도형이다.
③ 합동인 두 원에 대하여 중심각의 크기가 같으면 현의 길이도 같다. 즉 반지름의 길이가 다른 두 원에서는 중심각의 크기가 같아도 현의 길이는 다르다.
⑤ 반원은 부채꼴이면서 활꼴이다.

02 Action △OAB는 정삼각형임을 이용한다.

$\overline{AB}=\overline{OA}=\overline{OB}$이므로 △OAB는 정삼각형이다.
∴ $\angle x=60°$

03 Action 한 원에서 호의 길이는 중심각의 크기에 정비례함을 이용한다.

$20° : 80° = 2 : x$이므로
$1 : 4 = 2 : x$ ∴ $x=8$
$20° : y° = 2 : 12$이므로
$20 : y = 1 : 6$ ∴ $y=120$

04 Action 한 원에서 호의 길이는 중심각의 크기에 정비례함을 이용한다.

$\angle AOB = 360° \times \dfrac{2}{2+3+4}$
$\qquad\qquad = 360° \times \dfrac{2}{9} = 80°$

📣 Lecture

호의 길이의 비에 대한 중심각의 크기
한 원에서 호의 길이는 중심각의 크기에 정비례하므로
$\overparen{AB} : \overparen{BC} : \overparen{CA} = a : b : c$일 때,
$\angle AOB = 360° \times \dfrac{a}{a+b+c}$
$\angle BOC = 360° \times \dfrac{b}{a+b+c}$
$\angle COA = 360° \times \dfrac{c}{a+b+c}$

05 Action $\overparen{AC}=5\overparen{BC}$에서 $\overparen{AC} : \overparen{BC} = 5 : 1$임을 이용한다.

$\overparen{AC}=5\overparen{BC}$에서 $\overparen{AC} : \overparen{BC} = 5 : 1$이므로
$\angle AOC : \angle BOC = 5 : 1$ …… 70%
∴ $\angle BOC = 180° \times \dfrac{1}{5+1}$
$\qquad\qquad = 180° \times \dfrac{1}{6} = 30°$ …… 30%

06 Action 원의 둘레의 길이를 x cm로 놓고 한 원에서 호의 길이는 중심각의 크기에 정비례함을 이용한다.

원 O의 둘레의 길이를 x cm라 하면
$24° : 360° = 5 : x$
$1 : 15 = 5 : x$ ∴ $x=75$
따라서 원 O의 둘레의 길이는 75 cm이다.

07 Action $\overline{OD}$를 긋고 한 원에서 호의 길이는 중심각의 크기에 정비례함을 이용한다.

$\overline{AD} /\!/ \overline{OC}$이므로
$\angle OAD = \angle BOC$
$\qquad\qquad = 36°$ (동위각)

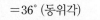
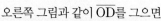

오른쪽 그림과 같이 $\overline{OD}$를 그으면
△ODA에서 $\overline{OA}=\overline{OD}$이므로
$\angle ODA = \angle OAD = 36°$
∴ $\angle AOD = 180° - (36°+36°)$
$\qquad\qquad = 108°$
따라서 $\overparen{AD} : \overparen{BC} = 108° : 36°$이므로
$\overparen{AD} : 8 = 3 : 1$ ∴ $\overparen{AD} = 24$ (cm)

📣 Lecture

한 원에서 호의 길이 또는 중심각의 크기를 구할 때
(1) 이등변삼각형을 찾거나 보조선을 그어 이등변삼각형을 만든다.
➡ 두 밑각의 크기가 같음을 이용한다.
(2) 평행선을 긋는다.
➡ 동위각 또는 엇각의 크기가 같음을 이용한다.

08 `Action` ∠AOD=∠x로 놓고 ∠BOC의 크기를 ∠x를 사용하여 나타낸다.

오른쪽 그림과 같이 $\overline{OC}$를 긋고
∠AOD=∠x라 하면

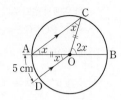

∠CAO=∠AOD=∠x (엇각)

△OCA에서 $\overline{OA}=\overline{OC}$이므로

∠OCA=∠OAC=∠x

∴ ∠BOC=∠x+∠x=2∠x

따라서 $\overparen{AD}$: $\overparen{BC}$=∠x : 2∠x이므로

5 : $\overparen{BC}$=1 : 2 ∴ $\overparen{BC}$=10 (cm)

09 `Action` 삼각형의 한 외각의 크기는 그와 이웃하지 않은 두 내각의 크기의 합과 같음을 이용한다.

△COE에서 $\overline{CO}=\overline{CE}$이므로

∠COE=∠CEO=20°

∴ ∠OCD=20°+20°=40° …… 30%

△OCD에서 $\overline{OC}=\overline{OD}$이므로

∠ODC=∠OCD=40°

△OED에서

∠DOB=20°+40°=60° …… 30%

따라서 $\overparen{AC}$: $\overparen{BD}$=20° : 60°이므로

$\overparen{AC}$: 12=1 : 3 ∴ $\overparen{AC}$=4 (cm) …… 40%

10 `Action` 한 원에서 부채꼴의 넓이는 중심각의 크기에 정비례함을 이용한다.

(∠x+5°) : (5∠x-5°)=7 : 28이므로

(∠x+5°) : (5∠x-5°)=1 : 4

5∠x-5°=4∠x+20°

∴ ∠x=25°

11 `Action` 한 원에서 부채꼴의 넓이는 중심각의 크기에 정비례함을 이용한다.

$\overline{AB}$∥$\overline{OC}$이므로

∠OAB=∠DOC=40° (동위각)

△OAB에서 $\overline{OA}=\overline{OB}$이므로

∠OBA=∠OAB=40°

∴ ∠AOB=180°-(40°+40°)=100°

따라서

(부채꼴 AOB의 넓이) : (부채꼴 COD의 넓이)=100° : 40°

이므로

(부채꼴 AOB의 넓이) : 18=5 : 2

∴ (부채꼴 AOB의 넓이)=45 (cm²)

12 `Action` 한 원에서 중심각의 크기가 같은 두 현의 길이는 같음을 이용한다.

오른쪽 그림과 같이 $\overline{OA}$를 그으면
$\overparen{AB}=\overparen{AC}$이므로

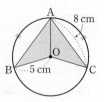

∠AOB=∠AOC

∴ $\overline{AB}=\overline{AC}$=8 cm

$\overline{OC}=\overline{OB}$=5 cm이므로

(둘레의 길이)=8+5+5+8
=26 (cm)

13 `Action` 한 원에서 현의 길이는 중심각의 크기에 정비례하지 않는다.

④ 현의 길이는 중심각의 크기에 정비례하지 않으므로
$\overline{CE}$≠2$\overline{AB}$

14 `Action` ∠AOC, ∠BOC의 크기를 각각 구해 본다.

$\overline{OB}=\overline{OC}=\overline{CB}$이므로 △OBC는 정삼각형이다.

∴ ∠COB=60°, ∠AOC=180°-60°=120°

① $\overparen{AB}$: $\overparen{AC}$=∠AOB : ∠AOC
=180° : 120°=3 : 2

② ∠COB=60°, ∠AOC=120°이므로

∠COB=$\frac{1}{2}$∠AOC

③ ∠AOB=180°, ∠OBC=60°이므로

∠AOB=3∠OBC

④ 현의 길이는 중심각의 크기에 정비례하지 않는다.

⑤ ∠AOC=2∠COB이므로

(부채꼴 AOC의 넓이)=2×(부채꼴 COB의 넓이)

따라서 옳지 않은 것은 ③이다.

15 `Action` 색칠한 부분의 둘레의 길이는 지름의 길이가 6 cm인 원과 지름의 길이가 16 cm인 원의 둘레의 길이의 합과 같다.

(둘레의 길이)

=(지름의 길이가 6 cm인 원의 둘레의 길이)
      +(지름의 길이가 16 cm인 원의 둘레의 길이)

=2π×3+2π×8

=6π+16π

=22π (cm)

16 `Action` (반지름의 길이가 r인 반원의 넓이)=πr^2×$\frac{1}{2}$임을 이용한다.

(넓이)=π×9^2×$\frac{1}{2}$-π×7^2×$\frac{1}{2}$+π×3^2×$\frac{1}{2}$

=$\frac{81}{2}$π-$\frac{49}{2}$π+$\frac{9}{2}$π

=$\frac{41}{2}$π (cm²)

17 `Action` 색칠한 부채꼴의 중심각의 크기는 정오각형의 한 내각의 크기와 같음을 이용한다.

$$(\text{정오각형의 한 내각의 크기}) = \frac{180° \times (5-2)}{5}$$
$$= 108°$$

$$\therefore (\text{넓이}) = \pi \times 10^2 \times \frac{108}{360} = 30\pi \ (\text{cm}^2)$$

18 `Action` 색칠한 부채꼴의 중심각의 크기의 합을 구한다.

색칠한 부채꼴의 중심각의 크기의 합은
$$10° + 40° + 30° + 20° = 100°$$
따라서 구하는 부채꼴의 넓이의 합은 중심각의 크기가 $100°$인 부채꼴의 넓이와 같으므로

$$\pi \times 6^2 \times \frac{100}{360} = 10\pi \ (\text{cm}^2)$$

19 `Action` 반지름의 길이가 r, 호의 길이가 l인 부채꼴의 넓이를 S라 하면 $S = \frac{1}{2} r l$이다.

부채꼴의 호의 길이를 l cm라 하면
$$\frac{1}{2} \times 6 \times l = 24\pi \qquad \therefore l = 8\pi$$
따라서 부채꼴의 호의 길이는 8π cm이다.

20 `Action` 먼저 부채꼴의 반지름의 길이를 구한다.

부채꼴의 반지름의 길이를 r cm라 하면
$$\frac{1}{2} \times r \times \pi = 3\pi \qquad \therefore r = 6 \qquad \cdots\cdots 50\%$$
부채꼴의 중심각의 크기를 $x°$라 하면
$$2\pi \times 6 \times \frac{x}{360} = \pi \qquad \therefore x = 30$$
따라서 부채꼴의 중심각의 크기는 $30°$이다. $\qquad \cdots\cdots 50\%$

21 `Action` 색칠한 부분의 둘레의 길이를 구할 때, 직선 부분을 빠뜨리지 않도록 주의한다.

$$(\text{둘레의 길이}) = 2\pi \times 6 \times \frac{45}{360} + 2\pi \times 10 \times \frac{45}{360} + 4 + 4$$
$$= \frac{3}{2}\pi + \frac{5}{2}\pi + 8$$
$$= 4\pi + 8 \ (\text{cm})$$
$$(\text{넓이}) = \pi \times 10^2 \times \frac{45}{360} - \pi \times 6^2 \times \frac{45}{360}$$
$$= \frac{25}{2}\pi - \frac{9}{2}\pi$$
$$= 8\pi \ (\text{cm}^2)$$

22 `Action` $\triangle ABC$가 정삼각형이므로 정삼각형의 한 내각의 크기는 $60°$임을 이용한다.

$$(\text{둘레의 길이}) = \overarc{AB} + \overarc{BC} + \overarc{CA}$$
$$= \overarc{AB} \times 3$$
$$= \left(2\pi \times 8 \times \frac{60}{360}\right) \times 3$$
$$= 8\pi \ (\text{cm})$$

23 `Action` 색칠한 부분에서 두 호의 길이의 합은 반지름의 길이가 9 cm이고 중심각의 크기가 $90°$인 부채꼴의 호의 길이와 같다.

오른쪽 그림에서 $\overarc{PB} = \overarc{PC}$이므로
$$(\text{둘레의 길이})$$
$$= \overarc{AP} + \overarc{PB} + \overline{AB}$$
$$= \overarc{AP} + \overarc{PC} + \overline{AB}$$
$$= \overarc{AC} + \overline{AB}$$
$$= 2\pi \times 9 \times \frac{90}{360} + 9$$
$$= \frac{9}{2}\pi + 9 \ (\text{cm})$$

24 `Action` 색칠한 부분의 넓이를 구할 때, 같은 부분이 있으면 한 부분의 넓이를 구한 후 같은 부분의 개수를 곱한다.

$$(\text{둘레의 길이}) = \left(2\pi \times 6 \times \frac{90}{360}\right) \times 2 + 6 \times 4$$
$$= 6\pi + 24 \ (\text{cm}) \qquad \cdots\cdots 50\%$$
구하는 넓이는 오른쪽 그림의 색칠한 부분의 넓이의 2배와 같으므로
$$(\text{넓이})$$
$$= \left(6 \times 6 - \pi \times 6^2 \times \frac{90}{360}\right) \times 2$$
$$= 72 - 18\pi \ (\text{cm}^2)$$
$$\qquad \cdots\cdots 50\%$$

25 `Action` 도형의 일부분을 옮겨 간단한 도형이 되도록 만든다.

오른쪽 그림에서
$$(\text{넓이}) = 3 \times 6 = 18 \ (\text{cm}^2)$$

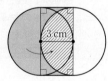

26 `Action` 도형의 일부분을 옮겨 간단한 도형이 되도록 만든다.

오른쪽 그림에서
$$(\text{넓이}) = \pi \times 6^2 \times \frac{90}{360} - \frac{1}{2} \times 6 \times 6$$
$$= 9\pi - 18 \ (\text{cm}^2)$$

27 [Action] 도형의 일부분을 옮겨 간단한 도형이 되도록 만든다.

오른쪽 그림에서

$$(\text{넓이}) = \pi \times 6^2 \times \frac{45}{360} - \frac{1}{2} \times 6 \times 3$$

$$= \frac{9}{2}\pi - 9 \ (\text{cm}^2)$$

28 [Action] 반원의 넓이와 부채꼴의 넓이의 합과 차를 이용한다.

(넓이)

$= (\text{부채꼴 B'AB의 넓이}) + (\text{반원 O'의 넓이})$

$\qquad\qquad\qquad\qquad\qquad - (\text{반원 O의 넓이})$

$= (\text{부채꼴 B'AB의 넓이})$

$= \pi \times 8^2 \times \dfrac{30}{360} = \dfrac{16}{3}\pi \ (\text{cm}^2)$

29 [Action] 반원의 넓이와 삼각형의 넓이의 합과 차를 이용한다.

(넓이)

$= (\text{지름이 } \overline{AB}\text{인 반원의 넓이})$

$\qquad + (\text{지름이 } \overline{AC}\text{인 반원의 넓이}) + \triangle ABC$

$\qquad\qquad - (\text{지름이 } \overline{BC}\text{인 반원의 넓이})$

$= \pi \times \left(\dfrac{5}{2}\right)^2 \times \dfrac{1}{2} + \pi \times 6^2 \times \dfrac{1}{2} + \dfrac{1}{2} \times 5 \times 12$

$\qquad\qquad\qquad\qquad - \pi \times \left(\dfrac{13}{2}\right)^2 \times \dfrac{1}{2}$

$= \dfrac{25}{8}\pi + 18\pi + 30 - \dfrac{169}{8}\pi$

$= 30 \ (\text{cm}^2)$

30 [Action] 색칠한 부분의 넓이가 서로 같음을 이용하여 넓이가 같은 두 도형을 찾아본다.

색칠한 두 부분의 넓이가 서로 같으므로 직사각형 ABCD의 넓이와 부채꼴 ABE의 넓이가 서로 같다.

따라서 $8 \times x = \pi \times 8^2 \times \dfrac{90}{360}$ 이므로 $x = 2\pi$

📣 **Lecture**

문제에서 색칠한 부분의 넓이만을 비교하는 것은 어려우므로 넓이를 구할 수 있는 도형, 즉 직사각형과 부채꼴의 넓이가 서로 같음을 이용해야 한다.

31 [Action] 곡선 부분과 직선 부분으로 나누어서 각각의 길이를 구한다.

오른쪽 그림에서

(곡선 부분의 길이)

$= \left(2\pi \times 3 \times \dfrac{120}{360}\right) \times 3 = 6\pi \ (\text{cm})$

(직선 부분의 길이)

$= 6 \times 3 = 18 \ (\text{cm})$

$\therefore (\text{최소 길이}) = 6\pi + 18 \ (\text{cm})$

32 [Action] 원 O가 지나간 부분을 그려 본다.

(1) 원 O가 지나간 부분은 오른쪽 그림의 색칠한 부분과 같다.

$\therefore (\text{넓이})$

$= \left(\pi \times 2^2 \times \dfrac{120}{360}\right) \times 3$

$\qquad + (5 \times 2) \times 3$

$= 4\pi + 30 \ (\text{cm}^2)$

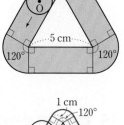

(2) 원 O의 중심이 움직인 부분은 오른쪽 그림과 같다.

$\therefore (\text{거리})$

$= \left(2\pi \times 1 \times \dfrac{120}{360}\right) \times 3$

$\qquad + 5 \times 3$

$= 2\pi + 15 \ (\text{cm})$

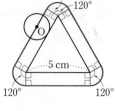

33 [Action] 꼭짓점 B가 움직인 부분을 그려 본다.

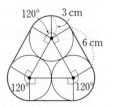

위 그림에서

$(\text{거리}) = 2\pi \times 4 \times \dfrac{90}{360} + 2\pi \times 5 \times \dfrac{90}{360} + 2\pi \times 3 \times \dfrac{90}{360}$

$= 2\pi + \dfrac{5}{2}\pi + \dfrac{3}{2}\pi = 6\pi \ (\text{cm})$

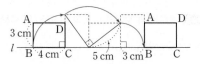

최고수준 **완성하기**　　　　　　　　　　ⓟ 62 – ⓟ 65

01 $26°$	**02** $1:1$	**03** 10 cm	**04** $108°$
05 $(9\pi + 24)$ cm		**06** 24π cm	**07** 44π cm^2
08 8π cm	**09** $(100 - 25\pi)$ cm^2		**10** 16
11 25π cm^2	**12** $\left(\dfrac{9}{4}\pi + \dfrac{15}{2}\right)$ cm^2		
13 $(256 + 16\pi)$ cm^2		**14** 6π cm^2	
15 $(46\pi + 84)$ m^2		**16** $(24\pi + 80)$ cm^2	

01 [Action] $\angle APC = \angle x$로 놓고 $\angle BOD$의 크기를 $\angle x$를 사용하여 나타낸다.

$\angle APC = \angle x$라 하면

$\triangle PCO$에서 $\overline{CP} = \overline{CO}$이므로

$\angle COP = \angle APC = \angle x$

$\therefore \angle OCD = \angle x + \angle x = 2\angle x$

△OCD에서 $\overline{OC}=\overline{OD}$이므로

∠ODC = ∠OCD = 2∠x

△OPD에서

∠BOD = ∠x+2∠x = 3∠x

따라서 3∠x=78°이므로 ∠x=26°

02 Action $\overline{DO}$를 그어 한 원에서 중심각의 크기가 같은 두 현의 길이는 같음을 이용한다.

$\overline{CO}/\!/\overline{DB}$이므로

∠COA = ∠DBO (동위각)

오른쪽 그림과 같이 $\overline{DO}$를 그으면

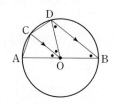

△DOB에서 $\overline{OD}=\overline{OB}$이므로

∠BDO = ∠DBO

이때 ∠DOC = ∠BDO (엇각)이므로

∠COA = ∠DOC

따라서 $\overset{\frown}{AC}=\overset{\frown}{CD}$이므로 $\overset{\frown}{AC} : \overset{\frown}{CD} = 1 : 1$

03 Action $\overline{OC}$를 긋고 $\overset{\frown}{BC} : \overset{\frown}{BDC} = 5 : 7$임을 이용하여 ∠BOC의 크기를 구한다.

오른쪽 그림과 같이 $\overline{OC}$를 그으면

$\overset{\frown}{BC} : \overset{\frown}{BDC} = 5 : 7$이므로

$∠BOC = 360° \times \dfrac{5}{5+7} = 150°$

∴ ∠AOC = 180° - 150° = 30°

∠CDO = 3∠x, ∠AOD = 4∠x라 하면

△OCD에서 $\overline{OC}=\overline{OD}$이므로

∠OCD = ∠ODC = 3∠x

△OCD에서

3∠x+3∠x+(4∠x+30°) = 180°

10∠x = 150°   ∴ ∠x = 15°

따라서 ∠AOD = 4∠x = 4×15° = 60°이므로

∠BOD = 180° - 60° = 120°

$\overset{\frown}{BD} : 30 = 120° : 360°$이므로

$\overset{\frown}{BD} : 30 = 1 : 3$ ∴ $\overset{\frown}{BD} = 10$ (cm)

04 Action 한 원에서 부채꼴의 넓이는 중심각의 크기에 정비례함을 이용한다.

∠SOT : 360° = 3π : 15π이므로

∠SOT : 360° = 1 : 5   ∴ ∠SOT = 72°

△POQ에서

∠a+72°+∠b = 180°   ∴ ∠a+∠b = 108°

05 Action 곡선 부분과 직선 부분으로 나누어 각각의 길이를 구한다.

(둘레의 길이)

= (반지름의 길이가 3 cm인 원의 둘레의 길이)×$\dfrac{1}{2}$

　　+ (반지름의 길이가 2 cm인 원의 둘레의 길이)

　　+ (반지름의 길이가 1 cm인 원의 둘레의 길이)+3×8

$= 2\pi \times 3 \times \dfrac{1}{2} + 2\pi \times 2 + 2\pi \times 1 + 3 \times 8$

$= 3\pi + 4\pi + 2\pi + 24$

$= 9\pi + 24$ (cm)

06 Action 색칠한 부분의 둘레의 길이는 $\overset{\frown}{OA}$의 길이의 12배이다.

오른쪽 그림과 같이 $\overline{AD}, \overline{BE}, \overline{CF}$를 그으면 △ABO는 정삼각형이므로

∠ABO = 60°

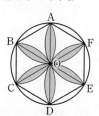

∴ (둘레의 길이)

$= 12\overset{\frown}{OA}$

$= 12 \times \left(2\pi \times 6 \times \dfrac{60}{360}\right)$

$= 24\pi$ (cm)

07 Action 각 부채꼴의 중심각의 크기와 반지름의 길이를 각각 알아본다.

정오각형의 한 외각의 크기는 $\dfrac{360°}{5} = 72°$

점 B, C, D, E, A가 중심인 부채꼴의 반지름의 길이는 각각 2 cm, 4 cm, 6 cm, 8 cm, 10 cm이므로

(넓이)

$= \pi \times 2^2 \times \dfrac{72}{360} + \pi \times 4^2 \times \dfrac{72}{360} + \pi \times 6^2 \times \dfrac{72}{360}$

$\qquad\qquad + \pi \times 8^2 \times \dfrac{72}{360} + \pi \times 10^2 \times \dfrac{72}{360}$

$= \dfrac{4}{5}\pi + \dfrac{16}{5}\pi + \dfrac{36}{5}\pi + \dfrac{64}{5}\pi + 20\pi$

$= 44\pi$ (cm²)

08 Action 보조선을 그어 색칠한 부분의 둘레의 길이를 구할 수 있는 부채꼴의 중심각의 크기를 구한다.

오른쪽 그림에서

△EBC와 △FCD가 정삼각형이므로

∠ECD = ∠FCB

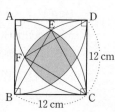

　　= 90° - 60°

　　= 30°   …… 30%

∴ ∠ECF = 90° - (30°+30°) = 30°   …… 20%

$$\therefore \text{(둘레의 길이)}=4\widehat{EF}=4\times\left(2\pi\times12\times\frac{30}{360}\right)$$
$$=8\pi \text{ (cm)} \qquad \cdots\cdots \text{ 50\%}$$

09 Action 원에 외접하는 정사각형을 그려 본다.

오른쪽 그림과 같이 처음 원에 외접하는 정사각형 EFGH를 그리면

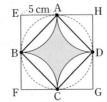

(넓이)
= (정사각형 EFGH의 넓이)
 − (부채꼴 AEB의 넓이)×4
$$=10\times10-\left(\pi\times5^2\times\frac{1}{4}\right)\times4$$
$$=100-25\pi \text{ (cm}^2)$$

10 Action 색칠한 부분의 넓이를 구할 때, 같은 부분이 있으면 한 부분의 넓이를 구한 후 같은 부분의 개수를 곱한다.

오른쪽 그림에서 색칠한 부분의 넓이를 S라 하면 구하는 넓이는 $4S$이다.

$S=$(반지름의 길이가 4인 사분원의 넓이)
 − (반지름의 길이가 2인 사분원의 넓이)×2
 − (빗금친 부분의 넓이)×2
$$=\pi\times4^2\times\frac{1}{4}-\left(\pi\times2^2\times\frac{1}{4}\right)\times2$$
$$\qquad -\left(\pi\times2^2\times\frac{1}{4}-\frac{1}{2}\times2\times2\right)\times2$$
$$=4\pi-2\pi-2\pi+4=4$$
따라서 구하는 넓이는
$4S=4\times4=16$

11 Action 부채꼴의 넓이와 삼각형의 넓이의 합과 차를 이용한다.

$\angle DBA=180°-60°=120°$
$\angle EBD=\angle CBA=60°$이므로
$\angle EBC=180°-60°=120°$
$\therefore$ (넓이)
 = (부채꼴 EBC의 넓이)+(삼각형 EDB의 넓이)
  − (부채꼴 DBA의 넓이)−(삼각형 ABC의 넓이)
 = (부채꼴 EBC의 넓이)−(부채꼴 DBA의 넓이)
$$=\pi\times10^2\times\frac{120}{360}-\pi\times5^2\times\frac{120}{360}$$
$$=\frac{100}{3}\pi-\frac{25}{3}\pi=25\pi \text{ (cm}^2)$$

12 Action 보조선을 그어 $\widehat{DE}$와 $\widehat{EC}$에 대한 중심각의 크기를 각각 구한다.

오른쪽 그림과 같이 점 E에서 $\overline{AB}$에 내린 수선의 발을 F라 하고 $\overline{EF}$와 $\overline{CD}$의 교점을 G라 하면

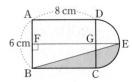

$\angle DGE=\angle EGC=90°$
$\overline{CD}$가 반원의 지름이고 $\widehat{DE}=\widehat{EC}$이므로 점 G는 반원의 중심이다.
$\therefore \overline{DG}=\overline{GE}=3 \text{ cm}$
$\therefore$ (넓이)
 = (사각형 FBCG의 넓이)+(부채꼴 EGC의 넓이)
  − △FBE
$$=8\times3+\pi\times3^2\times\frac{90}{360}-\frac{1}{2}\times3\times11$$
$$=24+\frac{9}{4}\pi-\frac{33}{2}$$
$$=\frac{9}{4}\pi+\frac{15}{2} \text{ (cm}^2)$$

13 Action 도형의 일부분을 옮겨 간단한 도형이 되도록 만든다.

오른쪽 그림에서
(넓이)

 = (한 변의 길이가 16 cm인 정사각형의 넓이)
  + (반지름의 길이가 4 cm인 사분원의 넓이)×4
$$=16\times16+\left(\pi\times4^2\times\frac{90}{360}\right)\times4$$
$$=256+16\pi \text{ (cm}^2)$$

14 Action 도형의 일부분을 옮겨 간단한 도형이 되도록 만든다.

오른쪽 그림과 같이 $\overline{DB'}$을 그으면

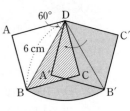

$\angle BDA'=\angle CDB'$
$\qquad =45°-30°=15°$
이므로
$\angle BDB'=15°+30°+15°=60°$
$$\therefore \text{(넓이)}=\pi\times6^2\times\frac{60}{360}=6\pi \text{ (cm}^2)$$

15 Action 고리가 점 A에서 점 B를 거쳐 점 C까지 움직일 때, 염소가 움직일 수 있는 범위를 그려 본다.

염소가 움직일 수 있는 영역의 넓이는 오른쪽 그림의 색칠한 부분의 넓이와 같다.

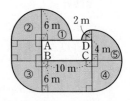

①=②=③=④=⑤이므로

(염소가 움직일 수 있는 영역의 최대 넓이)

$$=\left(\pi \times 6^2 \times \frac{90}{360}\right) \times 5 + \pi \times 2^2 \times \frac{90}{360} + 6 \times 4 + 10 \times 6$$

$$=45\pi + \pi + 24 + 60$$

$$=46\pi + 84 \; (\mathrm{m}^2)$$

16 [Action] 원 O가 지나간 부분을 그려 본다.

원 O가 지나간 부분은 오른쪽 그림의
색칠한 부분과 같으므로

(넓이)

$$=\left(\pi \times 14^2 \times \frac{36}{360} - \pi \times 10^2 \times \frac{36}{360}\right)$$

$$\quad + \left(\pi \times 4^2 \times \frac{90}{360}\right) \times 2$$

$$\quad + \pi \times 4^2 \times \frac{144}{360} + (10 \times 4) \times 2$$

$$=\frac{48}{5}\pi + 8\pi + \frac{32}{5}\pi + 80$$

$$=24\pi + 80 \; (\mathrm{cm}^2)$$

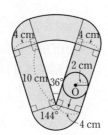

최고수준 뛰어넘기 · P 66~ P 67

01 30° **02** $l_1=l_2=l_3$ **03** $(64-18\pi) \; \mathrm{cm}^2$

04 $\left(\dfrac{313}{4}\pi+60\right) \mathrm{cm}^2$ **05** $10\pi \; \mathrm{cm}$ **06** 성훈, 8 cm

01 [Action] $\angle OBD = 4\angle x$, $\angle OCD = 5\angle x$로 놓고 $\angle x$의 크기를 구한다.

$\angle OBD = 4\angle x$, $\angle OCD = 5\angle x$라
하고 오른쪽 그림과 같이 $\overline{OD}$를 그
으면

$\triangle OBD$에서 $\overline{OB}=\overline{OD}$이므로

$\angle ODB = \angle OBD = 4\angle x$

$\triangle ODC$에서 $\overline{OD}=\overline{OC}$이므로

$\angle ODC = \angle OCD = 5\angle x$

사각형 OBDC에서

$90° + 4\angle x + (4\angle x + 5\angle x) + 5\angle x = 360°$

$18\angle x = 270°$ ∴ $\angle x = 15°$

$\triangle OBD$에서

$\angle OBD = \angle ODB = 4\angle x = 4 \times 15° = 60°$

∴ $\angle DOB = 180° - (60° + 60°) = 60°$

따라서 $\angle AOD = 180° - 60° = 120°$이고

$\triangle AOD$에서 $\overline{OA}=\overline{OD}$이므로

$\angle DAO = \frac{1}{2} \times (180° - 120°) = 30°$

02 [Action] l_1, l_2, l_3을 각각 x를 사용하여 나타낸 후 그 대소를 비교한다.

(i) [그림 1]에서 가장 작은 반원의 반지름의 길이를 r_1, 중간 크기의 반원의 반지름의 길이를 r_2, 가장 큰 반원의 반지름의 길이를 r_3이라 하면

$$r_1 + r_2 + r_3 = \frac{x}{2}$$

$$\therefore \; l_1 = \frac{1}{2} \times 2\pi \times r_1 + \frac{1}{2} \times 2\pi \times r_2 + \frac{1}{2} \times 2\pi \times r_3 + x$$

$$= \pi(r_1 + r_2 + r_3) + x$$

$$= \frac{1}{2}\pi x + x = \left(\frac{1}{2}\pi + 1\right)x$$

(ii) [그림 2]에서 작은 반원의 반지름의 길이를 r_4, 큰 반원의 반지름의 길이를 r_5라 하면

$$r_4 + r_5 = \frac{x}{2}$$

$$\therefore \; l_2 = \frac{1}{2} \times 2\pi \times r_4 + \frac{1}{2} \times 2\pi \times r_5 + x$$

$$= \pi(r_4 + r_5) + x$$

$$= \frac{1}{2}\pi x + x = \left(\frac{1}{2}\pi + 1\right)x$$

(iii) [그림 3]에서

$$l_3 = \frac{1}{2} \times 2\pi \times \frac{x}{2} + x$$

$$= \frac{1}{2}\pi x + x = \left(\frac{1}{2}\pi + 1\right)x$$

(i)~(iii)에서 $l_1 = l_2 = l_3$

03 [Action] 정사각형 ABCD의 넓이를 두 부채꼴의 넓이와 S_1, S_2, S_3의 합과 차로 나타내어 본다.

(정사각형 ABCD의 넓이)

= (반지름의 길이가 6 cm인 부채꼴의 넓이)×2

$$\qquad\qquad + S_1 + S_3 - S_2$$

이므로

$$8 \times 8 = \left(\pi \times 6^2 \times \frac{90}{360}\right) \times 2 + S_1 + S_3 - S_2$$

$$\therefore \; S_1 + S_3 - S_2 = 64 - 18\pi \; (\mathrm{cm}^2)$$

04 [Action] $\angle BAC + \angle B'AC' = 180°$이고 $\overline{AB}=\overline{AB'}$이므로 $\triangle AC'B'$을 점 A를 중심으로 회전시켜 본다.

$\angle BAC + \angle B'AC' = 180°$이고

$\overline{AB}=\overline{AB'}$이므로 오른쪽 그림과 같이

$\overline{AB'}$이 $\overline{AB}$에 오도록 $\triangle AC'B'$을 점

A를 중심으로 90° 회전시키면 $\overline{C'C}$는

일직선이 된다.

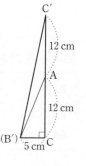

∴ (넓이)

$$= \pi \times 13^2 \times \frac{90}{360} + \pi \times 12^2 \times \frac{90}{360} + \frac{1}{2} \times 5 \times 24$$

$$= \frac{169}{4}\pi + 36\pi + 60$$

$$= \frac{313}{4}\pi + 60 \ (\text{cm}^2)$$

05 Action 중심 O가 움직인 부분을 그려 본다.

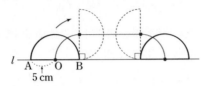

위 그림에서

$$(거리) = \left(2\pi \times 5 \times \frac{90}{360}\right) \times 2 + 2\pi \times 5 \times \frac{1}{2}$$

$$= 5\pi + 5\pi = 10\pi \ (\text{cm})$$

06 Action 성훈이와 혜지가 사용한 끈의 길이를 각각 구한다.

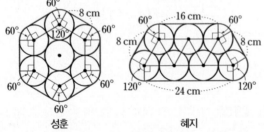

성훈   혜지

성훈이의 방법에서 곡선 부분의 길이의 합은 반지름의 길이
가 4 cm인 원의 둘레의 길이와 같다.
따라서 성훈이가 사용한 끈의 길이는
$2\pi \times 4 + 8 \times 6 = 8\pi + 48 \ (\text{cm})$
혜지의 방법에서 곡선 부분의 길이의 합은 반지름의 길이가
4 cm인 원의 둘레의 길이와 같다.
따라서 혜지가 사용한 끈의 길이는
$2\pi \times 4 + (16 + 8 + 24 + 8) = 8\pi + 56 \ (\text{cm})$
즉 성훈이가 끈을 8 cm 더 적게 사용하였다.

교과서 속 창의 사고력
🅟 68 - 🅟 70

01 24°　　**02** 정삼각형, 정사각형, 정육각형, 풀이 참조

03 반복 8 {가자 5 ; 돌자 45}　**04** $\frac{8}{3}\pi \ \text{cm}^2$　**05** 16π cm

06 7π cm

01 Action 정다각형의 한 내각의 크기와 합동인 삼각형을 이용하여
$\angle x, \angle y, \angle z$의 크기를 각각 구한다.

정오각형의 한 내각의 크기는
$\frac{180° \times (5-2)}{5} = 108°$
$\triangle$BCA에서 $\overline{BC} = \overline{BA}$이므로
$\angle$BCA $= \angle$BAC
$\quad = \frac{1}{2} \times (180° - 108°) = 36°$
∴ $\angle x = 108° - (36° + 60°) = 12°$
정삼각형의 한 내각의 크기는 60°이므로
$\angle$PDE $= 108° - 60° = 48°$
$\triangle$DPE에서 $\overline{DP} = \overline{DE}$이므로
$\angle$PED $= \frac{1}{2} \times (180° - 48°) = 66°$
∴ $\angle y = 66° - 36° = 30°$
한편 $\overline{BP}$를 그으면 $\triangle$BCP와 $\triangle$EDP에서
$\overline{BC} = \overline{ED}$
$\overline{PC} = \overline{PD}$
$\angle$BCP $= \angle$EDP $= 48°$
∴ $\triangle$BCP $\equiv \triangle$EDP (SAS 합동)
∴ $\overline{BP} = \overline{EP}$
또 $\triangle$ABP와 $\triangle$AEP에서
$\overline{AB} = \overline{AE}$, $\overline{BP} = \overline{EP}$, $\overline{AP}$는 공통
∴ $\triangle$ABP $\equiv \triangle$AEP (SSS 합동)
따라서 $\angle$BAP $= \frac{1}{2}\angle$BAE $= \frac{1}{2} \times 108° = 54°$이므로
$\angle z = 54° - 36° = 18°$
∴ $\angle x + \angle y - \angle z = 12° + 30° - 18° = 24°$

02 Action 정다각형의 한 내각의 크기를 구한 후 한 점에 모인 정다각형
의 내각의 크기의 합이 360°가 되는지 알아본다.

평면을 채우려면 한 점에 모인 정다각형의 내각의 크기의 합
이 360°이어야 한다.
(ⅰ) 정삼각형
　　(정삼각형의 한 내각의 크기) $= 60°$
　　$360° \div 60° = 6$이므로 정삼각형 6개가 모이면 테셀레이
　　션을 만들 수 있다.
(ⅱ) 정사각형
　　(정사각형의 한 내각의 크기) $= 90°$
　　$360° \div 90° = 4$이므로 정사각형 4개가 모이면 테셀레이
　　션을 만들 수 있다.
(ⅲ) 정오각형
　　(정오각형의 한 내각의 크기) $= \frac{180° \times (5-2)}{5} = 108°$
　　$360° \div 108° = 3.333\cdots$이므로 정오각형으로는 테셀레이
　　션을 만들 수 없다.

(iv) 정육각형

(정육각형의 한 내각의 크기)$=\dfrac{180°\times(6-2)}{6}=120°$

$360°\div120°=3$이므로 정육각형 3개가 모이면 테셀레이션을 만들 수 있다.

(v) 정칠각형 이상은 한 꼭짓점에 3개의 도형이 모이면 360°를 초과하므로 테셀레이션을 만들 수 없다.

(i)~(v)에서 테셀레이션을 만들 수 있는 정다각형은 정삼각형, 정사각형, 정육각형이다.

03 <u>Action</u> '돌자 y'에서 y°만큼 시계 반대 방향으로 회전하는 것은 정다각형의 한 외각의 크기만큼 시계 반대 방향으로 회전하는 것이다.

한 변의 길이가 x인 정 n각형을 그리기 위해서는 화살표가 x만큼 앞으로 나아가며 선을 그린 후 정 n각형의 한 외각의 크기만큼 시계 반대 방향으로 회전하는 것을 n번 반복해야 한다.

즉 반복 $n\left\{\text{가자 } x \text{ ; 돌자 } \dfrac{360}{n}\right\}$ 이라는 명령이 필요하다.

이때 정팔각형의 한 외각의 크기는

$\dfrac{360°}{8}=45°$

따라서 한 변의 길이가 5인 정팔각형을 그리기 위해 필요한 명령은 반복 8 {가자 5 ; 돌자 45}이다.

04 <u>Action</u> $\overline{OC}, \overline{OD}, \overline{OF}, \overline{OG}$를 긋고 한 원에서 부채꼴의 호의 길이가 같으면 중심각의 크기도 같음을 이용한다.

오른쪽 그림과 같이 $\overline{OC}, \overline{OD}$, $\overline{OF}, \overline{OG}$를 그으면

$\overset{\frown}{AC}=\overset{\frown}{CD}=\overset{\frown}{DE}=\overset{\frown}{EF}$
$\quad=\overset{\frown}{FG}=\overset{\frown}{GB}$

이므로

$\angle AOC=\angle COD=\angle DOE$
$\qquad=\angle EOF=\angle FOG=\angle GOB$
$\qquad=180°\times\dfrac{1}{6}=30°$

$\triangle OCH$와 $\triangle DOI$에서

$\overline{OC}=\overline{DO}$

$\angle COH=\angle ODI=30°$

$\angle OCH=\angle DOI=60°$

$\therefore \triangle OCH\equiv\triangle DOI$ (ASA 합동)

$\therefore$ (사각형 CHIP의 넓이)$=\triangle OCH-\triangle OPI$
$\qquad\qquad\qquad\qquad\qquad=\triangle DOI-\triangle OPI$
$\qquad\qquad\qquad\qquad\qquad=\triangle POD$

따라서 도형 CHID의 넓이는 부채꼴 COD의 넓이와 같으므로

(넓이)$=$(부채꼴 COD의 넓이)$\times 2$
$\qquad=\left(\pi\times 4^2\times\dfrac{30}{360}\right)\times 2=\dfrac{8}{3}\pi\ (\text{cm}^2)$

05 <u>Action</u> 원 O가 지나간 부분을 그려 원 O의 중심이 움직인 거리를 구한다.

원 O가 두 원 P, Q의 둘레를 따라 한 바퀴 돌 때, 원 O가 두 원 P, Q와 동시에 만나는 경우는 오른쪽 그림과 같다.

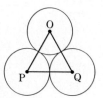

이때 $\triangle OPQ$는 세 변의 길이가 세 원의 지름의 길이와 같은 정삼각형이므로 한 내각의 크기는 60°이다.

즉 원 O의 중심이 움직인 부분은 다음 그림과 같다.

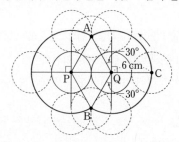

따라서 원 O의 중심이 움직인 거리는

$2\overset{\frown}{ACB}=2\times\left(2\pi\times 6\times\dfrac{240}{360}\right)=16\pi\ (\text{cm})$

06 <u>Action</u> 꼭짓점 A가 움직인 부분을 그려 본다.

정삼각형 ABC가 [그림1]의 위치에서 [그림2]의 위치까지 시계 반대 방향으로 회전할 때, 꼭짓점 A가 움직인 부분은 다음 그림과 같다.

첫 번째 그림에서 꼭짓점 A가 움직인 거리는 반지름의 길이가 3 cm이고 중심각의 크기가 각각 120°, 30°인 부채꼴의 호의 길이이고, 두 번째 그림에서 꼭짓점 A가 움직인 거리는 반지름의 길이가 3 cm이고 중심각의 크기가 30°인 부채꼴의 호의 길이이다.

또, 세 번째 그림과 네 번째 그림에서 꼭짓점 A가 움직인 거리는 반지름의 길이가 3 cm이고 중심각의 크기가 각각 120°인 부채꼴의 호의 길이이다.

따라서 꼭짓점 A가 움직인 거리는

$\left(2\pi\times 3\times\dfrac{120}{360}\right)\times 3+\left(2\pi\times 3\times\dfrac{30}{360}\right)\times 2$
$=6\pi+\pi=7\pi\ (\text{cm})$

Ⅲ. 입체도형

1. 다면체와 회전체

01 ㉢, ㉣, ㉥, ㉦, ㉨	**02** ⑤	**03** ②, ④
04 ①, ④	**05** 12개	**06** 22	**07** 2
08 ⑤	**09** 정사면체	**10** 면 A : 4, 면 B : 5
11 ⑤	**12** ⑴ FE ⑵ $\overline{IA}$, $\overline{IJ}$ ($=\overline{IH}$), $\overline{DG}$, $\overline{DH}$
13 ①, ②	**14** 6개	**15** 마름모	**16** 정사각형
17 ③	**18** ①	**19** 180 cm²	**20** ③
21 ⑤	**22** 150°	**23** ④	**24** $\dfrac{144}{25}\pi$ cm²

01 **Action** 다면체는 다각형인 면으로만 둘러싸인 입체도형이다.

구, 원기둥, 원뿔, 원뿔대는 회전체이다.
따라서 보기의 입체도형 중 다면체는 ㉢, ㉣, ㉥, ㉦, ㉨이다.

02 **Action** 각기둥, 각뿔, 각뿔대의 옆면의 모양은 차례로 직사각형, 삼각형, 사다리꼴이다.

① 육각기둥 ─ 직사각형   ② 삼각뿔 ─ 삼각형
③ 오각뿔대 ─ 사다리꼴   ④ 사각뿔대 ─ 사다리꼴

03 **Action** 주어진 전개도로 만들어지는 입체도형이 무엇인지 생각해 본다.

주어진 전개도로 만들어지는 입체도형은 사각뿔대이다.
② 꼭짓점의 개수는 8개이다.
④ 두 밑면은 서로 평행하지만 합동은 아니다.

04 **Action** 다면체의 면, 모서리, 꼭짓점의 개수를 차례로 생각해 본다.

② n각뿔대의 꼭짓점의 개수는 $2n$개이다.
③ n각뿔의 면의 개수는 $(n+1)$개, 모서리의 개수는 $2n$개이므로 같지 않다.
⑤ n각기둥의 모서리의 개수는 $3n$개, 밑면인 n각형의 꼭짓점의 개수는 n개이므로 3배이다.

▶**Lecture**

다면체의 면, 모서리, 꼭짓점의 개수

다면체	n각기둥	n각뿔	n각뿔대
면의 개수 (개)	$n+2$	$n+1$	$n+2$
모서리의 개수 (개)	$3n$	$2n$	$3n$
꼭짓점의 개수 (개)	$2n$	$n+1$	$2n$

05 **Action** n각뿔대의 면의 개수는 $(n+2)$개, 모서리의 개수는 $3n$개, 꼭짓점의 개수는 $2n$개이다.

조건 ㈎, ㈏를 만족시키는 다면체는 각뿔대이므로 구하는 다면체를 n각뿔대라 하면 조건 ㈐에 의하여
$3n+(n+2)=26$, $4n=24$ $\therefore n=6$, 즉 육각뿔대
따라서 육각뿔대의 꼭짓점의 개수는
$2\times 6=12$(개)

06 **Action** 밑면의 대각선의 개수가 14개임을 이용하여 밑면이 어떤 다각형인지 구한다.

주어진 각뿔의 밑면을 n각형이라 하면
$\dfrac{n(n-3)}{2}=14$, $n(n-3)=28$
$\therefore n=7$, 즉 칠각형   ······ 40%
따라서 주어진 각뿔은 칠각뿔이므로
$v=7+1=8$, $e=2\times 7=14$ ······ 40%
$\therefore v+e=8+14=22$ ······ 20%

07 **Action** v, e, f의 값을 차례로 구한다.

주어진 입체도형의 꼭짓점의 개수는 14개, 모서리의 개수는 21개, 면의 개수는 9개이므로
$v=14$, $e=21$, $f=9$
$\therefore v-e+f=14-21+9=2$

08 **Action** 정다면체의 면의 모양과 한 꼭짓점에 모인 면의 개수를 생각해 본다.

⑤ 한 꼭짓점에 모인 면의 개수가 3개인 정다면체는 정사면체, 정육면체, 정십이면체이다.

09 **Action** 조건 ㈎, ㈏를 만족시키는 정다면체를 각각 생각해 본다.

조건 ㈎에서 각 면의 모양이 정삼각형인 정다면체는 정사면체, 정팔면체, 정이십면체이다.
조건 ㈏에서 한 꼭짓점에 모인 면의 개수가 3개인 정다면체는 정사면체, 정육면체, 정십이면체이다.
따라서 조건 ㈎, ㈏를 모두 만족시키는 정다면체는 정사면체이다.

▶**Lecture**

정다면체는 다음과 같이 나눌 수 있다.
⑴ 면의 모양에 따라
 ① 정삼각형 : 정사면체, 정팔면체, 정이십면체
 ② 정사각형 : 정육면체
 ③ 정오각형 : 정십이면체
⑵ 한 꼭짓점에 모이는 면의 개수에 따라
 ① 3개 : 정사면체, 정육면체, 정십이면체
 ② 4개 : 정팔면체
 ③ 5개 : 정이십면체

10 Action 주어진 전개도로 정육면체를 만들어 평행한 면을 찾는다.

주어진 전개도로 정육면체를 만들면 눈의 수가 1인 면과 눈의 수가 6인 면이 평행하므로 평행한 두 면의 눈의 수의 합은 7이다.

따라서 면 A는 눈의 수가 3인 면과 평행하므로 면 A의 눈의 수는 4, 면 B는 눈의 수가 2인 면과 평행하므로 면 B의 눈의 수는 5이다.

11 Action 주어진 전개도로 정육면체를 만들어 본다.

⑤ 오른쪽 그림의 두 면 ㉠, ㉡이 겹치므로 정육면체의 전개도가 아니다.

12 Action 겹치는 꼭짓점을 찾아 주어진 전개도로 만들어지는 정다면체를 그려 본다.

주어진 전개도로 만들어지는 정다면체는 다음 그림과 같은 정팔면체이다.

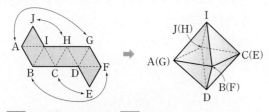

(1) $\overline{BC}$와 겹치는 모서리는 $\overline{FE}$이다.

(2) $\overline{BC}$와 꼬인 위치에 있는 모서리는 $\overline{IA}$, $\overline{IJ}(=\overline{IH})$, $\overline{DG}$, $\overline{DH}$이다.

13 Action 면이 12개이므로 주어진 전개도로 만들어지는 정다면체는 정십이면체이다.

① 정십이면체이다.
② 면 ㉣과 평행한 면은 면 ㉤이다.

14 Action 정사면체의 각 면의 한가운데에 있는 점을 꼭짓점으로 하는 정다면체가 무엇인지 생각해 본다.

정사면체의 면의 개수는 4개이므로 정사면체의 각 면의 한가운데에 있는 점을 꼭짓점으로 하는 정다면체의 꼭짓점의 개수는 4개이다.

따라서 꼭짓점의 개수가 4개인 정다면체는 정사면체이므로 모서리의 개수는 6개이다.

> 📣 Lecture
> 정다면체의 각 면의 한가운데에 있는 점을 꼭짓점으로 하는 다면체는 처음 정다면체의 면의 개수만큼 꼭짓점을 갖는다.
> ① 정사면체 ➡ 정사면체
> ② 정육면체 ➡ 정팔면체
> ③ 정팔면체 ➡ 정육면체
> ④ 정십이면체 ➡ 정이십면체
> ⑤ 정이십면체 ➡ 정십이면체

15 Action 세 점을 지나는 평면이 정육면체의 모서리와 만나는 다른 한 점을 찾아본다.

오른쪽 그림과 같이 세 점 D, P, F를 지나는 평면은 모서리 HG의 중점 Q를 지난다.

이때 $\overline{DP}=\overline{PF}=\overline{FQ}=\overline{QD}$이므로 단면의 모양은 마름모이다.

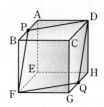

16 Action 세 점을 지나는 평면이 정사면체의 모서리와 만나는 다른 한 점을 찾아본다.

오른쪽 그림과 같이 세 점 P, Q, R를 지나는 평면은 모서리 BD의 중점 S를 지난다.

이때 $\overline{PQ}=\overline{QR}=\overline{RS}=\overline{SP}$이고, $\overline{PR}=\overline{QS}$이므로 단면의 모양은 정사각형이다.

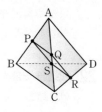

17 Action 주어진 도형을 직선 l을 축으로 하여 1회전 시킬 때 생기는 회전체를 그려 본다.

③ 주어진 평면도형을 직선 l을 축으로 하여 1회전 시키면 오른쪽 그림과 같은 회전체가 생긴다.

18 Action 회전체를 회전축을 포함하는 평면으로 자른 단면은 회전축을 대칭축으로 하는 선대칭도형이다.

① 원뿔 — 이등변삼각형

19 Action 회전체를 회전축을 포함하는 평면으로 자른 단면의 모양을 그려 본다.

회전체는 오른쪽 그림과 같은 원뿔대이므로 회전축을 포함하는 평면으로 자른 단면은 사다리꼴이다.
······ 50%

∴ (단면의 넓이)

$$= \left\{ \frac{1}{2} \times (5+10) \times 12 \right\} \times 2$$

$$= 180 \, (\text{cm}^2)$$
······ 50%

> 📣 Lecture
> 회전체의 겨냥도는 다음 순서대로 그린다.
> ❶ 회전축을 대칭축으로 하는 선대칭도형을 그린다.
> ❷ 대응하는 점을 이은 선분을 지름으로 하는 원을 그린다.

20 <kbd>Action</kbd> 직사각형 ABCD를 대각선 AC를 축으로 하여 1회전 시킬 때 생기는 회전체를 그려 본다.

③ 직사각형 ABCD를 대각선 AC를 축으로 하여 1회전 시키면 오른쪽 그림과 같은 회전체가 생긴다.

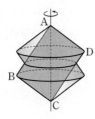

21 <kbd>Action</kbd> 최단 거리는 전개도에서 직선으로 나타난다.

점 A에서 점 B까지 끈으로 연결할 때 끈의 길이가 가장 짧게 되는 경로는 주어진 원기둥의 전개도에서 옆면인 직사각형의 대각선과 같다.

22 <kbd>Action</kbd> 원뿔의 전개도에서 부채꼴의 호의 길이는 밑면의 둘레의 길이와 같다.

주어진 원뿔의 전개도는 오른쪽 그림과 같으므로 부채꼴의 중심각의 크기를 $x°$라 하면

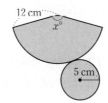

$2\pi \times 12 \times \dfrac{x}{360} = 2\pi \times 5$ ⋯⋯ 50%

$\dfrac{x}{15}\pi = 10\pi$ ∴ $x = 150$

따라서 부채꼴의 중심각의 크기는 $150°$이다. ⋯⋯ 50%

23 <kbd>Action</kbd> 주어진 전개도로 만들어지는 회전체는 원뿔대이다.

주어진 전개도로 만들어지는 회전체는 원뿔대이다.

①   ②

③   ⑤

따라서 회전체를 한 평면으로 자를 때 생기는 단면의 모양이 아닌 것은 ④이다.

24 <kbd>Action</kbd> 회전체를 그려 보고, 회전축에 수직인 평면으로 자른 단면의 모양을 생각해 본다.

회전체를 회전축에 수직인 평면으로 자를 때, 자른 단면의 넓이가 가장 큰 경우는 오른쪽 그림과 같이 자를 때이다.

이때 단면인 원의 반지름의 길이를 r cm라 하면

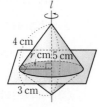

$\dfrac{1}{2} \times 3 \times 4 = \dfrac{1}{2} \times 5 \times r$ ∴ $r = \dfrac{12}{5}$

따라서 구하는 단면의 넓이는

$\pi \times \left(\dfrac{12}{5}\right)^2 = \dfrac{144}{25}\pi \ (cm^2)$

<kbd>최고 수준</kbd> **완성하기** **P** 78 - **P** 80

01 31	**02** 74	**03** 150개	**04** 오각뿔대
05 55	**06** 정십이면체	**07** 4	**08** ④
09 $(60\pi + 24)$ cm		**10** ②	**11** 48π cm²
12 $(16\pi - 32)$ cm²			

01 <kbd>Action</kbd> 직육면체의 꼭짓점의 개수는 8개, 모서리의 개수는 12개, 면의 개수는 6개임을 이용한다.

직육면체의 꼭짓점의 개수는 8개, 모서리의 개수는 12개, 면의 개수는 6개이므로

$v = 8 \times 30 - 29 = 211$

$e = 12 \times 30 = 360$

$f = 6 \times 30 = 180$

∴ $v - e + f = 211 - 360 + 180 = 31$

02 <kbd>Action</kbd> 정육면체의 꼭짓점에서 삼각뿔을 잘라 내면 잘라 낸 부분에 삼각형인 면이 만들어짐을 이용한다.

정육면체의 8개의 꼭짓점에서 삼각뿔을 잘라 내면 잘라 낸 부분에 삼각형인 면이 8개가 생기므로

$a = 6 + 8 = 14$

$b = 8 \times 3 = 24$

$c = 12 + 8 \times 3 = 36$

∴ $a + b + c = 14 + 24 + 36 = 74$

03 <kbd>Action</kbd> 정오각형의 꼭짓점의 개수와 변의 개수는 각각 5개, 정육각형의 꼭짓점의 개수와 변의 개수는 각각 6개임을 이용한다.

정오각형 12개의 꼭짓점의 개수는

$5 \times 12 = 60$(개)

정육각형 20개의 꼭짓점의 개수는

$6 \times 20 = 120$(개)

한 꼭짓점에 3개의 면이 모이므로 주어진 입체도형의 꼭짓점의 개수는 $\dfrac{60 + 120}{3} = 60$(개) ⋯⋯ 40%

정오각형 12개의 변의 개수는

$5 \times 12 = 60$(개)

정육각형 20개의 변의 개수는

$6 \times 20 = 120$(개)

한 모서리에 2개의 면이 모이므로 주어진 입체도형의 모서리의 개수는 $\dfrac{60+120}{2}=90$(개) …… 40%

따라서 주어진 입체도형의 꼭짓점의 개수와 모서리의 개수의 합은 $60+90=150$(개) …… 20%

📢 Lecture

축구공 모양의 다면체는 오른쪽 그림과 같이 정이십면체에서 각 모서리를 삼등분한 점들을 이어서 만든 오각뿔을 잘라 내고 남은 입체도형이다. 정이십면체의 각 꼭짓점에서 정오각형이 한 개씩 생기므로 정오각형의 개수는 12개, 정이십면체의 각 면에서 정육각형이 한 개씩 생기므로 정육각형의 개수는 20개이다.
따라서 축구공 모양의 다면체는 삼십이면체이다.

---

04 `Action` 주어진 다각형으로 만들어지는 다면체가 무엇인지 생각해 본다.

주어진 다각형으로 만들어지는 다면체는 오른쪽 그림과 같이 모든 모서리의 길이가 같은 사각뿔, 사각기둥, 사각뿔이 차례로 붙어 있는 모양이다.
이 입체도형의 꼭짓점의 개수는 10개이므로 구하는 각뿔대를 n각뿔대라 하면
$2n=10$ ∴ $n=5$
따라서 구하는 각뿔대는 오각뿔대이다.

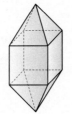

---

05 `Action` 정십이면체의 전개도를 그려 자르지 않아야 하는 모서리의 최대 개수를 생각해 본다.

정팔면체의 꼭짓점의 개수는 6개이므로
$a=6$
정이십면체의 모서리의 개수는 30개이므로
$b=30$
정십이면체의 모서리의 개수는 30개이지만 정십이면체의 모서리를 잘라 그 전개도를 만들려면 오른쪽 그림과 같이 최대 11개의 모서리는 자르지 않아야 한다.
따라서 잘라야 하는 최소한의 모서리의 개수는
$30-11=19$(개)이므로 $c=19$
∴ $a+b+c=6+30+19=55$

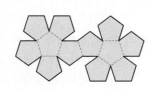

---

06 `Action` $v=\dfrac{5}{3}f, e=\dfrac{5}{2}f$를 $v-e+f=2$에 대입하여 f의 값을 구한다.

$3v=5f$에서 $v=\dfrac{5}{3}f$

$2e=5f$에서 $e=\dfrac{5}{2}f$

$v-e+f=2$에 $v=\dfrac{5}{3}f, e=\dfrac{5}{2}f$를 대입하면

$\dfrac{5}{3}f-\dfrac{5}{2}f+f=2$

$10f-15f+6f=12$ ∴ $f=12$

따라서 구하는 정다면체는 면의 개수가 12개인 정십이면체이다.

📢 Lecture

적당히 부풀려서 구와 모양이 같아지게 할 수 있는 다면체에 대하여 꼭짓점의 개수를 v개, 모서리의 개수를 e개, 면의 개수를 f개라 하면 $v-e+f=2$가 성립한다.
이 공식을 오일러의 공식이라 한다.

---

07 `Action` 주어진 전개도로 만들어지는 정팔면체를 그려 본다.

주어진 전개도로 정팔면체를 만들면 오른쪽 그림과 같다.
평행한 두 면에 적힌 수의 곱이 24로 일정하므로
$a \times 2=24$ ∴ $a=12$
$b \times 3=24$ ∴ $b=8$
$c \times 4=24$ ∴ $c=6$
$d \times 6=24$ ∴ $d=4$
∴ $\dfrac{a}{c}+\dfrac{b}{d}=\dfrac{12}{6}+\dfrac{8}{4}=4$

---

08 `Action` 정육면체를 평면으로 자른 단면의 모양을 생각해 본다.

① ②

③ ⑤

따라서 단면의 모양이 될 수 없는 것은 ④이다.

📢 Lecture

이 외에도 정육면체를 평면으로 자른 단면은 다음과 같다.

| 정삼각형 | 직사각형 | 정사각형 | 오각형 |

09 Action 주어진 원뿔대의 전개도를 그려 본다.

주어진 원뿔대의 전개도는
오른쪽 그림과 같다.
(작은 원의 둘레의 길이)
$=2\pi\times5=10\pi$ (cm)
(큰 원의 둘레의 길이)
$=2\pi\times10=20\pi$ (cm)
(옆면의 둘레의 길이)$=2\pi\times5+2\pi\times10+12\times2$
$=30\pi+24$ (cm)
따라서 전개도의 둘레의 길이는
$10\pi+20\pi+(30\pi+24)=60\pi+24$ (cm)

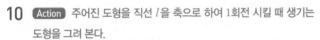

10 Action 주어진 도형을 직선 l을 축으로 하여 1회전 시킬 때 생기는 도형을 그려 본다.

주어진 도형을 직선 l을 축으로 하여
1회전 시키면 오른쪽 그림과 같은 도
형이 생긴다.
이 도형에 일정한 속력으로 물을 채
울 때, 도형의 폭이 점점 좁아지므로
물의 높이는 점점 빠르게 증가한다.
따라서 두 변수 x, y 사이의 관계를 나타낸 그래프로 가장 알
맞은 것은 ②이다.

11 Action 회전체를 회전축에 수직인 평면으로 자른 단면의 모양을 그
려 본다.

회전체와 회전체를 원의 중심 O를 지나면서 회전축에 수직
인 평면으로 자른 단면은 다음 그림과 같다.

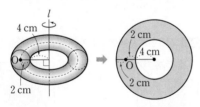

$\therefore$ (단면의 넓이)=(큰 원의 넓이)$-$(작은 원의 넓이)
$\qquad=\pi\times8^2-\pi\times4^2$
$\qquad=48\pi$ (cm^2)

12 Action 원뿔의 색칠한 부분을 전개도에 나타내어 본다.

주어진 원뿔의 색칠한 부분을 전개
도에 나타내면 오른쪽 그림의 색칠
한 부분과 같다. 20%
부채꼴의 중심각의 크기를 $x°$라 하면

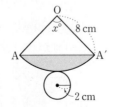

$2\pi\times8\times\dfrac{x}{360}=2\pi\times2$

$\dfrac{2x}{45}\pi=4\pi$ $\qquad\therefore x=90$ 40%

$\therefore$ (색칠한 부분의 넓이)
$\quad=$(부채꼴 OAA'의 넓이)$-\triangle$OAA'
$\quad=\pi\times8^2\times\dfrac{90}{360}-\dfrac{1}{2}\times8\times8$
$\quad=16\pi-32$ (cm^2) 40%

최고
수준 **뛰어넘기** ❷ 81 ~ ❷ 82

01 최댓값 : 18, 최솟값 : 15 **02** 오각형 **03** 8개
04 30개 **05** 24 **06** 36개

01 Action 다각형이 만들어지기 위해서는 3개 이상의 선분이 필요하므
로 m, n은 3 이상의 자연수이어야 한다.

m각기둥의 모서리의 개수는 $3m$개, n각뿔대의 꼭짓점의 개
수는 $2n$개이므로 $3m+2n=40$ ...... ㉠
이때 $m\geq3$, $n\geq3$이므로 ㉠을 만족시키는 두 자연수 m, n은
$m=4$, $n=14$ 또는 $m=6$, $n=11$ 또는 $m=8$, $n=8$ 또는
$m=10$, $n=5$
따라서 $m+n$의 최댓값은 $4+14=18$, 최솟값은 $10+5=15$
이다.

02 Action 세 점을 지나는 평면이 정육면체의 모서리와 만나는 다른 점
을 찾아본다.

주어진 전개도를 접어서 정
육면체를 만든 후 세 점 P,
Q, F를 지나는 평면으로
잘랐을 때 생기는 단면은
오른쪽 그림과 같은 오각형
이다.

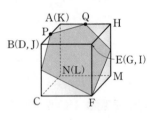

03 Action 주어진 정육면체의 각 꼭짓점마다 정삼각형을 3개씩 만들 수
있다.

주어진 정육면체의 꼭짓점 A에서는 정삼각형 AFC, AFH,
ACH를 만들 수 있고, 꼭짓점 B에서는 정삼각형 BGD,
BGE, BDE를 만들 수 있다.
이와 같이 정육면체의 각 꼭짓점마다 정삼각형을 3개씩 만
들 수 있으므로 8개의 꼭짓점에서 만들 수 있는 정삼각형의
개수는 모두 $8\times3=24$(개)이다.
그런데 정삼각형의 꼭짓점은 3개이므로 같은 정삼각형이
3번씩 중복된다.
따라서 정삼각형은 모두 $24\div3=8$(개)를 만들 수 있다.

04 **Action** 주어진 다면체의 한 모서리에는 2개의 면이 모이고, 한 꼭짓점에는 3개의 면이 모인다.

정사각형의 개수를 a개라 하면
한 모서리에 2개의 면이 모이고, 그 개수가 36개이므로
$$\frac{6 \times 8 + 4 \times a}{2} = 36, \quad 48 + 4a = 72$$
$4a = 24 \qquad \therefore a = 6$
즉 정사각형의 개수는 6개이다.
이때 한 꼭짓점에 3개의 면이 모이므로 꼭짓점의 개수는
$$\frac{6 \times 8 + 4 \times 6}{3} = \frac{72}{3} = 24(개)$$
따라서 정사각형의 개수와 꼭짓점의 개수의 합은
$6 + 24 = 30(개)$

05 **Action** 원뿔대의 전개도에서 옆면의 짧은 호의 길이는 작은 원의 둘레의 길이와 같고, 긴 호의 길이는 큰 원의 둘레의 길이와 같다.

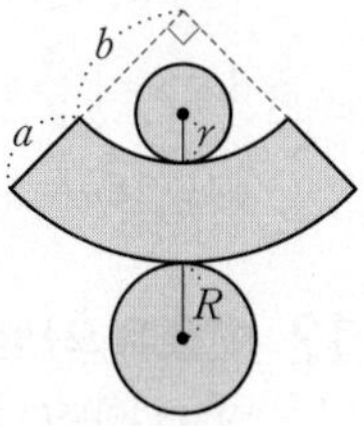

오른쪽 그림에서
$2\pi b \times \dfrac{90}{360} = 2\pi r$이므로

$r = \dfrac{1}{4}b$

$2\pi(a+b) \times \dfrac{90}{360} = 2\pi R$이므로

$R = \dfrac{1}{4}(a+b)$

이때 $R - r = 6$이므로
$$\frac{1}{4}(a+b) - \frac{1}{4}b = 6$$
$$\frac{1}{4}a = 6 \qquad \therefore a = 24$$
따라서 원뿔대의 모선의 길이는 24이다.

06 **Action** 정이십면체의 한 꼭짓점에서 그을 수 있는 대각선의 개수를 구해 본다.

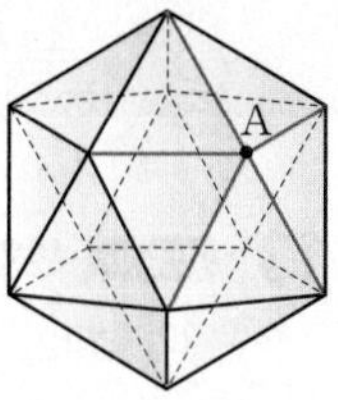

정이십면체의 꼭짓점의 개수는 12개이다.
오른쪽 그림과 같이 정이십면체의 한 꼭짓점 A에서 다른 꼭짓점으로 선분을 그을 때, 정이십면체의 면에 포함되는 경우는 빨간색으로 나타낸 선분 5개이다.
또, 자기 자신에는 선분을 그을 수 없으므로 한 꼭짓점에서 그을 수 있는 대각선의 개수는 $12 - (5+1) = 6(개)$이다.
따라서 정이십면체의 대각선의 개수는
$$\frac{12 \times 6}{2} = 36(개)$$

2. 입체도형의 겉넓이와 부피

입문하기 **P** 84 - **P** 88

01 5 cm	**02** 42π cm²	**03** (1) 45 cm² (2) 360 cm³
04 171π cm³	**05** 겉넓이 : $(52\pi+60)$ cm², 부피 : 60π cm³	
06 292 cm²	**07** (1) 264 cm² (2) 248 cm³	**08** 520π cm³
09 $\dfrac{54}{49}$ cm	**10** 126 cm²	**11** 5	**12** 10 cm
13 85π cm²	**14** 72 cm³	**15** 8 cm	**16** $\dfrac{32}{3}$ cm³
17 50 cm³	**18** $\dfrac{8}{3}$	**19** 27분	
20 (1) 90π cm² (2) 84π cm³	**21** 448π cm³	**22** 500π cm²
23 32π cm²	**24** 30π cm³	**25** 16π cm²	**26** 64개
27 겉넓이 : 119π cm², 부피 : 168π cm³		
28 원뿔 : 9π cm³, 원기둥 : 27π cm³	**29** 288π cm³	
30 64π cm²		

01 **Action** (정육면체의 겉넓이)=(한 면의 넓이)$\times 6$임을 이용한다.

정육면체의 한 모서리의 길이를 x cm라 하면
$(x \times x) \times 6 = 150, \quad x^2 = 25 \qquad \therefore x = 5 \ (\because x > 0)$
따라서 정육면체의 한 모서리의 길이는 5 cm이다.

02 **Action** 원기둥의 밑면의 둘레의 길이는 전개도에서 직사각형의 가로의 길이와 같다.

밑면의 반지름의 길이를 r cm라 하면
$2\pi r = 6\pi \qquad \therefore r = 3$
$\therefore$ (겉넓이) $= (\pi \times 3^2) \times 2 + 6\pi \times 4$
$\qquad\qquad\quad = 18\pi + 24\pi = 42\pi \ (\text{cm}^2)$

03 **Action** 밑면인 사각형의 넓이는 두 삼각형의 넓이의 합과 같다.

(1) (밑넓이) $= \dfrac{1}{2} \times 10 \times 6 + \dfrac{1}{2} \times 10 \times 3$
$\qquad\qquad\quad = 45 \ (\text{cm}^2)$ ······ 50%
(2) (부피) $= 45 \times 8 = 360 \ (\text{cm}^3)$ ······ 50%

04 **Action** 입체도형의 부피는 두 원기둥의 부피의 합과 같다.

(부피) $= (\pi \times 6^2) \times 4 + (\pi \times 3^2) \times 3$
$\qquad\quad = 144\pi + 27\pi = 171\pi \ (\text{cm}^3)$

05 **Action** 주어진 입체도형은 밑면이 부채꼴인 기둥이다.

(겉넓이)
$= \left(\pi \times 3^2 \times \dfrac{240}{360}\right) \times 2 + \left(2\pi \times 3 \times \dfrac{240}{360} + 3 + 3\right) \times 10$
$= 12\pi + 40\pi + 60 = 52\pi + 60 \ (\text{cm}^2)$
(부피) $= \left(\pi \times 3^2 \times \dfrac{240}{360}\right) \times 10 = 60\pi \ (\text{cm}^3)$

06 Action 주어진 입체도형은 큰 직육면체의 가운데에 작은 직육면체 모양으로 구멍이 뚫려 있는 것이다.

$$(겉넓이)=(5\times6-2\times2)\times2+(5+6+5+6)\times8$$
$$+(2+2+2+2)\times8$$
$$=52+176+64$$
$$=292\,(\text{cm}^2)$$

> **Lecture**
>
> (구멍이 뚫린 기둥의 겉넓이)
> =(밑넓이)×2+(옆넓이)
> ={(큰 기둥의 밑넓이)-(작은 기둥의 밑넓이)}×2
> +(큰 기둥의 옆넓이)+(작은 기둥의 옆넓이)

07 Action 잘라 내고 남은 입체도형의 겉넓이는 잘라 내기 전의 직육면체의 겉넓이와 같다.

(1) 주어진 입체도형의 겉넓이는 가로, 세로의 길이가 각각 6 cm, 높이가 8 cm인 직육면체의 겉넓이와 같으므로
$$(겉넓이)=(6\times6)\times2+(6+6+6+6)\times8$$
$$=72+192$$
$$=264\,(\text{cm}^2) \qquad \cdots\cdots\ 50\%$$

(2) $(부피)=(큰\ 직육면체의\ 부피)-(작은\ 직육면체의\ 부피)$
$$=(6\times6)\times8-(4\times2)\times5$$
$$=288-40$$
$$=248\,(\text{cm}^3) \qquad \cdots\cdots\ 50\%$$

> **Lecture**
>
> 오른쪽 그림은 직육면체에서 작은 직육면체를 잘라 낸 입체도형이다.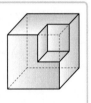
> ① (잘라 내고 남은 입체도형의 겉넓이)
>   =(잘라 내기 전의 직육면체의 겉넓이)
>   참고 잘린 부분의 면을 이동하여 생각한다.
> ② (잘라 내고 남은 입체도형의 부피)
>   =(잘라 내기 전의 직육면체의 부피)
>   -(잘라 낸 직육면체의 부피)

08 Action 주어진 도형을 직선 l을 축으로 하여 1회전 시킬 때 생기는 회전체를 그려 본다.

회전체는 오른쪽 그림과 같다.
$$\therefore\ (부피)$$
$$=(\pi\times9^2)\times8-(\pi\times4^2)\times8$$
$$=648\pi-128\pi$$
$$=520\pi\,(\text{cm}^3)$$

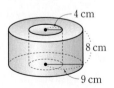

4 cm
8 cm
9 cm

> **Lecture**
>
> (구멍이 뚫린 기둥의 부피)
> =(큰 기둥의 부피)-(작은 기둥의 부피)

09 Action 줄어든 물의 부피는 정육면체의 부피와 같음을 이용한다.

물의 높이가 x cm 낮아진다고 하면
$$\left(\frac{1}{2}\times7\times7\right)\times x=(3\times3)\times3$$
$$\frac{49}{2}x=27 \qquad \therefore\ x=\frac{54}{49}$$
따라서 물의 높이는 $\frac{54}{49}$ cm 낮아진다.

10 Action 주어진 입체도형에서 맞닿아 있는 면은 2쌍, 즉 4개이다.

한 모서리의 길이가 3 cm인 정육면체 1개의 겉넓이는
$$(3\times3)\times6=54\,(\text{cm}^2)$$
주어진 입체도형에서 맞닿아 있는 면은 4개이므로 구하는 겉넓이는
$$54\times3-(3\times3)\times4=162-36=126\,(\text{cm}^2)$$

11 Action 주어진 사각뿔의 옆넓이는 합동인 이등변삼각형 4개의 넓이의 합과 같다.

사각뿔의 겉넓이가 144 cm²이므로
$$8\times8+\left(\frac{1}{2}\times8\times h\right)\times4=144$$
$$64+16h=144,\ 16h=80 \qquad \therefore\ h=5$$

12 Action 모선의 길이를 l cm라 하고, 원뿔의 겉넓이를 l을 사용한 식으로 나타낸다.

모선의 길이를 l cm라 하면
$$\pi\times4^2+\pi\times4\times l=56\pi,\ 16\pi+4\pi l=56\pi$$
$$4\pi l=40\pi \qquad \therefore\ l=10$$
따라서 모선의 길이는 10 cm이다.

> **Lecture**
>
> 원뿔의 옆넓이는 전개도에서 부채꼴의 넓이와 같으므로
> (원뿔의 옆넓이)
> $=\frac{1}{2}\times$(부채꼴의 반지름의 길이)×(부채꼴의 호의 길이)
> $=\frac{1}{2}\times l\times2\pi r=\pi r l$
>
>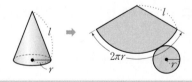

13 Action 원뿔의 전개도에서 밑면의 둘레의 길이는 부채꼴의 호의 길이와 같다.

밑면의 반지름의 길이를 r cm라 하면
$$2\pi\times12\times\frac{150}{360}=2\pi r,\ 10\pi=2\pi r \qquad \therefore\ r=5$$
$$\therefore\ (겉넓이)=\pi\times5^2+\pi\times5\times12$$
$$=25\pi+60\pi$$
$$=85\pi\,(\text{cm}^2)$$

14 `Action` 주어진 정사각형 ABCD로 만든 입체도형을 그려 본다.

주어진 정사각형 ABCD로 만든 입체도형은 오른쪽 그림과 같이 밑면이 $\triangle ECF$이고 높이가 $\overline{AB}$인 삼각뿔이다.

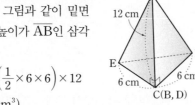

$$\therefore (\text{부피})=\frac{1}{3}\times\left(\frac{1}{2}\times6\times6\right)\times12$$
$$=72\,(\text{cm}^3)$$

15 `Action` 두 그릇에 담긴 물의 부피가 서로 같음을 이용한다.

원기둥 모양의 그릇에 채워진 물의 높이를 h cm라 하면
$$\frac{1}{3}\times(\pi\times4^2)\times6=(\pi\times2^2)\times h,\ 32\pi=4\pi h\quad\therefore h=8$$
따라서 원기둥 모양의 그릇에 채워진 물의 높이는 8 cm이다.

16 `Action` 사각뿔의 밑면의 넓이는 정육면체의 한 면의 넓이의 $\frac{1}{2}$이다.

사각뿔의 밑면의 넓이는 정육면체의 한 면의 넓이의 $\frac{1}{2}$이므로
$$(\text{밑넓이})=(4\times4)\times\frac{1}{2}=8\,(\text{cm}^2)$$
이때 사각뿔의 높이는 정육면체의 한 모서리의 길이와 같으므로 4 cm이다.
$$\therefore(\text{부피})=\frac{1}{3}\times8\times4=\frac{32}{3}\,(\text{cm}^3)$$

17 `Action` 주어진 입체도형은 직육면체에서 삼각뿔을 잘라 낸 것이다.

$(\text{부피})=(\text{직육면체의 부피})-(\text{잘라 낸 삼각뿔의 부피})$
$$=(4\times3)\times5-\frac{1}{3}\times\left(\frac{1}{2}\times4\times3\right)\times5$$
$$=60-10=50\,(\text{cm}^3)$$

18 `Action` 두 그릇에 담긴 물의 부피가 서로 같음을 이용한다.

A 그릇에 들어 있는 물의 부피는
$$\frac{1}{3}\times\left(\frac{1}{2}\times3\times5\right)\times8=20\,(\text{cm}^3)\qquad\cdots\cdots 30\%$$
B 그릇에 들어 있는 물의 부피는
$$\left(\frac{1}{2}\times5\times x\right)\times3=\frac{15}{2}x\,(\text{cm}^3)\qquad\cdots\cdots 40\%$$
이때 두 그릇에 같은 양의 물이 들어 있으므로
$$\frac{15}{2}x=20\qquad\therefore x=\frac{8}{3}\qquad\cdots\cdots 30\%$$

19 `Action` 빈 그릇에 물을 가득 채우는 데 걸리는 시간은 $\dfrac{(\text{그릇의 부피})}{4\pi}$임을 이용한다.

그릇의 부피는 $\dfrac{1}{3}\times(\pi\times6^2)\times9=108\pi\,(\text{cm}^3)$
1분에 4π cm³씩 물을 넣으므로 빈 그릇에 물을 가득 채우는 데 걸리는 시간은 $\dfrac{108\pi}{4\pi}=27(\text{분})$

20 `Action` (원뿔대의 옆넓이)=(큰 원뿔의 옆넓이)-(작은 원뿔의 옆넓이)임을 이용한다.

(1) $(\text{겉넓이})=\pi\times3^2+\pi\times6^2+(\pi\times6\times10-\pi\times3\times5)$
$$=9\pi+36\pi+45\pi$$
$$=90\pi\,(\text{cm}^2)\qquad\cdots\cdots 50\%$$

(2) $(\text{부피})=\dfrac{1}{3}\times(\pi\times6^2)\times8-\dfrac{1}{3}\times(\pi\times3^2)\times4$
$$=96\pi-12\pi$$
$$=84\pi\,(\text{cm}^3)\qquad\cdots\cdots 50\%$$

▶ *Lecture*

① (원뿔대의 겉넓이)=(두 밑넓이의 합)+(옆넓이)
이때 (옆넓이)=(큰 원뿔의 옆넓이)-(작은 원뿔의 옆넓이)
② (원뿔대의 부피)=(큰 원뿔의 부피)-(작은 원뿔의 부피)

21 `Action` 주어진 도형을 회전시킬 때 생기는 입체도형은 원뿔 2개를 붙여 놓은 것과 같다.

입체도형은 오른쪽 그림과 같다. 입체도형에서 위쪽 원뿔의 높이를 h_1 cm, 아래쪽 원뿔의 높이를 h_2 cm라 하면

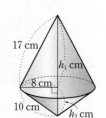

$(\text{부피})=\dfrac{1}{3}\times(\pi\times8^2)\times h_1$
$$+\dfrac{1}{3}\times(\pi\times8^2)\times h_2$$
$$=\frac{64}{3}\pi h_1+\frac{64}{3}\pi h_2=\frac{64}{3}\pi(h_1+h_2)$$
$$=\frac{64}{3}\pi\times21=448\pi\,(\text{cm}^3)$$

22 `Action` 원 O의 둘레의 길이는 원뿔의 밑면의 둘레의 길이의 4배이다.

원뿔의 밑면의 둘레의 길이는
$2\pi\times10=20\pi\,(\text{cm})$
원뿔의 모선의 길이를 l cm라 하면
$20\pi\times4=2\pi l,\ 80\pi=2\pi l\qquad\therefore l=40$
$\therefore(\text{원뿔의 겉넓이})=\pi\times10^2+\pi\times10\times40$
$$=100\pi+400\pi$$
$$=500\pi\,(\text{cm}^2)$$

23 `Action` 가죽 조각 1개의 넓이는 야구공의 겉넓이의 $\frac{1}{2}$배이다.

$(\text{야구공의 겉넓이})=4\pi\times4^2=64\pi\,(\text{cm}^2)$
$\therefore(\text{가죽 조각 1개의 넓이})=64\pi\times\frac{1}{2}=32\pi\,(\text{cm}^2)$

24 [Action] (반구의 부피)=(구의 부피)$\times\frac{1}{2}$임을 이용한다.

(부피)=(원뿔의 부피)+(반구의 부피)

$=\frac{1}{3}\times(\pi\times3^2)\times4+\frac{4}{3}\pi\times3^3\times\frac{1}{2}$

$=12\pi+18\pi$

$=30\pi\ (\text{cm}^3)$

25 [Action] 주어진 입체도형의 구면의 넓이가 구의 겉넓이의 몇 배인지 생각해 본다.

(겉넓이)$=4\pi\times2^2\times\frac{3}{4}+\left(\pi\times2^2\times\frac{1}{2}\right)\times2$

$=12\pi+4\pi$

$=16\pi\ (\text{cm}^2)$

26 [Action] 반지름의 길이가 12 cm, 3 cm인 쇠공의 부피를 각각 구해 본다.

반지름의 길이가 12 cm인 쇠공의 부피는

$\frac{4}{3}\pi\times12^3=2304\pi\ (\text{cm}^3)$

반지름의 길이가 3 cm인 쇠공의 부피는

$\frac{4}{3}\pi\times3^3=36\pi\ (\text{cm}^3)$

따라서 반지름의 길이가 3 cm인 쇠공을 최대

$\frac{2304\pi}{36\pi}=64$(개) 만들 수 있다.

27 [Action] 주어진 도형을 직선 l을 축으로 하여 1회전 시킬 때 생기는 입체도형은 반구와 원기둥으로 이루어진다.

입체도형은 오른쪽 그림과 같다.

∴ (겉넓이)

$=4\pi\times3^2\times\frac{1}{2}+(\pi\times5^2-\pi\times3^2)$

$\quad+2\pi\times5\times6+\pi\times5^2$

$=18\pi+16\pi+60\pi+25\pi$

$=119\pi\ (\text{cm}^2)$

(부피)$=\frac{4}{3}\pi\times3^3\times\frac{1}{2}+(\pi\times5^2)\times6$

$=18\pi+150\pi$

$=168\pi\ (\text{cm}^3)$

28 [Action] 구의 반지름의 길이를 r cm라 하고, 구, 원뿔, 원기둥의 부피를 각각 r를 사용한 식으로 나타낸다.

구의 반지름의 길이를 r cm라 하면

$\frac{4}{3}\pi r^3=18\pi$ ∴ $r^3=\frac{27}{2}$ ⋯⋯ 40%

(원뿔의 부피)$=\frac{1}{3}\times\pi r^2\times2r=\frac{2}{3}\pi r^3$

$=\frac{2}{3}\pi\times\frac{27}{2}=9\pi\ (\text{cm}^3)$ ⋯⋯ 30%

(원기둥의 부피)$=\pi r^2\times2r=2\pi r^3$

$=2\pi\times\frac{27}{2}=27\pi\ (\text{cm}^3)$ ⋯⋯ 30%

[다른 풀이]

(원뿔의 부피) : (구의 부피) : (원기둥의 부피)=1 : 2 : 3이고, 구의 부피가 $18\pi\ \text{cm}^3$이므로

(원뿔의 부피)=(구의 부피)$\times\frac{1}{2}$

$=18\pi\times\frac{1}{2}=9\pi\ (\text{cm}^3)$

(원기둥의 부피)=(구의 부피)$\times\frac{3}{2}$

$=18\pi\times\frac{3}{2}=27\pi\ (\text{cm}^3)$

29 [Action] 구의 반지름의 길이를 r cm라 하고, 원기둥의 부피를 r를 사용한 식으로 나타낸다.

구의 반지름의 길이를 r cm라 하면 원기둥의 밑면의 반지름의 길이는 r cm, 높이는 $6r$ cm이므로

$\pi r^2\times6r=1296\pi$, $6\pi r^3=1296\pi$

$r^3=216$ ∴ $r=6$

따라서 구의 반지름의 길이는 6 cm이므로 구 1개의 부피는

$\frac{4}{3}\pi\times6^3=288\pi\ (\text{cm}^3)$

30 [Action] 정육면체에 구가 꼭 맞게 들어 있으므로 정육면체의 한 모서리의 길이는 구의 지름의 길이와 같다.

정육면체의 한 모서리의 길이를 x cm라 하면

$(x\times x)\times x=512$, $x^3=512$

∴ $x=8$

따라서 정육면체의 한 모서리의 길이는 8 cm이므로 구의 반지름의 길이는 4 cm이다.

∴ (구의 겉넓이)$=4\pi\times4^2=64\pi\ (\text{cm}^2)$

[최고수준] **완성하기** P 89~ P 91

01 $432\ \text{cm}^2$　**02** $270\ \text{cm}^2$　**03** $(56\pi-32)\ \text{cm}^2$

04 $400\ \text{cm}^3$　**05** $\left(\frac{125}{2}\pi-125\right)\text{cm}^3$　**06** $72\ \text{cm}^3$

07 3 cm　**08** 겉넓이 : $(72\pi+60)\ \text{cm}^2$, 부피 : $80\pi\ \text{cm}^3$

09 2 cm　**10** $\frac{31}{3}\pi$　**11** $2016\pi\ \text{cm}^3$ **12** 7 : 8 : 12

01 Action 27개의 작은 정육면체의 겉넓이의 합에서 색이 칠해진 면의 넓이의 합을 뺀다.

정육면체의 겉넓이는 $(6 \times 6) \times 6 = 216 \ (\text{cm}^2)$이므로 색이 칠해진 면의 넓이의 합은 $216 \ \text{cm}^2$이다.

한편 작은 정육면체의 한 모서리의 길이는 $2 \ \text{cm}$이므로 27개의 작은 정육면체의 겉넓이의 합은

$\{(2 \times 2) \times 6\} \times 27 = 648 \ (\text{cm}^2)$

따라서 색이 칠해져 있지 않은 면의 넓이의 합은

$648 - 216 = 432 \ (\text{cm}^2)$

02 Action 13개의 직육면체의 겉넓이의 합은 정육면체의 겉넓이와 새로 생긴 면의 넓이의 합을 더한 것과 같다.

정육면체의 겉넓이는

$(3 \times 3) \times 6 = 54 \ (\text{cm}^2)$ ⋯⋯ 30%

새로 생긴 면의 넓이의 합은

$(3 \times 3) \times 12 \times 2 = 216 \ (\text{cm}^2)$ ⋯⋯ 50%

따라서 13개의 직육면체의 겉넓이의 합은

$54 + 216 = 270 \ (\text{cm}^2)$ ⋯⋯ 20%

03 Action 색칠한 입체도형의 밑넓이를 먼저 구한다.

색칠한 입체도형의 밑넓이는 오른쪽 그림과 같이 반지름의 길이가 $4 \ \text{cm}$, 중심각의 크기가 $90°$인 부채꼴의 넓이에서 직각삼각형의 넓이를 뺀 것의 2배이므로

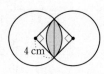

$(\text{밑넓이}) = \left(\pi \times 4^2 \times \dfrac{90}{360} - \dfrac{1}{2} \times 4 \times 4\right) \times 2$

$= (4\pi - 8) \times 2$

$= 8\pi - 16 \ (\text{cm}^2)$

∴ (색칠한 입체도형의 겉넓이)

$= (8\pi - 16) \times 2 + \left\{\left(2\pi \times 4 \times \dfrac{90}{360}\right) \times 10\right\} \times 2$

$= 16\pi - 32 + 40\pi$

$= 56\pi - 32 \ (\text{cm}^2)$

04 Action 주어진 입체도형의 겉넓이는 잘라 내기 전의 직육면체의 겉넓이와 같다.

주어진 입체도형의 겉넓이는 잘라 내기 전의 직육면체의 겉넓이와 같으므로 잘라 내기 전의 직육면체의 가로, 세로의 길이와 높이를 각각 $5a \ \text{cm}$, $3a \ \text{cm}$, $4a \ \text{cm}$ $(a > 0)$라 하면

$(5a \times 3a) \times 2 + (5a + 3a + 5a + 3a) \times 4a = 376$

$30a^2 + 64a^2 = 376$, $94a^2 = 376$

$a^2 = 4$ ∴ $a = 2 \ (∵ a > 0)$

따라서 잘라 내기 전의 직육면체의 가로, 세로의 길이와 높이가 각각 $10 \ \text{cm}$, $6 \ \text{cm}$, $8 \ \text{cm}$이므로 주어진 입체도형의 부피는

$10 \times 6 \times 8 - 80 = 480 - 80 = 400 \ (\text{cm}^3)$

05 Action 통에 남은 물의 밑면의 모양을 그려 본다.

통에 남은 물의 밑면은 오른쪽 그림의 색칠한 부분과 같으므로 남은 물의 양은

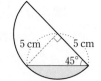

$\left(\pi \times 5^2 \times \dfrac{90}{360} - \dfrac{1}{2} \times 5 \times 5\right) \times 10$

$= \left(\dfrac{25}{4}\pi - \dfrac{25}{2}\right) \times 10$

$= \dfrac{125}{2}\pi - 125 \ (\text{cm}^3)$

06 Action 삼각뿔 $\text{C}-\text{AFH}$의 부피는 정육면체의 부피에서 네 삼각뿔 $\text{A}-\text{EFH}$, $\text{C}-\text{ABF}$, $\text{C}-\text{FGH}$, $\text{C}-\text{AHD}$의 부피를 뺀 것과 같다.

$(\text{부피}) = (\text{정육면체의 부피}) - (\text{삼각뿔 C}-\text{FGH의 부피}) \times 4$

$= (6 \times 6) \times 6 - \left\{\dfrac{1}{3} \times \left(\dfrac{1}{2} \times 6 \times 6\right) \times 6\right\} \times 4$

$= 216 - 144$

$= 72 \ (\text{cm}^3)$

07 Action 정팔면체의 부피는 사각뿔의 부피의 2배와 같다.

정육면체의 한 모서리의 길이를 $a \ \text{cm}$라 하면 정팔면체의 부피는 밑면이 대각선의 길이가 $a \ \text{cm}$인 정사각형이고, 높이가 $\dfrac{1}{2}a \ \text{cm}$인 사각뿔의 부피의 2배와 같다. ⋯⋯ 30%

$(\text{정팔면체의 부피}) = (\text{사각뿔의 부피}) \times 2$

$= \left\{\dfrac{1}{3} \times \left(\dfrac{1}{2} \times a \times a\right) \times \dfrac{1}{2}a\right\} \times 2$

$= \dfrac{1}{6}a^3 \ (\text{cm}^3)$ ⋯⋯ 30%

이때 정팔면체의 부피가 $\dfrac{9}{2} \ \text{cm}^3$이므로

$\dfrac{1}{6}a^3 = \dfrac{9}{2}$, $a^3 = 27$

∴ $a = 3$ ⋯⋯ 30%

따라서 정육면체의 한 모서리의 길이는 $3 \ \text{cm}$이다. ⋯⋯ 10%

Lecture

정팔면체를 두 개의 사각뿔로 나누면 두 사각뿔은 크기와 모양이 같다.

사각뿔의 밑면인 사각형의 각 변은 정팔면체의 모서리이므로 네 변의 길이는 모두 같다. 또 사각뿔의 밑면인 사각형의 두 대각선은 정육면체의 한 모서리의 길이이므로 그 길이가 같다.

따라서 나누어진 사각뿔은 밑면이 정사각형인 사각뿔이다.

08 Action 반지름의 길이가 r, 호의 길이가 l인 부채꼴의 넓이는 $\frac{1}{2}rl$이다.

주어진 입체도형의 밑면의 중심각의 크기는

$360°-72°=288°$이므로

(밑넓이)$=\pi\times 5^2\times\dfrac{288}{360}=20\pi\ (\text{cm}^2)$

(옆넓이)$=\dfrac{1}{2}\times 13\times\left(2\pi\times 5\times\dfrac{288}{360}\right)+\left(\dfrac{1}{2}\times 5\times 12\right)\times 2$

$\qquad\quad=52\pi+60\ (\text{cm}^2)$

$\therefore$ (겉넓이)$=20\pi+(52\pi+60)=72\pi+60\ (\text{cm}^2)$

$\quad$ (부피)$=\left\{\dfrac{1}{3}\times(\pi\times 5^2)\times 12\right\}\times\dfrac{288}{360}=80\pi\ (\text{cm}^3)$

09 Action $\overline{\text{PE}}$의 길이를 $x\,\text{cm}$라 하고, V_1과 V_2를 각각 x를 사용한 식으로 나타낸다.

(삼각기둥의 부피)$=\left(\dfrac{1}{2}\times 4\times 4\right)\times 5=40\ (\text{cm}^3)$

꼭짓점 B를 포함하는 입체도형은 밑면이 $\triangle\text{ABC}$이고 높이가 $\overline{\text{BP}}$인 삼각뿔이다.

$\overline{\text{PE}}=x\,\text{cm}$라 하면 $\overline{\text{BP}}=(5-x)\,\text{cm}$이므로

$V_2=\dfrac{1}{3}\times\left(\dfrac{1}{2}\times 4\times 4\right)\times(5-x)$

$\quad\ =\dfrac{40}{3}-\dfrac{8}{3}x\ (\text{cm}^3)$

$V_1=40-\left(\dfrac{40}{3}-\dfrac{8}{3}x\right)$

$\quad\ =\dfrac{80}{3}+\dfrac{8}{3}x\ (\text{cm}^3)$

이때 $V_1=4V_2$이므로

$\dfrac{80}{3}+\dfrac{8}{3}x=4\left(\dfrac{40}{3}-\dfrac{8}{3}x\right),\ 80+8x=160-32x$

$40x=80\qquad\therefore x=2$

따라서 $\overline{\text{PE}}$의 길이는 $2\,\text{cm}$이다.

10 Action 주어진 사각형 ABCD를 회전시킬 때 생기는 입체도형을 그려 본다.

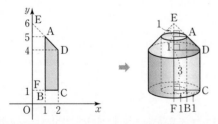

입체도형은 위의 그림과 같으므로 구하는 입체도형의 부피는 사각형 EFCD를 회전시킨 입체도형의 부피에서 사각형 EFBA를 회전시킨 입체도형의 부피를 뺀 것과 같다.

(사각형 EFCD를 회전시킨 입체도형의 부피)

$=(\pi\times 2^2)\times 3+\dfrac{1}{3}\times(\pi\times 2^2)\times 2$

$=12\pi+\dfrac{8}{3}\pi=\dfrac{44}{3}\pi$

(사각형 EFBA를 회전시킨 입체도형의 부피)

$=(\pi\times 1^2)\times 4+\dfrac{1}{3}\times(\pi\times 1^2)\times 1$

$=4\pi+\dfrac{1}{3}\pi=\dfrac{13}{3}\pi$

$\therefore$ (부피)$=\dfrac{44}{3}\pi-\dfrac{13}{3}\pi=\dfrac{31}{3}\pi$

11 Action 공이 움직일 수 있는 공간을 그려 본다.

공이 움직일 수 있는 공간의 최대 부피는 오른쪽 그림과 같이 반지름의 길이가 $12\,\text{cm}$인 구의 $\dfrac{7}{8}$이다.

따라서 공이 움직일 수 있는 공간의 최대 부피는

$\dfrac{4}{3}\pi\times 12^3\times\dfrac{7}{8}=2016\pi\ (\text{cm}^3)$

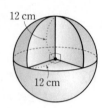

12 Action 원뿔대, 반구, 원기둥의 부피를 각각 r에 대한 식으로 나타낸다.

원뿔대의 부피를 V_1, 반구의 부피를 V_2, 원기둥의 부피를 V_3이라 하면

$V_1=\dfrac{1}{3}\times\pi r^2\times 2r-\dfrac{1}{3}\times\pi\times\left(\dfrac{1}{2}r\right)^2\times r$

$\quad\ =\dfrac{2}{3}\pi r^3-\dfrac{1}{12}\pi r^3=\dfrac{7}{12}\pi r^3$

$V_2=\dfrac{4}{3}\pi r^3\times\dfrac{1}{2}=\dfrac{2}{3}\pi r^3$

$V_3=\pi r^2\times r=\pi r^3$

$\therefore V_1:V_2:V_3=\dfrac{7}{12}\pi r^3:\dfrac{2}{3}\pi r^3:\pi r^3$

$\qquad\qquad\quad=7:8:12$

최고수준 **뛰어넘기** **P** 92 ~ **P** 93

01 $402\ \text{cm}^2$ **02** $768\ \text{cm}^2$ **03** $\left(\dfrac{15}{4}\pi+102\right)\text{cm}^2$

04 $385\ \text{cm}^3$ **05** $\dfrac{27}{16}a$ **06** $234\pi\ \text{cm}^3$

01 Action 겉넓이가 최소가 되는 입체도형을 그려 본다.

세 정육면체의 모서리의 길이는 각각 $2\,\text{cm}$, $5\,\text{cm}$, $7\,\text{cm}$이고, 입체도형이 오른쪽 그림과 같을 때 겉넓이가 최소가 된다.

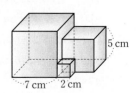

$\therefore$ (겉넓이의 최솟값)

$= (2\times2+5\times5+7\times7)\times6$

$\qquad -(2\times2)\times4-(5\times5)\times2$

$=468-16-50$

$=402\,(\text{cm}^2)$

02 Action (입체도형의 겉넓이)=(외부의 6개의 면의 넓이)+(6의 구멍의 겉넓이)임을 이용한다.

(외부의 6개의 면의 넓이)$=(10\times10-2\times2)\times6$

$\qquad\qquad\qquad =96\times6$

$\qquad\qquad\qquad =576\,(\text{cm}^2)$

(6개의 구멍의 겉넓이)$=\{(2\times4)\times4\}\times6$

$\qquad\qquad\qquad =192\,(\text{cm}^2)$

$\therefore$ (겉넓이)$=576+192=768\,(\text{cm}^2)$

03 Action 입체도형을 그려 본다.

입체도형은 오른쪽 그림과 같다.

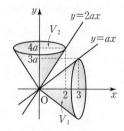

(밑넓이)

$=7\times3-\pi\times\left(\dfrac{5}{2}\right)^2\times\dfrac{1}{2}$

$=21-\dfrac{25}{8}\pi\,(\text{cm}^2)$

(옆넓이)$=\left\{1+3+7+3+1+\left(2\pi\times\dfrac{5}{2}\times\dfrac{1}{2}\right)\right\}\times4$

$\qquad =\left(15+\dfrac{5}{2}\pi\right)\times4$

$\qquad =60+10\pi\,(\text{cm}^2)$

$\therefore$ (겉넓이)$=\left(21-\dfrac{25}{8}\pi\right)\times2+(60+10\pi)$

$\qquad\qquad =42-\dfrac{25}{4}\pi+60+10\pi$

$\qquad\qquad =\dfrac{15}{4}\pi+102\,(\text{cm}^2)$

04 Action 직육면체의 가로의 길이, 세로의 길이, 높이를 각각 a cm, b cm, c cm라 하고, 직육면체의 부피와 잘라 낸 삼각뿔 1개의 부피를 각각 a, b, c를 사용한 식으로 나타낸다.

직육면체의 가로의 길이, 세로의 길이, 높이를 각각 a cm, b cm, c cm라 하면 직육면체의 부피는

$abc=405\,(\text{cm}^3)$

이때 잘라 낸 삼각뿔 1개의 부피는

$\dfrac{1}{3}\times\left(\dfrac{1}{2}\times\dfrac{1}{3}a\times\dfrac{1}{3}b\right)\times\dfrac{1}{3}c=\dfrac{1}{162}abc$

$\qquad\qquad\qquad\qquad =\dfrac{1}{162}\times405$

$\qquad\qquad\qquad\qquad =\dfrac{5}{2}\,(\text{cm}^3)$

따라서 구하는 입체도형의 부피는

$405-\dfrac{5}{2}\times8=385\,(\text{cm}^3)$

05 Action 주어진 그래프를 1회전 시킬 때 생기는 입체도형을 각각 그려 본다.

회전체는 오른쪽 그림과 같다.

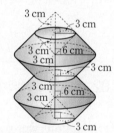

$y=ax\,(0\le x\le3)$의 그래프를 x축을 축으로 하여 1회전 시킬 때 생기는 회전체는 밑면의 반지름의 길이가 $3a$이고 높이가 3인 원뿔 모양이므로

$V_1=\dfrac{1}{3}\times\{\pi\times(3a)^2\}\times3=9a^2\pi$

$y=2ax\,(0\le x\le2)$의 그래프를 y축을 축으로 하여 1회전 시킬 때 생기는 회전체는 밑면의 반지름의 길이가 2이고 높이가 $4a$인 원뿔 모양이므로

$V_2=\dfrac{1}{3}\times(\pi\times2^2)\times4a=\dfrac{16a}{3}\pi$

$\therefore \dfrac{V_1}{V_2}=9a^2\pi\div\dfrac{16a}{3}\pi$

$\qquad\quad =9a^2\pi\times\dfrac{3}{16a\pi}=\dfrac{27}{16}a$

06 Action 주어진 도형을 1회전 시킬 때 생기는 입체도형을 그려 본다.

입체도형은 오른쪽 그림과 같으므로 회전체의 부피는 원뿔대 4개의 부피의 합에서 원뿔 2개의 부피의 합을 뺀 것과 같다.

(원뿔대 1개의 부피)

$=\dfrac{1}{3}\times(\pi\times6^2)\times6$

$\qquad -\dfrac{1}{3}\times(\pi\times3^2)\times3$

$=72\pi-9\pi=63\pi\,(\text{cm}^3)$

(원뿔 1개의 부피)$=\dfrac{1}{3}\times(\pi\times3^2)\times3=9\pi\,(\text{cm}^3)$

$\therefore$ (부피)$=63\pi\times4-9\pi\times2$

$\qquad\quad =252\pi-18\pi=234\pi\,(\text{cm}^3)$

교과서 속 창의 사고력   ℗ 94 - ℗ 96

01 152	**02** 6개	**03** 42 cm²	**04** $\dfrac{11}{200}\pi$ cm
05 13 cm	**06** (다)		

01 **Action** 색이 칠해진 면의 개수에 따른 작은 정육면체의 위치를 파악한다.

한 면만 색이 칠해진 작은 정육면체의 개수는 오른쪽 그림과 같이 큰 정육면체의 꼭짓점과 모서리를 포함하지 않은 곳에 위치한 작은 정육면체의 개수와 같으므로

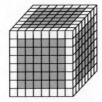

$a=(6\times6)\times6=216$

두 면에 색이 칠해진 작은 정육면체의 개수는 오른쪽 그림과 같이 큰 정육면체의 꼭짓점을 포함하지 않고 모서리에 위치한 작은 정육면체의 개수와 같으므로

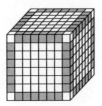

$b=6\times12=72$

세 면에 색이 칠해진 작은 정육면체의 개수는 오른쪽 그림과 같이 큰 정육면체의 꼭짓점에 위치한 작은 정육면체의 개수와 같으므로

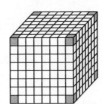

$c=8$

$\therefore a-b+c=216-72+8=152$

02 **Action** 정십이면체의 모서리의 개수와 각 면이 가진 변의 개수를 구한다.

정십이면체의 모서리의 개수는 30개이고 각 면은 5개의 변을 가지므로 최소한 $\dfrac{30}{5}=6$(개)의 모서리에 빨간색을 칠해야 한다.

예를 들면 오른쪽 그림과 같이 $\overline{CD}$, $\overline{BI}$, $\overline{EO}$, $\overline{RJ}$, $\overline{TN}$, $\overline{PQ}$의 6개의 모서리에 빨간색을 칠하면 모든 면이 적어도 하나의 빨간색 모서리를 갖게 된다.

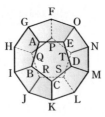

03 **Action** 겉넓이가 최소가 되도록 18개의 정육면체를 쌓는다.

겉넓이가 최소가 되려면 겹치는 면이 최대한 많아야 하므로 오른쪽 그림과 같이 쌓아야 한다.

$\therefore$ (겉넓이)
$\quad =(3\times2)\times2+(2+3+2+3)\times3$
$\quad =12+30$
$\quad =42\,(\text{cm}^2)$

04 **Action** 휴지를 통에 감았을 때와 통에서 풀었을 때의 부피는 같다.

통에 감긴 휴지의 부피와 통에서 풀었을 때의 휴지의 부피는 같으므로 휴지 한 겹의 두께를 $x\,\text{cm}$, 휴지의 폭을 $y\,\text{cm}$라 하면

$(\pi\times8^2-\pi\times3^2)\times y=1000xy$

$\therefore x=\dfrac{55}{1000}\pi=\dfrac{11}{200}\pi$

따라서 휴지 한 겹의 두께는 $\dfrac{11}{200}\pi\,\text{cm}$이다.

05 **Action** (처음 통에 담겨 있던 주스의 부피)=(컵 1개에 담겨 있는 주스의 부피)$\times6$+(통에 남아 있는 주스의 부피)이다.

처음 통에 담겨 있던 주스의 높이를 $h\,\text{cm}$라 하면
처음 통에 담겨 있던 주스의 부피는
$(\pi\times8^2)\times h=64\pi h\,(\text{cm}^3)$
원뿔 모양의 컵 1개에 담겨 있는 주스의 부피는
$\left\{\dfrac{1}{3}\times(\pi\times4^2)\times15\right\}\times\dfrac{4}{5}=64\pi\,(\text{cm}^3)$
통에 남아 있는 주스의 부피는
$(\pi\times8^2)\times7=448\pi\,(\text{cm}^3)$
즉 $64\pi h=64\pi\times6+448\pi$이므로
$64\pi h=832\pi$ $\quad\therefore h=13$
따라서 처음 통에 담겨 있던 주스의 높이는 13 cm이다.

06 **Action** 겉넓이가 같음을 이용하여 사각기둥 모양의 탱크와 원기둥 모양의 탱크의 높이를 각각 구한다.

(대)에서 구 모양의 탱크의 겉넓이는 $4\pi r^2$이다.

(개)에서 사각기둥 모양의 탱크의 높이를 h_1이라 하면 사각기둥 모양의 탱크와 구 모양의 탱크의 겉넓이가 같으므로

$(r\times r)\times2+(r+r+r+r)\times h_1=4\pi r^2$
$2r^2+4rh_1=4\pi r^2$, $4rh_1=4\pi r^2-2r^2$
$\therefore h_1=\pi r-\dfrac{1}{2}r$ ······ ㉠

(나)에서 원기둥 모양의 탱크의 높이를 h_2라 하면 원기둥 모양의 탱크와 구 모양의 탱크의 겉넓이가 같으므로

$\pi r^2\times2+2\pi r\times h_2=4\pi r^2$
$2\pi r^2+2\pi rh_2=4\pi r^2$, $2\pi rh_2=2\pi r^2$
$\therefore h_2=r$ ······ ㉡

사각기둥 모양의 탱크의 부피는
$(r\times r)\times h_1=r^2\times\left(\pi r-\dfrac{1}{2}r\right)=\pi r^3-\dfrac{1}{2}r^3\ (\because ㉠)$
원기둥 모양의 탱크의 부피는
$\pi r^2\times h_2=\pi r^2\times r=\pi r^3\ (\because ㉡)$
구 모양의 탱크의 부피는 $\dfrac{4}{3}\pi r^3$

이때 $r>0$이므로 $\pi r^3-\dfrac{1}{2}r^3<\pi r^3<\dfrac{4}{3}\pi r^3$

따라서 원유가 가장 많이 들어가는 탱크는 (대)이다.

IV. 자료의 정리와 해석

1. 도수분포표와 그래프

| 최고
수준 | 입문하기 | P 100 – P 103 |

01 ⑤	**02** (1) 37분 (2) 20 %	**03** ②, ⑤
04 (1) 5개 (2) 4회 이상 6회 미만 (3) 6회 이상 8회 미만		
05 ②	**06** (1) 2명 (2) 13명	**07** 54 %
08 13명	**09** 56 %	**10** ①, ④	**11** 250타
12 36명	**13** 14명	**14** 7일	**15** 20 %
16 ⑤	**17** 8개	**18** 11명	**19** 18.75 %
20 ㉠, ㉢		

01 **Action** 전체 학생 수는 잎의 개수와 같다.

① 줄기가 3인 잎이 4개, 줄기가 4인 잎이 7개, 줄기가 5인 잎이 5개, 줄기가 6인 잎이 6개, 줄기가 7인 잎이 3개이므로 잎이 가장 많은 줄기는 4이다.

② 전체 학생 수는
$4+7+5+6+3=25$(명)

③ 줄넘기 횟수가 40회 미만인 학생은 32회, 35회, 38회, 39회의 4명이다.

④ 줄넘기를 가장 많이 한 학생은 77회, 가장 적게 한 학생은 32회 하였으므로 그 차는 $77-32=45$(회)

02 **Action** (백분율)$=\dfrac{(\text{사용 시간이 40분대인 학생 수})}{(\text{전체 학생 수})}\times100\,(\%)$

(1) 줄기와 잎 그림에서 8번째로 큰 수는 37이므로 컴퓨터 사용 시간이 8번째로 많은 학생의 컴퓨터 사용 시간은 37분이다.

(2) 전체 학생 수는 $3+5+6+4+2=20$(명)이고, 컴퓨터 사용 시간이 40분대인 학생은 43분, 46분, 47분, 48분의 4명이므로 $\dfrac{4}{20}\times100=20\,(\%)$

03 **Action** 가운데 줄기를 기준으로 왼쪽은 남학생의 줄기와 잎 그림이고, 오른쪽은 여학생의 줄기와 잎 그림이다.

① 전체 학생 수는
$3+3+6+6+4+4=26$(명)

② 여학생에서 잎이 가장 많은 줄기는 3이다.

④ 전체 26명 중 윗몸일으키기를 54회 한 학생은 기록이 좋은 쪽에서 6번째이므로 기록이 좋은 편이다.

⑤ 남학생의 잎이 여학생의 잎보다 대체로 줄기의 값이 큰 쪽으로 치우쳐 있으므로 남학생의 기록이 여학생의 기록보다 더 좋은 편이다.

따라서 옳지 않은 것은 ②, ⑤이다.

04 **Action** 통화 횟수가 10번째로 많은 학생이 속하는 계급은 통화 횟수가 8회 이상인 학생 수, 6회 이상인 학생 수, … 를 차례로 구하여 10명 이상인 학생 수가 처음으로 나왔을 때의 계급이다.

(3) 통화 횟수가 8회 이상인 학생 수는 4명, 6회 이상인 학생 수는 $13+4=17$(명)이므로 통화 횟수가 10번째로 많은 학생이 속하는 계급은 6회 이상 8회 미만이다.

05 **Action** 도수의 총합을 이용하여 A의 값을 구한다.

① (계급의 크기)$=40-35=45-40=\cdots$
$=60-55=5\,(\text{kg})$

② $4+7+16+A+6=36$에서 $A=3$
도수가 가장 작은 계급은 50 kg 이상 55 kg 미만이고 그 계급값은 $\dfrac{50+55}{2}=52.5\,(\text{kg})$

③ 몸무게가 50 kg 이상인 학생 수는 $3+6=9$(명)이므로
$\dfrac{9}{36}\times100=25\,(\%)$

④ 몸무게가 40 kg 이상 50 kg 미만인 학생 수는
$7+16=23$(명)

⑤ 몸무게가 55 kg 이상인 학생 수는 6명, 50 kg 이상인 학생 수는 $3+6=9$(명), 45 kg 이상인 학생 수는 $16+3+6=25$(명)이므로 몸무게가 무거운 쪽에서부터 19번째인 학생이 속하는 계급은 45 kg 이상 50 kg 미만이고 그 계급의 도수는 16명이다.

따라서 옳지 않은 것은 ②이다.

06 **Action** 145 cm 이상 150 cm 미만인 계급의 도수를 A명이라 하면 160 cm 이상 165 cm 미만인 계급의 도수는 $5A$명이다.

(1) 145 cm 이상 150 cm 미만인 계급의 도수를 A명이라 하면 160 cm 이상 165 cm 미만인 계급의 도수는 $5A$명이므로 …… 40%
$A+7+8+5A+3=30$
$6A=12$ $\therefore A=2$
따라서 키가 145 cm 이상 150 cm 미만인 학생 수는 2명이다. …… 20%

(2) 160 cm 이상 165 cm 미만인 계급의 도수는
$5A=5\times2=10$(명)이므로 키가 160 cm 이상인 학생 수는 $10+3=13$(명) …… 40%

07 **Action** 몸무게가 $45\,\text{kg}$ 미만인 학생 수를 구한 후 몸무게가 $45\,\text{kg}$ 이상 $50\,\text{kg}$ 미만인 학생 수를 구한다.

몸무게가 $45\,\text{kg}$ 미만인 학생 수는

$50 \times \dfrac{30}{100} = 15$(명)

따라서 몸무게가 $45\,\text{kg}$ 이상 $50\,\text{kg}$ 미만인 학생 수는

$50 - (15 + 8) = 27$(명)이므로

$\dfrac{27}{50} \times 100 = 54\,(\%)$

08 **Action** 주어진 조건으로 전체 학생 수를 구한다.

기록이 20회 미만인 학생 수는 $7 + 11 = 18$(명)이고 전체의 $45\,\%$이므로

(전체 학생 수)$\times \dfrac{45}{100} = 18$

$\therefore$ (전체 학생 수)$= 40$(명)

따라서 기록이 20회 이상 30회 미만인 학생 수는

$40 - (18 + 6 + 3) = 13$(명)

⟡ Lecture

(백분율)$= \dfrac{(\text{어떤 계급의 도수})}{(\text{도수의 총합})} \times 100\,(\%)$이므로

(도수의 총합)$\times \dfrac{(\text{백분율})}{100} = (\text{어떤 계급의 도수})$

09 **Action** 히스토그램에서 전체 학생 수와 통학 시간이 20분 이상 40분 미만인 학생 수를 구한다.

전체 학생 수는

$4 + 6 + 8 + 5 + 2 = 25$(명)

통학 시간이 20분 이상 40분 미만인 학생 수는

$6 + 8 = 14$(명)이므로

$\dfrac{14}{25} \times 100 = 56\,(\%)$

10 **Action** 히스토그램에서 세로의 길이는 도수를 나타낸다.

① 전체 학생 수는

　$8 + 10 + 13 + 6 + 3 = 40$(명)

② 도수가 가장 작은 계급은 90점 이상 100점 미만이다.

③ 점수가 70점 미만인 학생 수는 $8 + 10 = 18$(명)이다.

④ 각 직사각형의 넓이는 각 계급의 도수에 정비례하므로 두 직사각형 A, B의 넓이의 비는

　$10 : 6 = 5 : 3$

⑤ 점수가 90점 이상인 학생 수는 3명, 80점 이상인 학생 수는 $6 + 3 = 9$(명)이므로 점수가 6번째로 좋은 학생이 속하는 계급은 80점 이상 90점 미만이다.

따라서 옳은 것은 ①, ④이다.

⟡ Lecture

히스토그램에서 각 직사각형의 넓이는

(계급의 크기)$\times$(그 계급의 도수)이고, 계급의 크기는 모두 일정하다. 따라서 직사각형의 넓이는 계급의 도수에 정비례한다.

11 **Action** 전체 학생 수와 상위 $20\,\%$ 이내인 학생 수를 각각 구한다.

전체 학생 수는 $4 + 6 + 10 + 8 + 5 + 2 = 35$(명)이므로 상위 $20\,\%$ 이내인 학생 수는

$35 \times \dfrac{20}{100} = 7$(명)

분당 자판 입력 타수가 300타 이상인 학생 수는 2명, 250타 이상인 학생 수는 $5 + 2 = 7$(명)이므로 상위 $20\,\%$ 이내인 학생의 분당 자판 입력 타수는 최소한 250타 이상이다.

12 **Action** 두 직사각형 A, B의 넓이의 비를 이용하여 8회 이상 10회 미만인 계급의 도수를 구한다.

도서관을 방문한 횟수가 8회 이상 10회 미만인 학생 수를 x명이라 하면

$x : 9 = 4 : 3$이므로 $3x = 36$

$\therefore x = 12$

따라서 수영이네 반 전체 학생 수는

$2 + 4 + 8 + 12 + 9 + 1 = 36$(명)

13 **Action** 주어진 조건으로 타율이 2.5할 이상인 선수의 수를 구한다.

타율이 2.5할 이상인 선수가 전체의 $40\,\%$이므로 타율이 2.5할 이상인 선수의 수를 x명이라 하면

$\dfrac{x}{40} \times 100 = 40$

$\therefore x = 16$

따라서 타율이 2.0할 이상 2.5할 미만인 선수의 수는

$40 - (2 + 8 + 16) = 14$(명)

14 **Action** 주어진 조건으로 전체 날 수를 구한다.

기온이 $26\,^{\circ}\text{C}$ 이상 $30\,^{\circ}\text{C}$ 미만인 날은 $12 + 10 = 22$(일)이고 전체의 $55\,\%$이므로

(전체 날 수)$\times \dfrac{55}{100} = 22$

$\therefore$ (전체 날 수)$= 40$(일)

따라서 기온이 $30\,^{\circ}\text{C}$ 이상 $32\,^{\circ}\text{C}$ 미만인 날의 수는

$40 - (5 + 12 + 10 + 6) = 7$(일)

15 `Action` 과학 성적이 60점 이상 70점 미만인 학생 수를 x명이라 하면 70점 이상 80점 미만인 학생 수는 $(2x-1)$명이다.

과학 성적이 60점 이상 70점 미만인 학생 수를 x명이라 하면 70점 이상 80점 미만인 학생 수는 $(2x-1)$명이므로
$6+x+(2x-1)+9+4=45$
$3x+18=45$
$3x=27$ $\therefore x=9$
따라서 과학 성적이 60점 이상 70점 미만인 학생 수는 9명이므로
$\dfrac{9}{45}\times100=20\,(\%)$

16 `Action` 도수분포다각형과 가로축으로 둘러싸인 부분의 넓이는 히스토그램의 각 직사각형의 넓이의 합과 같다.

② 전체 학생 수는
$4+8+11+13+7+5=48$(명)
③ 도수가 가장 큰 계급은 8자루 이상 10자루 미만이므로
$(계급값)=\dfrac{8+10}{2}=9$(자루)
④ 도수분포다각형과 가로축으로 둘러싸인 부분의 넓이는
$(계급의 크기)\times(도수의 총합)=2\times48=96$
⑤ 연필의 수가 6자루 미만인 학생 수는 $4+8=12$(명)이므로 $\dfrac{12}{48}\times100=25\,(\%)$
따라서 옳지 않은 것은 ⑤이다.

17 `Action` 무게가 11번째로 가벼운 상자가 속하는 계급을 구하여 그 계급의 도수를 구한다.

무게가 5 kg 미만인 상자의 개수는 3개, 6 kg 미만인 상자의 개수는 $3+4=7$(개), 7 kg 미만인 상자의 개수는 $3+4+8=15$(개)이므로 무게가 11번째로 가벼운 상자가 속하는 계급은 6 kg 이상 7 kg 미만이고 그 계급의 도수는 8개이다.

18 `Action` 주어진 조건으로 전체 학생 수를 구한다.

수학 성적이 60점 이상 70점 미만인 학생 수는 10명이고 전체의 25 %이므로
$(전체 학생 수)\times\dfrac{25}{100}=10$
$\therefore (전체 학생 수)=40$(명)   …… 60%
따라서 수학 성적이 70점 이상 80점 미만인 학생 수는
$40-(2+7+10+7+3)=11$(명)   …… 40%

19 `Action` 주어진 조건으로 운동 시간이 40분 이상인 학생 수를 구한다.

운동 시간이 40분 이상인 학생 수는
$32\times\dfrac{50}{100}=16$(명)
따라서 운동 시간이 30분 이상 40분 미만인 학생 수는
$32-(4+6+16)=6$(명)이므로
$\dfrac{6}{32}\times100=18.75\,(\%)$

20 `Action` 그래프가 왼쪽에 치우쳐 있을수록 달리기 기록이 더 좋다.

㉠ 남학생 수는
$1+3+7+9+3+2=25$(명)
여학생 수는
$1+2+5+8+6+3=25$(명)
따라서 남학생 수와 여학생 수는 같다.
㉡ 전체적으로 남학생의 그래프가 여학생의 그래프보다 왼쪽에 치우쳐 있으므로 남학생의 기록이 여학생의 기록보다 더 좋다.
㉢ 계급의 크기가 1초이고, 남학생 수와 여학생 수가 같으므로 각각의 그래프와 가로축으로 둘러싸인 부분의 넓이는 같다.
㉣ 계급값이 16.5초인 계급은 16초 이상 17초 미만이므로 여학생 수는 8명, 남학생 수는 3명이다.
따라서 여학생이 남학생보다 5명 더 많다.
따라서 옳은 것은 ㉠, ㉢이다.

최고수준 **완성하기**   P 104- P 106

01 30 %	02 10개	03 13	04 43
05 150 cm 이상 155 cm 미만	06 12명		07 16
08 30명	09 30 %	10 8명	11 $S_1=S_2$
12 10 %			

01 `Action` 반 전체 학생 수와 수학 성적이 85점 이상인 학생 수를 각각 구한다.

전체 학생 수는
$4+4+8+8+6=30$(명)
수학 성적이 85점 이상인 학생 수는 9명이므로
$\dfrac{9}{30}\times100=30\,(\%)$

정답과 풀이

02 Action 전체 학생의 20 %에 해당하는 학생 수를 먼저 구한다.

전체 학생 수는 $4+6+6+7+2=25$(명)이므로 전체 학생의 20 %는

$25 \times \dfrac{20}{100} = 5$(명)

이때 SNS 게시글 수가 많은 순서대로 나열하면 56개, 51개, 48개, 47개, 46개, …이므로 우리 학교 SNS 홍보 대사의 자격이 되는 학생 5명 중에서 SNS 게시글 수가 가장 많은 학생의 게시글 수는 56개, 가장 적은 학생의 게시글 수는 46개이다.

따라서 구하는 차는

$56-46=10$(개)

03 Action $(평균) = \dfrac{(자료의 총합)}{(자료의 개수)}$임을 이용한다.

전체 선수의 수는

$8+9+2+1=20$(명)

홈런의 총 개수는

$2+3+4+4+5+5+x+8+10+11+12+13+13+15$
$\qquad\qquad +15+16+19+22+(20+y)+30$
$=x+y+227$(개)

이때 홈런 수의 평균이 12개이므로

$\dfrac{x+y+227}{20}=12$, $x+y+227=240$

$\therefore x+y=13$

04 Action TV 시청 시간이 60분 미만인 학생이 전체의 10 %임을 이용하여 TV 시청 시간이 60분 미만인 학생 수를 구한 후 120분 이상 150분 미만인 학생 수를 구한다.

TV 시청 시간이 60분 미만인 학생 수는

$40 \times \dfrac{10}{100} = 4$(명)

이때 TV 시청 시간이 120분 이상 150분 미만인 학생 수는 $40-(4+8+13+5)=10$(명)이므로 A의 값이 될 수 있는 가장 큰 수는 $13+10+5=28$이고 가장 작은 수는 $10+5=15$이다.

따라서 구하는 합은

$28+15=43$

🔊 *Lecture*

90분 이상 120분 미만인 계급에 속하는 13명의 학생의 TV 시청 시간이 모두 100분 이상일 때, A의 값은 가장 크고, 13명의 학생의 TV 시청 시간이 모두 90분 이상 100분 미만이면 A의 값은 가장 작다.

05 Action 키가 150 cm 미만인 학생이 전체의 26 %임을 이용하여 전체 학생 수를 구한다.

키가 150 cm 미만인 학생 수는 $6+7=13$(명)이므로

$(전체 학생 수) \times \dfrac{26}{100} = 13$

$\therefore (전체 학생 수) = 50$(명)

키가 큰 쪽에서부터 24번째인 학생은 키가 작은 쪽에서부터 $50-24+1=27$(번째)이다.

이때 키가 145 cm 미만인 학생 수는 6명, 150 cm 미만인 학생 수는 $6+7=13$(명), 155 cm 미만인 학생 수는 $6+7+15=28$(명)이므로 키가 큰 쪽에서부터 24번째인 학생이 속하는 계급은 150 cm 이상 155 cm 미만이다.

06 Action 몸무게가 50 kg 이상 55 kg 미만인 학생 수를 x명, 60 kg 이상 65 kg 미만인 학생 수를 y명이라 하고 문제의 뜻에 알맞은 식을 세운다.

몸무게가 50 kg 이상 55 kg 미만인 학생 수를 x명, 60 kg 이상 65 kg 미만인 학생 수를 y명이라 하면

$2+10+x+11+y+3=40$이므로

$x+y=14$

이때 x, y의 최소공배수가 12이므로 x와 y는 12의 약수이고, 이 중 $x>y$, $x+y=14$를 만족시키는 x, y의 값을 구하면

$x=12$, $y=2$

따라서 몸무게가 50 kg 이상 55 kg 미만인 학생 수는 12명이다.

07 Action 상위 30 % 이내에 드는 학생 수와 상위 75 % 이내에 드는 학생 수를 각각 구한다.

전체 학생 수는

$3+7+10+8+7+5=40$(명)

상위 30 % 이내에 드는 학생 수는

$40 \times \dfrac{30}{100} = 12$(명)

이 중에서 영화를 가장 적게 본 학생이 속하는 계급은 10편 이상 12편 미만이므로 $a=10$

또 상위 75 % 이내에 드는 학생 수는

$40 \times \dfrac{75}{100} = 30$(명)

이 중에서 영화를 가장 적게 본 학생이 속하는 계급은 6편 이상 8편 미만이므로 $b=6$

$\therefore a+b=10+6=16$

08 Action 세로축의 눈금 한 칸이 나타내는 학생 수를 x명이라 하고 문제의 뜻에 알맞은 식을 세운다.

세로축의 눈금 한 칸이 나타내는 학생 수를 x명이라 하면

...... 30%

전체 학생 수가 80명이므로

$2x+5x+6x+2x+x=80$

$16x=80$ ∴ $x=5$ 40%

따라서 한 뼘의 길이가 19 cm인 학생이 속하는 계급은 18 cm 이상 20 cm 미만이므로 이 계급의 도수는

$6x=6\times5=30$(명) 30%

▶ *Lecture*

세로축의 눈금 한 칸은 문제에 따라 1명인 경우도 있고, 2명인 경우도 있고, 그보다 더 많은 경우도 있다. 따라서 세로축이 찢어져 보이지 않을 때는 세로축의 눈금 한 칸이 나타내는 도수를 x명으로 놓고 문제를 풀어야 한다.

09 Action 수학 성적이 75점 이상 80점 미만, 80점 이상 85점 미만, 85점 이상 90점 미만인 학생 수의 비를 한꺼번에 나타낸다.

수학 성적이 75점 이상 80점 미만인 학생 수와 80점 이상 85점 미만인 학생 수의 비가 4 : 7이고, 80점 이상 85점 미만인 학생 수와 85점 이상 90점 미만인 학생 수의 비가 2 : 1이므로 수학 성적이 75점 이상 80점 미만, 80점 이상 85점 미만, 85점 이상 90점 미만인 학생 수의 비는 8 : 14 : 7이다.

세 계급의 도수를 각각 $8k$명, $14k$명, $7k$명이라 하면

$2+4+7+8k+14k+7k+5+3=50$

$29k=29$ ∴ $k=1$

따라서 수학 성적이 85점 이상 90점 미만인 학생 수는 7명이므로 수학 성적이 85점 이상인 학생 수는

$7+5+3=15$(명)

∴ $\dfrac{15}{50}\times100=30$ (%)

10 Action 영어 성적이 70점 이상 80점 미만인 학생 수를 x명이라 하면 60점 이상 70점 미만인 학생 수는 $(x+7)$명이다.

영어 성적이 80점 이상인 학생 수는 3명이고 전체의 5 %이므로

(전체 학생 수)$\times\dfrac{5}{100}=3$

∴ (전체 학생 수)$=60$(명)

이때 영어 성적이 70점 이상 80점 미만인 학생 수를 x명이라 하면 60점 이상 70점 미만인 학생 수는 $(x+7)$명이므로

$5+8+11+10+(x+7)+x+3=60$

$2x=16$ ∴ $x=8$

따라서 영어 성적이 70점 이상 80점 미만인 학생 수는 8명이다.

11 Action 전체 학생 수와 계급의 크기가 같으면 각 반의 도수분포다각형과 가로축으로 둘러싸인 부분의 넓이가 서로 같음을 이용한다.

1반의 학생 수는

$4+9+12+10+5=40$(명)

2반의 학생 수는

$5+10+14+9+2=40$(명)

즉 1반과 2반의 학생 수가 같으므로 각 반의 도수분포다각형과 가로축으로 둘러싸인 부분의 넓이는 서로 같다.

오른쪽 도수분포다각형에서 빗금친 부분의 넓이를 P라 하면

(1반의 도수분포다각형과 가로축으로 둘러싸인 부분의 넓이)

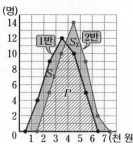

$=S_1+P$

(2반의 도수분포다각형과 가로축으로 둘러싸인 부분의 넓이)

$=P+S_2$

따라서 $S_1+P=P+S_2$이므로

$S_1=S_2$

12 Action A반에서 성적이 상위 22.5 % 이내에 드는 학생의 성적은 몇 점 이상인지 구한다.

A반의 전체 학생 수는 $1+6+9+15+7+2=40$(명)이므로 A반에서 상위 22.5 % 이내에 드는 학생 수는

$40\times\dfrac{22.5}{100}=9$(명)

A반에서 성적이 80점 이상인 학생 수가 $7+2=9$(명)이므로 상위 22.5 % 이내에 드는 학생의 성적은 80점 이상이다.

한편, B반의 전체 학생 수는 $4+4+7+12+2+1=30$(명)이고 B반에서 성적이 80점 이상인 학생 수는 $2+1=3$(명)이므로

$\dfrac{3}{30}\times100=10$ (%)

따라서 A반에서 성적이 상위 22.5 % 이내에 드는 학생의 성적은 B반에서 최소 상위 10 % 이내에 든다.

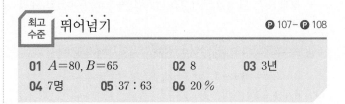

최고수준 **뛰어넘기** ℗ 107 – ℗ 108

01 $A=80$, $B=65$ **02** 8 **03** 3년

04 7명 **05** 37 : 63 **06** 20 %

01 Action 주어진 자료를 이용하여 따로 도수분포표를 그려 본다.

주어진 자료에서 A, B를 제외한 18개의 변량으로 도수분포표를 만들면 오른쪽 표와 같다. 이를 주어진 도수분포표와 비교하면 A, B는 60점 이상 70점 미만, 80점 이상 90점 미만에 각각 하나씩 들어감을 알 수 있다.

국어 성적(점)	도수(명)
$50^{이상} \sim 60^{미만}$	3
60 ~ 70	3
70 ~ 80	5
80 ~ 90	4
90 ~ 100	3
합계	18

이때 $A-B=15$에서 $A>B$이므로
$80 \le A < 90$, $60 \le B < 70$
한 문제당 점수가 5점씩이므로
$A=80$ 또는 $A=85$, $B=60$ 또는 $B=65$
따라서 $A-B=15$이므로
$A=80$, $B=65$

02 Action 기록이 24회 이상 32회 미만인 학생 수를 B명이라 하고, 주어진 조건을 이용하여 A, B에 대한 식을 세운다.

기록이 24회 이상 32회 미만인 학생 수를 B명이라 하면
$3+A+12+B+5=40$
$\therefore A+B=20$ ...... ㉠
기록이 10회 이하인 학생 수는 $40 \times \dfrac{20}{100}=8$(명)이므로
$3+A \ge 8$ $\therefore A \ge 5$ ...... ㉡
기록이 25회 이상인 학생 수는 $40 \times \dfrac{30}{100}=12$(명)이므로
$B+5 \ge 12$ $\therefore B \ge 7$ ...... ㉢
㉠~㉢을 모두 만족시키는 자연수 A, B의 값은 다음과 같다.

A	5	6	7	8	9	10	11	12	13
B	15	14	13	12	11	10	9	8	7

따라서 A의 최댓값은 13, 최솟값은 5이므로 그 차는
$13-5=8$

03 Action 12일 이상 15일 미만인 계급의 도수를 k년이라 하면 3일 이상 6일 미만인 계급의 도수는 $2.5k$년이다.

12일 이상 15일 미만인 계급의 도수를 k년이라 하면 3일 이상 6일 미만인 계급의 도수는 $2.5k$년이다.
연간 황사 발생일 수가 9일 미만인 해가 전체 조사한 해의 70 %이므로
$6+2.5k+3=\dfrac{70}{100} \times (6+2.5k+3+1+k+2+1)$
$9+2.5k=9.1+2.45k$
$0.05k=0.1$ $\therefore k=2$

따라서 3일 이상 6일 미만인 계급의 도수는
$2.5k=2.5 \times 2=5$(년), 12일 이상 15일 미만인 계급의 도수는 2년이므로 구하는 도수의 차는
$5-2=3$(년)

04 Action 기록이 38 m 이상인 학생 수를 x명이라 하면 기록이 38 m 미만인 학생 수는 $(5x-4)$명이다.

기록이 38 m 이상인 학생 수를 x명이라 하면 기록이 38 m 미만인 학생 수는 $(5x-4)$명이므로
$(5x-4)+x=50$
$6x=54$ $\therefore x=9$
따라서 기록이 38 m 미만인 학생 수는
$5x-4=5 \times 9-4=41$(명)이므로 기록이 34 m 이상 38 m 미만인 학생 수는
$41-(5+8+11+10)=7$(명)

05 Action 도수분포다각형과 가로축으로 둘러싸인 부분의 넓이는 히스토그램의 직사각형의 넓이의 합과 같다.

기록이 38 m 이상 42 m 미만인 계급의 도수는 6명이므로 도수분포다각형에서 가장 높은 꼭짓점이 위치한 계급은 도수가 가장 큰 계급인 26 m 이상 30 m 미만이다.
이때 도수분포다각형과 가로축으로 둘러싸인 부분의 넓이는 히스토그램의 직사각형의 넓이의 합과 같으므로 A, B의 값을 각각 구하면
$A=4 \times 5+4 \times 8+2 \times 11=74$
$B=2 \times 11+4 \times 10+4 \times 7+4 \times 6+4 \times 3$
$\quad =126$
$\therefore A:B=74:126=37:63$

06 Action 1반 학생이 2반으로 반을 옮기면 2반의 전체 학생 수는 1명이 늘어난다.

1반의 전체 학생 수는 $3+5+10+9+2+1=30$(명)이므로 1반에서 상위 10 % 이내에 드는 학생 수는
$30 \times \dfrac{10}{100}=3$(명)
이때 1반에서 80점 이상인 학생 수가 $2+1=3$(명)이므로 선미의 과학 성적은 80점 이상이다.
한편 2반의 전체 학생 수는 $2+4+8+10+3+2=29$(명)이고 2반에서 80점 이상인 학생 수는 $3+2=5$(명)이므로 선미가 1반에서 2반으로 반을 옮기면 2반의 전체 학생 수는 $29+1=30$(명), 2반에서 80점 이상인 학생 수는 $5+1=6$(명)이 된다.
$\therefore \dfrac{6}{30} \times 100=20$ (%)

2. 상대도수와 그 그래프

01 ⑤　　　**02** 0.3　　　**03** 0.35　　　**04** 250
05 $a=0.16, b=13$
06 (1) 80명
　　(2) $A=0.05, B=28, C=0.3, D=8, E=1$
　　(3) 55 %
07 0.24　　　**08** 3명　　　**09** 240명　　　**10** ①
11 18명　　　**12** 30명　　　**13** 4　　　　**14** 9 : 10
15 150　　　**16** ③

01 Action (어떤 계급의 상대도수)=$\dfrac{(그 계급의 도수)}{(도수의 총합)}$ 임을 이용한다.

⑤ 상대도수의 총합은 항상 1이다.

02 Action 도수의 총합을 구하고, 도수가 가장 큰 계급의 도수를 구한다.

도수의 총합은 $3+5+9+7+4+2=30$(명)
도수가 가장 큰 계급은 5회 이상 7회 미만이고, 그 도수는
9명이므로 이 계급의 상대도수는 $\dfrac{9}{30}=0.3$

03 Action 수학 성적이 70점 미만인 학생 수를 구하여 수학 성적이 70
점 이상 80점 미만인 학생 수를 구한다.

수학 성적이 70점 미만인 학생 수는
$40 \times \dfrac{40}{100}=16$(명)　　　　　　　　　…… 30%
수학 성적이 70점 이상 80점 미만인 학생 수는
$40-(16+6+4)=14$(명)　　　　　　　　…… 30%
따라서 70점 이상 80점 미만인 계급의 상대도수는
$\dfrac{14}{40}=0.35$　　　　　　　　　　　　…… 40%

04 Action (도수의 총합)=$\dfrac{(그 계급의 도수)}{(어떤 계급의 상대도수)}$ 임을 이용한다.

(도수의 총합)=$\dfrac{60}{0.24}=250$

05 Action 도수의 총합을 구하여 a, b의 값을 각각 구한다.

(도수의 총합)=$\dfrac{17}{0.34}=50$이므로

$a=\dfrac{8}{50}=0.16$

$b=50 \times 0.26=13$

06 Action 전체 학생 수를 구하고, $A \sim E$의 값을 차례로 구한다.

(1) (전체 학생 수)=$\dfrac{16}{0.2}=80$(명)

(2) $A=\dfrac{4}{80}=0.05$, $B=80 \times 0.35=28$,

$C=\dfrac{24}{80}=0.3$, $D=80 \times 0.1=8$, $E=1$

(3) 10회 이상 30회 미만인 계급의 상대도수의 합은
0.2+0.35=0.55이므로
$0.55 \times 100=55$ (%)

07 Action 주어진 조건으로 전체 학생 수를 먼저 구한다.

전체 학생 수는 $\dfrac{4}{0.08}=50$(명)이므로 구하는 상대도수는

$\dfrac{12}{50}=0.24$

08 Action 책을 10권 이상 읽은 학생이 전체의 65 %이므로 책을 10권
이상 읽은 계급의 상대도수의 합은 0.65이다.

(전체 학생 수)=$\dfrac{4}{0.2}=20$(명)

책을 10권 이상 읽은 학생이 전체의 65 %이므로 5권 이상
10권 미만인 계급의 상대도수는
$1-(0.2+0.65)=0.15$
따라서 책을 5권 이상 10권 미만 읽은 학생 수는
$20 \times 0.15=3$(명)

09 Action 각 계급의 상대도수는 그 계급의 도수에 정비례한다.

도수가 가장 큰 계급은 상대도수가 가장 큰 계급이다.
따라서 도수가 가장 큰 계급은 7시간 이상 8시간 미만이고
그 계급에 속하는 학생 수는 $800 \times 0.3=240$(명)

10 Action (어떤 계급의 도수)=(도수의 총합)×(그 계급의 상대도수)
임을 이용한다.

① 상대도수가 가장 작은 계급은 15 ℃ 이상 16 ℃ 미만이고
그 계급의 도수는 1일이므로 기온을 측정한 전체 일수는
$\dfrac{1}{0.04}=25$(일)

② 도수가 가장 큰 계급은 18 ℃ 이상 19 ℃ 미만이므로 그
계급값은 $\dfrac{18+19}{2}=18.5$ (℃)

③ 17 ℃ 미만인 계급의 상대도수의 합은
0.04+0.12=0.16이므로 $0.16 \times 100=16$ (%)

④ 18 ℃ 이상인 계급의 상대도수의 합은
0.44+0.08=0.52이므로 $0.52 \times 100=52$ (%)

⑤ 계급값이 17.5 ℃인 계급은 17 ℃ 이상 18 ℃ 미만이므로
도수는 $25 \times 0.32=8$(일)
따라서 옳은 것은 ①이다.

11 Action 상대도수의 총합은 항상 1임을 이용하여 10회 이상 12회 미만인 계급의 상대도수를 구한다.

(전체 학생 수)$=\dfrac{11}{0.22}=50$(명) …… 30%

10회 이상 12회 미만인 계급의 상대도수는
$1-(0.06+0.12+0.16+0.22+0.12+0.08)=0.24$ …… 30%

따라서 턱걸이 기록이 10회 이상 14회 미만인 학생 수는
$50\times(0.24+0.12)=18$(명) …… 40%

12 Action 주어진 조건을 이용하여 160 cm 이상 170 cm 미만인 계급의 상대도수를 구한다.

기록이 160 cm 이상인 학생이 전체의 32 %이므로
160 cm 이상 170 cm 미만인 계급의 상대도수는
$0.32-0.12=0.2$
따라서 기록이 160 cm 이상 170 cm 미만인 학생 수는
$150\times0.2=30$(명)

13 Action 각 계급의 상대도수는 그 계급의 도수에 정비례함을 이용하여 2반에서 50점 이상 60점 미만인 계급의 도수를 구한다.

1반에서 50점 이상 60점 미만인 계급의 상대도수는
$\dfrac{5}{50}=0.1$

2반에서 50점 이상 60점 미만인 계급의 도수를 x명이라 하면 이 계급의 상대도수는 $\dfrac{x}{40}$이므로

$0.1 : \dfrac{x}{40}=2:3$에서

$\dfrac{x}{20}=0.3$ ∴ $x=6$

∴ $A=40-(1+6+10+14+5)=4$

14 Action A, B 두 집단의 전체 도수를 각각 $2x, 3x$라 하고, 어떤 계급의 도수를 각각 $3y, 5y$라 한다.

A, B 두 집단의 전체 도수를 각각 $2x, 3x$라 하고, 어떤 계급의 도수를 각각 $3y, 5y$라 하면 이 계급의 상대도수의 비는

$\dfrac{3y}{2x} : \dfrac{5y}{3x}=\dfrac{3}{2} : \dfrac{5}{3}=\dfrac{9}{6} : \dfrac{10}{6}=9:10$

15 Action 상위 30 %는 상대도수의 분포를 나타낸 그래프에서 점수가 높은 쪽에서 상대도수의 합이 0.3이 되는 것을 말한다.

A 학교에서 90점 이상인 계급의 상대도수는 0.05, 80점 이상인 계급의 상대도수의 합은 0.1+0.05=0.15, 70점 이상인 계급의 상대도수의 합은 0.15+0.1+0.05=0.3

즉 A 학교에서 상위 30 % 이내에 들려면 70점 이상 받아야 하므로 $x=70$
B 학교에서 90점 이상인 계급의 상대도수는 0.05, 80점 이상인 계급의 상대도수의 합은 0.25+0.05=0.3
즉 B 학교에서 상위 30 % 이내에 들려면 80점 이상 받아야 하므로 $y=80$
∴ $x+y=70+80=150$

16 Action 그래프가 오른쪽에 치우쳐 있을수록 등교 시각이 늦고, 왼쪽에 치우쳐 있을수록 등교 시각이 빠르다.

① A 중학교 학생들의 그래프가 B 중학교 학생들의 그래프보다 왼쪽에 치우쳐 있으므로 A 중학교 학생들이 B 중학교 학생들보다 일찍 등교한다.
② A 중학교 학생들 중 8시 이전에 학교에 도착하는 학생들이 속하는 계급의 상대도수의 합은
$0.1+0.2+0.4=0.7$
∴ $0.7\times100=70$ (%)
③ B 중학교 학생들 중 8시부터 학교에 도착하는 학생들의 상대도수의 합은 0.35+0.2=0.55
∴ $0.55\times100=55$ (%)
④ 8시부터 8시 20분 이전에 등교하는 학생들의 상대도수는 A 중학교는 0.25, B 중학교는 0.35이므로 비율은 B 중학교 학생들이 A 중학교 학생들에 비해 상대적으로 높다.
⑤ 계급의 크기가 같고, 상대도수의 총합이 1로 같으므로 각각의 상대도수의 그래프와 가로축으로 둘러싸인 부분의 넓이는 같다.
따라서 옳지 않은 것은 ③이다.

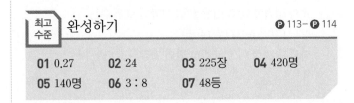

최고수준 **완성하기** ⓟ 113–ⓟ 114

01 0.27	**02** 24	**03** 225장	**04** 420명
05 140명	**06** 3 : 8	**07** 48등	

01 Action 각 계급의 상대도수는 그 계급의 도수에 정비례하고, 상대도수의 총합은 1임을 이용하여 a, b의 값을 각각 구한다.

$a : b=5 : 2$에서
$2a=5b$ ∴ $a=\dfrac{5}{2}b$

상대도수의 총합은 항상 1이므로
$\dfrac{5}{2}b+0.11+0.26+b=1$

$\dfrac{7}{2}b=0.63$ ∴ $b=0.18$

따라서 $a=\dfrac{5}{2}b=\dfrac{5}{2}\times0.18=0.45$이므로
$a-b=0.45-0.18=0.27$

02 (Action) 상대도수의 총합은 항상 1이고, 도수는 학생 수이므로 자연수임을 이용한다.

상대도수의 총합은 항상 1이므로 6시간 이상 7시간 미만인 계급의 상대도수는

$1-\left(\dfrac{1}{8}+\dfrac{1}{3}+\dfrac{1}{6}+\dfrac{1}{8}\right)=\dfrac{1}{4}$

따라서 영희네 반 전체 학생 수가 될 수 있는 수 중에서 가장 작은 수는 상대도수의 분모 3, 4, 6, 8의 최소공배수이므로 24이다.

03 (Action) 시민들이 가장 많이 개찰구를 통과하는 시간대는 상대도수가 가장 큰 시간대이다.

7시 40분 이상 7시 50분 미만인 시간대에 개찰구를 통과하는 시민들이 속하는 계급의 상대도수가 0.1이므로

(전체 시민 수)$=\dfrac{75}{0.1}=750$(명) ⋯⋯ **50%**

시민들이 가장 많이 개찰구를 통과하는 시간대는 상대도수가 0.3으로 가장 큰 8시 10분 이상 8시 20분 미만이고, 전체 시민 수가 750명이므로 필요한 홍보 전단지는 모두 $750\times0.3=225$(장)이다. ⋯⋯ **50%**

04 (Action) 전체 학생 수를 x명이라 하고 주어진 조건을 이용하여 문제의 뜻에 알맞은 식을 세운다.

전체 학생 수를 x명이라 하면
$0.4x=(0.25+0.1)x+21,\ 0.05x=21$ ∴ $x=420$
따라서 전체 학생 수는 420명이다.

05 (Action) 대기 시간이 20분 이상 25분 미만인 학생 수를 $2x$명, 25분 이상 30분 미만인 학생 수를 $3x$명이라 한다.

대기 시간이 30분 이상인 학생 수가 50명이고 그 상대도수의 합이 $0.16+0.04=0.2$이므로 전체 학생 수는
$\dfrac{50}{0.2}=250$(명)
대기 시간이 20분 이상 25분 미만인 학생 수와 25분 이상 30분 미만인 학생 수를 각각 $2x$명, $3x$명이라 하면
$250\times(0.08+0.12)+2x+3x+50=250$
$5x+100=250,\ 5x=150$ ∴ $x=30$
따라서 대기 시간이 25분 이상인 학생 수는
$3x+50=3\times30+50=140$(명)

06 (Action) 1반의 전체 학생 수를 x명, 2반의 전체 학생 수를 y명이라 한다.

1반의 전체 학생 수를 x명, 2반의 전체 학생 수를 y명이라 하면 읽은 책의 수가 24권 이상 28권 미만인 1반과 2반의 학생 수의 비가 9 : 2이므로
$0.45x:0.09y=9:2$
$0.9x=0.81y$ ∴ $x=0.9y$

따라서 읽은 책의 수가 20권 미만인 1반과 2반의 학생 수의 비는
$\{(0.05+0.15)\times x\}:\{(0.2+0.28)\times y\}$
$=0.2x:0.48y$
$=(0.2\times0.9y):0.48y$
$=0.18y:0.48y$
$=3:8$

07 (Action) 1반의 전체 학생 수를 구한 후 1반에서 10등인 학생이 속하는 계급을 찾는다.

1반의 전체 학생 수는
$\dfrac{10}{0.2}=50$(명)
1반에서 수학 성적이 90점 이상인 학생 수는
$50\times0.04=2$(명), 80점 이상인 학생 수는
$50\times(0.16+0.04)=10$(명)이므로 1반에서 10등인 학생의 성적은 80점 이상이다.
한편 1학년 전체 학생 수는
$\dfrac{32}{0.16}=200$(명)
이때 1학년 전체에서 수학 성적이 80점 이상인 학생 수는
$200\times(0.14+0.1)=48$(명)이므로 1반에서 10등인 학생은 1학년 전체에서 적어도 48등 안에 든다고 할 수 있다.

최고수준 **뛰어넘기** ⓟ115- ⓟ116

01 0.075	**02** $A=0.52,\ B=0.16$	**03** 160명
04 66 %	**05** 2학년이 22명 더 많다.	**06** 24명

01 (Action) 전체 고객 수와 1만 원 이상 1만 5천 원 미만인 계급의 도수를 구한다.

전체 고객 수는
$\dfrac{6}{0.05}=120$(명)
5천 원 이상 1만 원 미만인 계급의 도수는
$120\times0.1=12$(명), 1만 5천 원 이상 2만 원 미만인 계급의 도수는 $120\times0.3=36$(명)이므로 1만 원 이상 1만 5천 원 미만인 계급의 도수는
$63-(6+12+36)=9$(명)
이때 구입한 물품의 금액이 5천 원 미만인 고객 수는 6명, 1만 원 미만인 고객 수는 $6+12=18$(명), 1만 5천 원 미만인 고객 수는 $6+12+9=27$(명)

따라서 구입한 물품의 금액이 25번째로 적은 고객이 속하는 계급은 1만 원 이상 1만 5천 원 미만이고 이 계급의 상대도수는 $\dfrac{9}{120}=0.075$이다.

02 [Action] 지난 학기와 이번 학기의 도수의 변화를 살펴본다.

진희네 반 학생들은 변함이 없으므로 이번 학기의 각 계급의 도수를 구하면 다음 표와 같다.

과학 성적(점)	지난 학기 도수(명)	이번 학기 도수(명)
$40^{이상} \sim 50^{미만}$	3	$25 \times 0.04 = 1$
50 ~ 60	4	$25 \times 0.2 = 5$
60 ~ 70	12	$25 \times A$
70 ~ 80	1	0
80 ~ 90	3	$25 \times B$
90 ~ 100	2	$25 \times 0.08 = 2$
합계	25	25

지난 학기에 40점 이상 50점 미만인 학생들 중 2명이 한 계급 올라갔고, 이번 학기에 50점 이상 60점 미만인 학생은 1명이 증가했으므로 지난 학기에 50점 이상 60점 미만인 학생들 중 1명이 한 계급 올라갔다.

즉 이번 학기에 60점 이상 70점 미만인 학생 수는

$12 + 1 = 13$(명)

$\therefore A = \dfrac{13}{25} = 0.52$

또 지난 학기에 70점 이상 80점 미만인 학생들 중 1명이 한 계급 올라갔고, 90점 이상 100점 미만인 계급의 지난 학기와 이번 학기의 도수가 같으므로 지난 학기에 80점 이상 90점 미만인 학생들 중 계급이 올라간 학생은 없다.

즉 이번 학기에 80점 이상 90점 미만인 학생 수는

$3 + 1 = 4$(명)

$\therefore B = \dfrac{4}{25} = 0.16$

03 [Action] a, b의 최대공약수가 8이므로 a, b는 각각 8의 배수이다.

$a = 8k$, $b = 8k'$(k, k'은 서로소)라 하면

5시간 이상 10시간 미만인 계급에서 전체 학생 수는

$\dfrac{8k}{0.25} = 32k$(명)

20시간 이상 25시간 미만인 계급에서 전체 학생 수는

$\dfrac{8k'}{0.2} = 40k'$(명)

이때 $32k = 40k'$이고 k, k'은 서로소이므로

$8 \times 4 \times k = 8 \times 5 \times k'$에서

$k = 5$, $k' = 4$

따라서 조사에 참여한 학생 수는

$40k' = 40 \times 4 = 160$(명)

[다른 풀이]

주어진 상대도수를 기약 분수로 나타내면 오른쪽 표와 같다.

각 계급의 도수가 자연수가 되어야 하므로 도수의 총합은 각 계급의 상대도수의 분모 4, 5, 8, 10의 최소공배수의 배수이다. 즉 도수의 총합은 40의 배수이므로 도수의 총합을 $40n$명이라 하면

봉사 활동 시간(시간)	상대도수
$0^{이상} \sim 5^{미만}$	$\dfrac{1}{5}$
5 ~ 10	$\dfrac{1}{4}$
10 ~ 15	$\dfrac{1}{10}$
15 ~ 20	$\dfrac{1}{8}$
20 ~ 25	$\dfrac{1}{5}$
25 ~ 30	$\dfrac{1}{8}$
합계	1

$a = 40n \times \dfrac{1}{4} = 10n$, $b = 40n \times \dfrac{1}{5} = 8n$

이때 $10n$, $8n$의 최대공약수는 $2n$이고 a, b의 최대공약수가 8이므로

$2n = 8$ $\therefore n = 4$

따라서 조사에 참여한 학생은

$40n = 40 \times 4 = 160$(명)

04 [Action] 상대도수의 총합은 항상 1임을 이용하여 a, b를 사용한 식을 만든다.

상대도수의 총합은 항상 1이므로

$0.04 + 0.26 + a + b + 0.16 + 0.06 = 1$

$a + b = 0.48$ $\therefore 25a + 25b = 12$

이때 $25a$, $25b$가 모두 3의 배수이고 $a > b$이므로

$25a = 9$, $25b = 3$

$\therefore a = 0.36$, $b = 0.12$

따라서 70점 미만인 계급의 상대도수의 합은

$0.04 + 0.26 + 0.36 = 0.66$이므로

$0.66 \times 100 = 66$ (%)

05 [Action] 각 그래프에서 기록이 25초 이상인 학생 수를 각각 구하여 비교한다.

1학년의 그래프에서 15초 미만인 계급의 상대도수의 합은

$0.12 + 0.2 = 0.32$이므로 1학년 전체 학생 수는

$\dfrac{80}{0.32} = 250$(명)

이때 25초 이상 30초 미만인 계급의 상대도수는

$1 - (0.12 + 0.2 + 0.4 + 0.24) = 0.04$이므로 기록이 25초 이상인 학생 수는 $250 \times 0.04 = 10$(명)

2학년의 그래프에서 15초 미만인 계급의 상대도수의 합은

$0.04 + 0.1 = 0.14$이므로 2학년 전체 학생 수는

$\dfrac{28}{0.14} = 200$(명)

이때 25초 이상 30초 미만인 계급의 상대도수는
$1-(0.04+0.1+0.34+0.36)=0.16$이므로
기록이 25초 이상인 학생 수는
$200\times0.16=32$(명)
따라서 기록이 25초 이상인 학생 수는 2학년이
$32-10=22$(명) 더 많다.

06 Action B 헬스클럽의 그래프에서 상대도수의 총합은 항상 1임을 이용하여 세로축의 눈금 한 칸이 나타내는 상대도수를 구한다.

세로축의 눈금 한 칸이 나타내는 상대도수를 x라 하면
B 헬스클럽의 그래프에서 상대도수의 총합은 항상 1이므로
$x+8x+6x+4x+x=1$
$20x=1$ ∴ $x=0.05$
이때 A 헬스클럽의 그래프에서 50세 이상 60세 미만인 계급의 상대도수는
$1-(3x+7x+6x+x)=1-(0.15+0.35+0.3+0.05)$
$\qquad\qquad\qquad\qquad=0.15$
이므로 나이가 50세 이상인 회원 수는
$120\times(0.15+0.05)=24$(명)

교과서 속 창의 사고력
📖 117~ 📖 119

01 25명	**02** 47	**03** 19 : 30 이상 20 : 00 미만
04 최댓값 : 165명, 최솟값 : 75명		**05** ⑤
06 180명		

01 Action (평균)$=\dfrac{(\text{자료의 총합})}{(\text{자료의 개수})}$임을 이용한다.

10점대인 학생 수와 40점대인 학생 수를 각각 $3a$명, $2a$명이라 하자.
10점대인 학생들의 점수의 평균이 17점이므로 이 학생들의 점수의 총합은
$17\times3a=51a$(점)
20점대인 학생들의 점수의 총합은
$20+21+21+23+25+26+28=164$(점)
30점대인 학생들의 점수의 총합은
$32+32+34+35+36+37+38+39=283$(점)
40점대인 학생들의 점수의 평균이 44점이므로 이 학생들의 점수의 총합은
$44\times2a=88a$(점)

전체 학생 수는 $3a+7+8+2a=5a+15$(명)이고 반 전체 학생들의 점수의 평균이 29점이므로
$$\frac{51a+164+283+88a}{5a+15}=29$$
$139a+447=29\times(5a+15)$
$139a+447=145a+435$, $6a=12$ ∴ $a=2$
따라서 전체 학생 수는
$5a+15=5\times2+15=25$(명)

02 Action 4점을 받은 학생은 A 지역에서만 또는 C 지역에서만 봉사 활동을 하였고, 9점을 받은 학생은 A 지역과 B 지역에서 또는 B 지역과 C 지역에서 봉사 활동을 하였다.

주어진 표를 이용하여 각 지역에서 봉사 활동을 한 경우를 ○, 하지 않은 경우를 ×로 나타내어 표로 만들면 다음과 같다.

점수(점)	A	B	C	학생 수(명)
4	○	×	×	a_1
4	×	×	○	a_2
5	×	○	×	7
8	○	×	○	10
9	○	○	×	b_1
9	×	○	○	b_2
13	○	○	○	7

4점을 받은 학생은 A 지역에서만 또는 C 지역에서만 봉사 활동을 하였으므로 $a_1+a_2=5$
9점을 받은 학생은 A 지역과 B 지역에서 또는 B 지역과 C 지역에서 봉사 활동을 하였으므로 $b_1+b_2=8$
$x=a_1+10+b_1+7=a_1+b_1+17$
$y=a_2+10+b_2+7=a_2+b_2+17$
∴ $x+y=(a_1+b_1+17)+(a_2+b_2+17)$
$\qquad\quad=(a_1+a_2)+(b_1+b_2)+34$
$\qquad\quad=5+8+34=47$

03 Action 콘서트장에 남아 있는 관객 수는
(입장 관객 수)$-$(퇴장 관객 수)$+$(이전 계급에 남아 있는 관객 수)이다.

각 계급의 입장 관객 수, 퇴장 관객 수, 콘서트장에 남아 있는 관객 수를 도수분포표로 나타내면 다음과 같다.

시각	입장 관객 수(명)	퇴장 관객 수(명)	남아 있는 관객 수(명)
17 : 30^{이상}~18 : 00^{미만}	90	5	85
18 : 00 ~18 : 30	80	10	155
18 : 30 ~19 : 00	65	5	215
19 : 00 ~19 : 30	55	30	240
19 : 30 ~20 : 00	10	100	150
20 : 00 ~20 : 30	0	145	5
합계	300		

따라서 콘서트장에 남아 있는 관객 수가 네 번째로 많은 계급은 19 : 30 이상 20 : 00 미만이다.

04 Action 관객 수가 최대가 되는 경우와 최소가 되는 경우를 각각 생각한다.

사전 공연을 본 관객 수가 최대가 되는 경우는 18시부터 18시 10분 이전에 80명이 입장하고 18시 20분부터 18시 30분 이전에 10명이 퇴장한 경우이므로

$85+80=165$(명)

사전 공연을 본 관객 수가 최소가 되는 경우는 18시부터 18시 10분 이전에 10명이 퇴장하고 18시 20분부터 18시 30분 이전에 80명이 입장한 경우이므로

$85-10=75$(명)

05 Action 남학생 수를 x명이라 하면 여학생 수는 $(500-x)$명이다.

조사한 학생 수가 500명이므로 남학생 수를 x명이라 하면 여학생 수는 $(500-x)$명이다.

취미가 E인 학생 수에서

$\frac{5}{100}\times x+\frac{0}{100}\times(500-x)=\frac{4}{100}\times500$

$5x=2000$ $\therefore x=400$

따라서 남학생 수는 400명, 여학생 수는 100명이므로 조사한 학생 수는 다음 표와 같다.

학생 수 \\ 취미	A	B	C	D	E	합계
남학생(명)	60	144	120	56	20	400
여학생(명)	6	20	60	14	0	100
전교생(명)	66	164	180	70	20	500

① 취미가 A인 남학생 수는 취미가 A인 여학생 수의 10배이다.

② 취미가 A인 남학생 수와 취미가 D인 여학생 수는 46명 차이가 난다.

③ 취미가 C인 여학생 수는 취미가 C인 남학생 수의 $\frac{1}{2}$배이다.

④ 취미가 D인 남학생 수와 취미가 D인 여학생 수는 같지 않다.

⑤ 취미가 E인 남학생 수와 취미가 B인 여학생 수는 20명으로 같다.

따라서 옳은 것은 ⑤이다.

06 Action 주어진 도수분포다각형에서 $S_1=S_2$임을 이용한다.

$S_1=S_2$이고 $S_1+S_2=45$이므로 $S_1=S_2=\frac{45}{2}$

세로축의 눈금 한 칸이 나타내는 학생 수를 x명이라 하면

$S_1=S_2=\frac{1}{2}\times\frac{5}{2}\times\frac{3}{2}x=\frac{45}{2}$

$\frac{15}{8}x=\frac{45}{2}$ $\therefore x=12$

따라서 키가 160 cm 이상 170 cm 미만인 학생 수는

$10x+5x=10\times12+5\times12=180$(명)

Memo

Memo

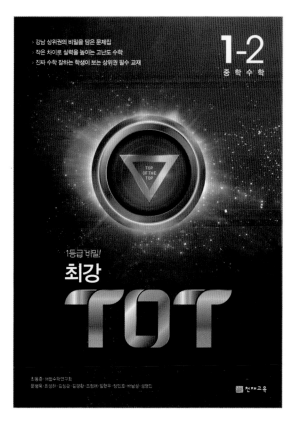

최고
수준 수학

정답과 풀이

중학 수학 1·2

배움으로 행복한 내일을 꿈꾸는
천재교육 커뮤니티 안내

. . .

 교재 안내부터 구매까지 한 번에!
천재교육 홈페이지

천재교육 홈페이지에서는 자사가 발행하는 참고서,
교과서에 대한 소개는 물론 도서 구매도 할 수 있습니다.
회원에게 지급되는 별을 모아 다양한 상품 응모에도
도전해 보세요.

 구독, 좋아요는 필수! 핵유용 정보 가득한
천재교육 유튜브 <천재TV>

신간에 대한 자세한 정보가 궁금하세요?
참고서를 어떻게 활용해야 할지 고민인가요?
공부 외 다양한 고민을 해결해 줄 채널이 필요한가요?
학생들에게 꼭 필요한 콘텐츠로 가득한 천재TV로 놀러 오세요!

 다양한 교육 꿀팁에 깜짝 이벤트는 덤!
천재교육 인스타그램

천재교육의 새롭고 중요한 소식을 가장 먼저 접하고 싶다면?
천재교육 인스타그램 팔로우가 필수!
누구보다 빠르고 재미있게 천재교육의 소식을 전달합니다.
깜짝 이벤트도 수시로 진행되니 놓치지 마세요!